SOLEIL BLANC

Benoît R. Sorel

SOLEIL BLANC

Recueil de textes de l'an 2020

– BoD –

DU MÊME AUTEUR

Savoir-faire   L'élevage professionnel d'insectes

La gestion des insectes en agriculture naturelle

L'agroécologie : cours théorique

L'agroécologie : cours technique

Les cinq pratiques du jardinage agroécologique

Essais   NAGESI. *Recueil de textes*

Réflexions politiques

À la recherche de la morale française

L'agroécologie c'est super cool !

L'éphéxis au jardin

Sens de la vie et pseudo-sciences

Le bonheur au jardin

Pensées cristallisées. *Recueil de textes*

La méditation intellectuelle

Le creuset. *Recueil de textes*

Romans   Les secrets de Montfort

Saint-Lô Futur

La jeune fille sur le chemin bleu

Le don

Internet   **jardindesfrenes.com**

SOMMAIRE

SOCIÉTÉ

LES MAIRES

Octobre 2019

RCF : « selon les deniers sondages, les maires sont les élus les plus appréciés… »

France Info : « les maires, des élus plébiscités selon les sondages … »

RTL : « le maire, apprécié et proche … »

L'an prochain auront lieu les élections municipales et déjà sur les ondes on nous bourre les oreilles avec ça. Comme à chaque élection, que de bêtises on raconte sur les ondes ! Non, les maires ne sont pas appréciés. Tout au contraire, ils incarnent la corruption, l'inefficacité, le je-m'en-foutisme, le c'est-pas-moi-le-responsable et l'égocentrisme, toutes caractéristiques qui sont devenues synonymes de politique depuis l'ère Mitterrand. Le « tous pourris » vise d'abord les maires. Les députés et les sénateurs vivent loin du peuple ; on ne les voit jamais, on ne sait pas ce qu'ils manigancent. Mais les maires, car ils sont physiquement proches du peuple, sont visibles. Les causes et les conséquences de leurs décisions sont visibles, les conséquences de leurs inactions sont visibles et c'est là que les faits de corruption apparaissent le plus. Que de lotissements, de routes, d'autorisations de construire, d'aménagements illégaux ! Que de terrains préemptés puis vendus pour une bouchée de pain à des « connaissances » du maire. Que de subventions accordées à telle ou telle association. Que de « connaissances » embauchées dans les services municipaux. Que de chantiers publics donnés à telle entreprise. Et au contraire, que d'entraves mises librement dans les projets d'honnêtes citoyens. Que de dettes laissées aux municipalités en fin de mandat. Que de vies de quartier ruinées. La liste des décisions prises par les maires faites soit pour plaire à untel, soit pour contrecarrer untel, au lieu de se fonder sur l'ordre et la raison, est longue comme la Seine. Que de décisions pour lesquelles aucune justification n'est présentée au citoyen ! Inadmissible !

La pourriture politique de France est d'abord et avant tout le fait des maires. C'est pour ça que de moins de personnes veulent endosser cette fonction : cette fonction pue la rouerie et la démagogie.

Citoyens ! Le mandat de maire doit être ré-écrit, afin d'en supprimer toutes les tares. Lors des prochaines élections, c'est cela qu'il faut faire savoir. Plutôt que de voter pour un maire qui brigue un cinquième mandat, en plus de cumuler des fonctions à tous les autres niveaux administratifs du département et de la région. Plutôt que de voter pour untel, qui est le poulain du vieux maire précédent qui a régné comme un nabab sur son fief depuis quarante ans.

Et par pitié, arrêtez de croire aux journalistes ! D'autant plus quand ils répètent tous le même message ! Ils ne veulent qu'une chose : vous faire penser comme ils le veulent. Pour que vous votiez comme il le veulent. Allons, réveillez-vous ! Ne soyez pas des perroquets et des toutous. Osez penser par vous-mêmes et exigez la fin de la corruption systémique de la fonction de maire. Arrêtez d'utiliser le « prêt-à-penser ».

« Think it yourself » comme pourrait le dire notre Président.

PS mars 2020. Encore une fois, la niaiserie l'a emporté lors de ces élections municipales. Crise du coronavirus obligeant, il n'y eut que le premier tour des élections. Le second fut reporté.

La légitimité de ces élections est contestable, beaucoup de citoyens ayant préféré ne pas aller voter par crainte d'être infecté par le virus et d'infecter soi-même. La raison voudrait que ces élections soient refaites… Mais à tous ceux qui sont allé voter pour ré-élire leur maire sortant, je demande : « Ce maire est-il jamais venu vous demander comment ça se passe ? Quels sont les problèmes de quartier, de circulation, etc. ? » À Saint Jean de Daye, la maire n'a jamais pris l'initiative de venir demander à ses habitants. Et elle n'a jamais utilisé les fonctions de police dont elle dispose pour faire respecter les règles de voisinage et de santé publique, alors que les voisinages sont difficiles, alors que certains voisins n'en font qu'à leur tête, alors que certains voisins balancent leurs eaux usées dans les fossés. Alors que l'esthétique même du village est catastrophique : nombreuses maisons en ruine, décharge sauvage de pneus, bâtiments abandonnés menaçant de s'effondrer, lisier qui s'écoule librement sur une rue et dans les fossés, sans parler des motards fous et anarchistes et des chauffards qui comme partout pourrissent la vie des habitants.

La responsabilité implique l'usage de l'autorité face aux personnes qui s'estiment au-dessus des lois. Si la force de l'autorité ne s'exprime pas, je ne vois aucune raison de respecter l'intelligence de la responsabilité. L'une et l'autre sont inséparables telles les deux faces d'une pièce.

Or avec ces élections sans ré-écriture des devoirs des élus, la même chien-lit laxiste, démagogique, le copinage, vont continuer. Et la France va devenir un pays de plus en plus petit.

À PROPOS DES CONS

Novembre 2019

Vers le bas

Attention : il sera ici question des cons. Rassurez-vous, si vous lisez ce texte, c'est que vous n'en êtes pas un. Toutefois, si vous deviez quand même vous reconnaître dans les lignes qui suivent, sachez que je ne peux rien pour vous. On est con ou on ne l'est pas.

Qu'est-ce qu'un con ? La question a le mérite d'être plus polie que demander qui est con. Ma question est plus objective, pour ne pas dire plus savante. Avec elle je vise à atteindre une certaine connaissance académique du con.

À chaque question son temps de réflexion. Une bonne réflexion consiste à cerner son sujet dans les grandes lignes comme dans les détails. Et c'est vrai qu'il y a des cons des grandes lignes et des cons dans les détails. Peut-on être l'un et l'autre à la fois ? C'est-à-dire être con au croisement de la ligne et du détail ? Faut voir. Faut voir. C'est important de savoir cela, surtout avant l'embauche.

« — Vous êtes plutôt con de la ligne ou con du détail ?

— Je suis spécialisé dans la connerie de détail, monsieur.

— Non vous ne convenez pas. Voyez-vous, nous cherchons quelqu'un au profil pluridisciplinaire. »

Ah, les cons nous font bien rire. Mais le sujet est sérieux. Très sérieux. Car il nous arrive tous un jour de faire les frais d'un con.

Ça m'est arrivé plusieurs fois. La dernière en date est celle d'un placier, au marché de Sainte Mère Église. « Des salades, des concombres, des conneries (!) comme ça que vous vendez ? La mairie vous donne pas l'autorisation » a-t-il dit bien fort devant tous les autres marchands à l'heure de l'attribution des places. Et il m'a mis au bout d'une allée sans issue dans le marché, où faute de chalands je n'ai fait que vingt euros de vente de légumes. Ce con a outrepassé ses droits, car il faut vraiment être con pour s'adjuger le droit de dire qui peut ou ne peut pas vendre ses produits sur le marché. La loi est claire : toute entreprise y a droit.

La connerie ne vient jamais seule. Ce con agissait de la sorte envers moi pour « protéger » les revendeurs de légumes présents sur le marché — j'en profite pour vous dire que ces vendeurs qui viennent avec un semi-remorque et déploient vingt mètres de linéaire de vente, ne sont pas des maraîchers. Ils ne produisent pas, ils ne sont pas agriculteurs, ils achètent aux halles de Rungis ou Caen et revendent. Ne soyez pas cons : n'appelez plus ces gens-là des maraîchers. Ce sont des revendeurs industriels. Merci.

J'ai compris rapidement que j'avais affaire à un con. Et j'en ai eu la confirmation quand, au moment de payer mon droit de place une heure plus tard, il a dit en montrant mes salades « c'est du pissenlit ça, ça se mange ? ». Et il m'a immédiatement tourné le dos et il est parti. Je n'ai même pas cherché à répondre : j'étais sûr qu'il allait se comporter ainsi. Pourquoi en étais-je sûr ?

J'en viens donc au coeur de mon propos avec une nouvelle question qui va me permettre de répondre à la précédente : croiser le chemin d'un con est un moment pénible à passer, et peut vous nuire gravement — j'ai abandonné ce marché —, mais est-ce la faute du con ? Ce con m'a fait voir la situation sous un autre angle. Et si c'était de *ma* faute ? Bien souvent par manque de confiance en soi on estime qu'on est un incapable, qu'on ne fait pas bien ce qu'on a à faire, qu'on n'est pas assez rapide, productif, précis, etc. On pense qu'on est con. Mais ce n'est pas du tout la direction dans laquelle je veux aller ici. Cette réaction est trop subjective ; je veux vous proposer une explication objective de pourquoi c'est peut-être ma faute.

Le con est par définition prévisible. L'environnement dont il a la charge l'est aussi. Les signes de la connerie sont visibles. Le con est par définition immobile. Inamovible. Fixé. Quand il bouge, il bouge toujours en ligne droite. C'est pour ça que je savais que ce con de placier voulait juste m'humilier une seconde fois en me posant cette question à la con. En me tournant de suite le dos il affirmait sa « supériorité ».

L'intelligent, au contraire du con, est mobile et souple d'esprit. Il évolue de pleins de façons différentes. Se coltiner un con, c'est endosser son immobilisme et sa linéarité. *Le con ne peut pas changer, donc l'intelligent doit continuer d'avancer.* Il doit aller voir ailleurs, car il n'y a rien de stimulant et d'enrichissant dans l'environnement d'un con. Dire « amen » au con, c'est devenir con soi-même.

On me rétorquera que j'aurais pu porter plainte contre ce placier. Vu la justice française, rien ne se serait passé avant des années. Et au final pour quelle sanction contre ce con ? Rien. Déjà que les voleurs ne font même plus de prison… Non je suis certain d'avoir fait le bon choix en ne retournant plus sur ce marché. Le con a produit ses effets : une des rares clientes à m'acheter des produits ce jour-là m'a dit qu'elle n'aimait pas vraiment Sainte Mère Église et sa région parce qu'il n'y a aucun producteur local au marché. Elle qui venait de Lyon m'a assuré que là on y mange de bons produits locaux et frais, et que pour ses vacances en Normandie elle se résignait à mal manger. Le con de placier, vraisemblablement corrompu par les revendeurs industriels de fruits et légumes, a fait fuir les maraîchers locaux ! Donc les touristes ne peuvent plus acheter de fruits et légumes locaux. Un con, ça vous ruine une réputation !

Mais un con n'est jamais seul. Si le maire avait voulu qu'il y ait des maraîchers locaux sur son marché…

Revenons au fond du problème : quand on croise un con, il faut se demander ce qu'on a fait pour en arriver là. Surtout quand on estime qu'on est intelligent. Le hasard de la vie, certes, fait qu'il y a des cons un peu partout. Autre exemple : les voisins. Vous vous installez dans votre nouvelle maison et vous découvrez après quelque temps que vous avez des voisins cons sur les bords, voire plus ? Il faut les supporter, me direz-vous. Ou déménager. Pourtant n'était-ce pas prévisible ? Reconsidérez l'environnement de votre maison : n'y voyez-vous pas les signes de la connerie ? Avant d'acheter ou de louer, êtes-vous venu visiter votre maison différents jours ? Matin, midi et soir, semaine et week-end. Dans quel état sont les habitations environnantes ? Les arbres ? Les limites de propriété ? Etc. Hé oui : on n'a pas fait attention à ceci ou cela. On n'a pas remarqué les fossés de la commune remplis d'eau noir saumâtre et puante, signe que les habitants déversent directement leurs égoûts dans les fossés[1]. Vous voilà à devoir côtoyer un con peut-être tout le

---

1 En mars 2020, le constat est le même. Il y a dans mon village des cons qui n'ont pas compris ou ne veulent pas comprendre qu'il est nocif de rejeter directement dans la nature les eaux usées. En 2020. Ils ne comprennent pas ou ne veulent pas comprendre ou ne veulent faire aucun effort de changer leurs habitudes de vie. Faut quand même être con pour remplir de flotte nauséabonde le fossé qui borde sa propre maison !

reste de votre vie. Il ne manquera pas de vous énerver, car un con ne veut jamais qu'une chose : qu'on lui dise qu'il a raison. Le con fait tout pour vous obliger à réagir à ce que *lui* fait. Lui fait tout comme il veut ; vous, intelligent, vous ne voulez que respecter les règles de bon voisinage. Quand vous lui dite qu'il enfreint les règles (de bruit, de pollution, de voisinage, etc.), le con a une répartie simple : « Je n'emmerde personne, donc venez pas m'emmerder ! ». Sous-entendu que lui ne va pas faire la remontrance aux autres parce qu'ils sont inciviques, alors qu'on ne vienne pas lui dire que lui est incivique quand il enfreint les règles… C'est là une démonstration d'égoïsme et de je-m'en-foutisme.

Encore un exemple de cons : les artisans sur les routes, qui mettent en danger de mort tous ceux qu'ils croisent en roulant bien trop vite, en ne respectant aucune distance de sécurité, en doublant dans les virages, en ne respectant pas les priorités, en téléphonant au volant. Des cons, il y en a partout. La liste des cons est longue comme la langue d'un maire corrompu.

Comment donc éviter de se retrouver entouré de cons ? Cherchez l'originalité, la substance, le sens des proportions. Là où il y a du travail original, là où il y a des nouveautés, là où il y a du travail bien fait et authentique, là où les détails sont distingués de l'essentiel, là où il y a des principes qui s'efforce de respecter en s'adaptant et en étant créatif, c'est la preuve qu'il n'y a pas de con à l'oeuvre. Là où on fait un usage raisonné des machines il n'y a pas de con. Quand tout est pensé en terme de machine, c'est qu'il y a de la connerie.

Quels sont les ressorts psychologiques de la connerie ? Je pense que la peur en est un. Le con veut être le roi dans son royaume. Mais con comme il est, il n'en distingue pas les différents aspects, donc dans ce royaume il agit toujours d'une seule et unique façon. Parce que ça le rassure. Avec cette seule et unique façon d'agir, il pense être certain de pouvoir tout contrôler. Le con a une machine fétiche, une parole fétiche, une façon de faire fétiche, un comportement social fétiche. Cela a comme conséquence une uniformisation bien visible de son « royaume ». De son environnement. Le con se rassure en simplifiant.

Le con lit-il ? S'il lit, ce sont toujours des écrits qui confortent ses façons de penser et de faire. Le con fuit l'authentique effort intellectuel qu'est le questionnement de soi-même, de ses façons de penser et de voir le monde. Il a peut-être entendu ou vu qu'il existe d'autres façons d'être au monde que la sienne, mais cela n'occupe qu'une case minuscule et quasi-oubliée de sa conscience. Parce que pour lui, « c'est des conneries tout ça ! »

Le con ne manque pas de volonté ; il n'est pas nécessairement fainéant. Il met bien souvent une énergie débordante à s'affirmer aux yeux et aux oreilles des autres, pour notre plus grand dépit.

Voilà accompli un petit tour de la connerie. Pour moi, l'essentiel est de savoir que ce qui caractérise la connerie est avant tout la linéarité, que le con con-forme son environnement et qu'un con en cache toujours un autre. Quand il y a des employés cons, c'est qu'il y a un chef con. Quand il n'y a jamais rien d'original dans un lieu, c'est qu'un con y règne. Quand il y a des paroles formidables et des réalisations minables, c'est qu'un con est à l'oeuvre. Pas la peine de persister à côtoyer un con, il ne pourra que vous entraver, il ne fera que chercher à vous rendre dépendant de lui. Comme ce commerçant con qui me baratinait pour ne pas me payer mes légumes que j'avais déposés chez lui et qui me disait de, moi, le rappeler par téléphone trois jours avant de sortir les tickets de caisse pour qu'il puisse me payer ! Et il ne me payait pas parce que moi je ne l'avais pas rappelé.

Là, la connerie se faisait manipulation. J'ai d'ailleurs saisi la répression des fraudes contre ce con.

Dans un prochain texte, je prolongerai cette courte étude de la connerie avec une étude du conservatisme politique local. Pourquoi est-ce que rien ne change ici à la campagne ? Les élus et leurs villageois sont-ils cons ? Non, mais ils souffrent d'une autre grave déficience intellectuelle : l'absence d'ouverture d'esprit. Explications et étude de cas dans le prochain texte.

Vers le haut

J'ai déjà écrit de nombreuses réflexions sur les faiblesses du genre humain. Moi qui vis au contact de la Nature, je ne les vois que trop bien. Et je dois me rappeler régulièrement de ne pas regarder uniquement ces aspects. J'aime les étudier afin de les comprendre, d'en trouver les causes, de m'en protéger, de les soulager, de les dépasser. Quand je fais ça, je me vois en « docteur de l'âme humaine ». Je crois que c'est important de faire ça. Mais à trop souvent le faire, je ressens en moi l'installation d'une certaine noirceur : de la méchanceté à l'égard des autres qui ne satisfont pas à mes exigences de droiture morale et intellectuelle. J'ai la critique facile, moqueuse et hautaine. Du dédain. Ceci se combine à mon intellect excessif et fainéant, qui discerne mieux les conséquences des faiblesses humaines que celles des talents humains. Ceci se combine à mon tempérament mélancolique. Ceci se combine à toutes les lectures de thrillers et de policiers sombres, où toute l'horreur de l'âme humaine est mise en scène. Bref, à force de m'exposer à tant de noirceur, d'erreurs, de faiblesses, je finis par moi-même broyer du noir. Et en écrire ! Le méchant de mon dernier roman *Le don* est ainsi exécrable. Quant aux nombreuses lectures ésotériques que j'ai faites, elles sont aussi ancrées dans la part d'ombre de l'humanité. Elles servent à dépasser et transformer cette part d'ombre en lumière, mais d'abord elles posent comme existants les noirs secrets de l'âme humaine…

Curieusement, j'ai fait toutes ces lectures sombres, et visionné tout autant de films sombres policiers, thrillers et d'horreur, depuis 2015. Pas avant. 2015 est l'année de démarrage de production agroécologique dans mon jardin des frênes ainsi que ma première année d'écrivain. Comme si cette exploration des bas-fonds de l'âme humaine étayait les nouvelles expériences de joie et édifiantes que je découvrais dans ma nouvelle vie au jardin. Ces expériences positives me donnaient l'envie d'affronter ces noirceurs pour les dépasser.

Et me voilà aujourd'hui encore à me frotter à ces noirceurs. Mais je ne m'y frotte plus que par habitude. Elles ne m'apprennent plus rien, parce que oui, ces noirceurs, ces bas-fonds, ces faiblesses, ces misères sont en fin de compte en nombre limité. Et je crois bien que j'en ai fait le tour. J'aime dire que « le prix est le même » : qu'on s'ébroue dans le pessimisme et la noirceur n'apporte rien de plus à la vie. Ça ne l'enrichit pas. Être optimiste est au contraire la seule voie pour enrichir la vie, pour surmonter les difficultés. Quitte à vivre, autant vivre de façon positive !

Oui, on dit que la cruauté humaine est sans limite, on dit que l'homme ne manque jamais de créativité pour nuire à son prochain. Mais entre deux thrillers sombres, j'ai aussi lu beaucoup de philosophie, de sociologie, d'histoire et en croisant les premiers avec les seconds, j'en tire la conviction que « le mal est fini ». Nos faiblesses sont en nombre limité, et ce sont toujours les mêmes. C'est un sacerdoce que de les traverser toutes, du moins de les ressentir toutes, de s'imprégner d'elles. Mais je l'ai fait, j'ai lu des horreurs de toutes sortes. Et désormais je n'ai rien à gagner à demeurer à leur contact. Désormais je dois côtoyer les lumières de l'humanité. Tout ce qu'il y a de beau et de bien en elles. Et les mettre en pratique dans ma vie.

Toutefois, cela va me demander des efforts. De la persévérance, durant au moins autant d'années que j'ai côtoyé le noir. Pour rencontrer les faiblesses toujours plus faibles, plus révoltantes, plus ignobles, plus inhumaines et a-humaines (cf. mon texte *Alita l'a-humaine* dans mon livre *Le creuset*), il m'a suffit de me laisser tirer vers le bas par la gravité, pour ainsi dire. Toutes les faiblesses sont des manques, des vides, des creux dans notre psychologie. Ce sont des actions pour cause d'absence. Ce sont des segments de psychologie qui ne se sont pas construits ou qui ont été perdus, détruits, déformés — je ne crois pas en l'existence d'un inconscient où bouillonneraient des pulsions néfastes qui ne demandent qu'à s'exprimer. Au contraire, tout ce qui est bon dans l'humain résulte selon moi d'un effort. Un effort pour se connaître, s'empêcher, se contrôler, se canaliser, se construire, se diversifier intérieurement, s'épanouir, se réaliser totalement. Il est toujours plus facile de pointer du doigt les faiblesses et leurs conséquences que de mettre en lumière la bonté humaine, l'expliquer et l'alimenter pour aller vers toujours plus de bien. Cela exige imagination, créativité, persévérance. Confiance en l'humain. Oser suivre l'intuition, oser dire non aux habitudes sombres qu'on a prises, dire non aux passions tristes de tout un peuple qui par exemple glorifie l'argent et ne sait plus aimer les arbres. Cela exige aussi de consacrer un temps certain à vivre cette joie humaine. À la vivre et à la célébrer, non pas tout seul dans son coin, toujours, mais avec d'autres personnes. Il faut *être* cette joie, la vouloir et l'incarner. Ce n'est pas qu'une question de volonté, il y a aussi une part de laisser-aller et de fascination devant l'infini de l'univers.

Voilà, c'est écrit ; mais c'est dur à affirmer face aux faiblesses humaines qui, criantes de rage et bouffies d'égoïsme, affirment qu'il ne peut rien exister d'autre qu'elles. Que le capitalisme et l'argent par exemple. Or le droit au bonheur est possible. Le droit de ne pas tout ramener à l'argent est possible.

Voilà, c'est mon programme de vie qui est là écrit ! Au boulot moussaillon ! Dans toutes mes lectures j'ai déjà trouvé de nombreux joyaux de l'humanité. Tout comme j'ai dénoncé ses faiblesses pour les dépasser, il me faut écrire pour convaincre. Il me faut continuer à écrire pour décrire ce beau monde que l'on peut créer dès aujourd'hui. Il me faut le mettre en mots et en images, et montrer la voie à suivre. Dire comment faire pour faire le beau et le bien. Tout est là. Tout est là, rien d'autre n'est nécessaire. Le début du voyage peut toujours commencer.

LA FERMETURE DE L'ESPRIT

Novembre 2019

Dans mon livre *Réflexions politiques*, j'avais fustigé l'immobilisme des élus locaux pour qui « faire quelque chose de nouveau », c'est continuer à faire ce qu'on a toujours fait. Je critiquais là leur conception de la nouveauté, qui entérine l'idée d' « évolution immobile » plutôt que l'idée de « changement de cap ». Ça se passe ainsi. L'élu local dévoile son nouveau projet au conseil municipal : faire une nouvelle route, un nouveau lotissement, un nouveau parking, un nouvel hypermarché, une nouvelle crèche, une nouvelle décharge, etc. Tout comme un constructeur de voitures dévoile chaque année ses nouveaux modèles. « Nouveau » s'applique à la dernière répétition d'un processus continu et cumulatif.

C'est presque pour moi un abus de langage que d'utiliser le mot de nouveauté. Chaque année mon jardin produit des légumes. Est-ce que je parle de « nouveaux légumes » à mes clients ? Non, car c'est « le retour du même », connu et prévisible et prévu, chaque année. Ne sont nouvelles que les variétés de légumes que je produis et vends pour la première fois.

Cet usage abusif du mot me chagrine et plus encore la vanité que retirent les élus locaux de leurs « nouveautés ». La presse locale ne tarit pas d'éloges sur la nouvelle route, le nouveau lotissement, la nouvelle décharge, le nouveau parking. Et l'élu en question explique avoir investi toutes ses compétences et celles de son équipe, tout son engagement républicain même, pour que ce nouveau projet soit bien ficelé et aboutisse en temps et en heure.

C'est la banale et pompeuse fanfaronnade de l'élu, me direz-vous. Certes. Et vous me direz aussi qu'il faut bien enjoliver un peu la vie quotidienne, sinon les vocations de maire, notamment, viendraient à manquer. Car pour une seule petite nouvelle route de construite, ce sont des centaines de petits travaux ingrats, de l'ordre de l'entretien des biens publiques, qu'il faut gérer chaque jour sans en retirer aucune gloire ni aucune fierté. Faire réparer les poubelles dégradées, refaire les marquages au sol sur la chaussée, mettre aux normes la salle des fêtes, remplacer les tables, les bancs, détruits par les petits cons du coin... Un projet de nouvelle route, ça égaie tout le mandat d'un élu.

Cependant, à force de tant de nouvelles réalisations, à force de tant d'articles élogieux dans la presse locale, je suis persuadé qu'une limite supérieure s'installe et dans la tête des citoyens et dans la tête des élus : il n'y a de nouveauté que dans le retour du même. Il en résulte que l'idée de changement de cap a déserté la tête des citoyens et des élus. Tous ont l'impression de vivre dans une commune qui évolue ; or il n'en est rien. C'est « l'évolution immobile ». C'est le retour du même, sans cesse.

Cet état d'esprit est particulièrement dommageable pour la Nature : l'artificialisation des terres se poursuit. Elle va même en augmentant. Les maires décident de toujours plus de routes, de lotissements, de parkings, d'hypermarchés, de décharges, etc.

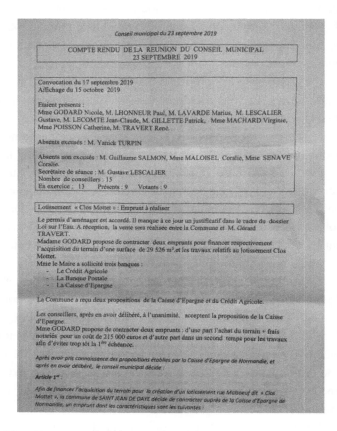

L'objectif de mon exposé est d'en venir aux causes psychologiques de ce culte de l'évolution immobile. Mais avant, permettez-moi de vous montrer un exemple très concret de ce culte. Voyez ci-dessus cet extrait d'un conseil municipal :

Le maire de Saint Jean de Daye (50) décide d'un nouveau lotissement de trois hectares. Le village compte cinq-cent habitants, deux nouveaux lotissements viennent d'être terminés, l'un en 2012 l'autre en 2019 même. Quid du respect de la Nature ? On enlève les haies du bocage, on termine les prairies ou les champs, on détruit la terre arable, on buse fossés et ruisseaux. Et quid de l'alimentation ? Car depuis 2018 notre belle France ne produit plus assez pour nourrir ses habitants. Elle doit importer ses fruits et ses légumes ! Elle importe même des poulets !

Tous les maires de France continuent de la sorte à artificialiser les terres, depuis les années 1960. Leur « politique d'urbanisation » est inchangée : bétonner encore et encore. Chaque année ils veulent du « béton nouveau ». Et plus ils chantent et vantent la nécessité de l'écologie, plus ils bétonnent.

Pour ceux qui l'ignorent, voici le processus. Untel agriculteur veut s'enrichir en vendant ses terres. Il entre au conseil municipal. Il transforme, sur le papier, ses terres agricoles en terrains à bâtir, qui ont beaucoup plus de valeur que les terres agricoles. Puis il vend ses terres à la mairie. Si ce n'est lui c'est un membre de sa famille. Voyez l'extrait du conseil ci-dessus. Sinon c'est un ami membre du conseil. Dès les années 1960, les conseillers municipaux démarchaient les propriétaires terriens pour acheter à bas coût leurs terres agricoles. Puis il les faisaient inscrire en terrain à bâtir et les revendaient à la mairie. Que cet enrichissement est facile ! Par ici le gros pognon ! Et au frais du contribuable. Voyez ce monsieur Travert qui a vendu à la mairie trois hectares de prairies pour 210000 € !

Ce processus entretient la spéculation foncière d'une part, et la destruction des meilleures terres agricoles. Car les villages ont toujours été créés au centre de zones de bonne terre. Mais oui ! Les anciens fondaient les villages à proximité immédiate des ressources naturelles. Aujourd'hui ce sont toujours ces terres qu'on bétonne en premier. Qu'on goudronne.

Passons sur le fait que les agriculteurs n'hésitent pas à vendre leurs terres : c'est la preuve qu'ils ont oublié ce qu'est la substance de leur métier. Pour un agriculteur, qu'est-ce qui peut avoir plus de valeur que la terre ? Alors pourquoi s'en débarasser. Non pas la céder à un autre agriculteur mais la faire détruire, la faire bétonner.

Pourquoi ? Et encore pourquoi : voilà ce qu'il faut sans cesse se demander. Parce que le pognon et encore le pognon, me répondrez-vous. Les élus s'enrichissent personnellement à prolonger et à répéter des façons de faire d'année en année, quels qu'ils soient, quels que soient les gouvernements au pouvoir, quelles que soient les conditions économiques, sociales et environnementales. Toujours et encore des routes, des lotissements, des parkings. C'est évident, sinon ils agiraient différemment : en tout temps le pognon les motive. Ne soyons pas naïfs.

Alors oui, le pognon explique bien des comportements. En grande partie mais pas en totalité. Car, selon moi, le culte du pognon ne va jamais seul : il va toujours accompagné d'une faiblesse humaine. Une faiblesse humaine qui est dorlotée. Cette faiblesse explique la course au pognon et en retour les effets de la course au pognon viennent la renforcer. La dorloter sans mot dire. Car qui peut renoncer à l'argent ? Pourquoi diagnostiquer cette faiblesse humaine, la soigner, la dépasser, l'abandonner, si c'est pour ne plus profiter des bienfaits de l'argent ? « Quand on a de l'argent, les soucis s'envolent, tu as une maison, tu as des amis, tout devient possible ». Pourquoi vouloir identifier cette faiblesse, la lever, si c'est pour ne plus pouvoir jouir du confort que procure l'argent ?

Je constate que les élus font toujours la même politique. Je constate aussi qu'il n'y a pas qu'eux qui ne changent pas. Étant donné ma sensibilité envers la nature, je vois que les agriculteurs aussi prolongent et répètent les mêmes actions depuis les années 1960 : pulvériser des pesticides, araser les haies, combler les marais et les étangs, agrandir les champs, faire de la monoculture, etc. Un habitant de Saint Jean de Daye, qui y vivait dans sa jeunesse et y est revenu pour sa retraite, me disait un jour que rien n'avait changé en quarante ans. Non pas les routes et les maisons en plus, mais les gens.

Pourquoi cet immobilisme ? Vue ainsi, la campagne paraît bien être cette « province » peuplée de ploucs, de bouseux, de pèquenauds, des retardés. On pourrait croire que cela est dû à l'immuabilité de la Nature : à force de la côtoyer on en adopte le rythme et les valeurs. Si c'était le cas, ça se saurait : la campagne serait la source d'une infinie sagesse ; ses habitants seraient humbles et joyeux. Or c'est à la campagne, proportionnellement au nombre d'habitants, qu'on détruit le plus de champs et de forêts. La cause est donc autre. Jean-pierre Darré, sociologue de l'agriculture et de ses évolutions techniques, avait bien vu que l'agriculteur, trop souvent, ne voit jamais plus loin que le bout de son champ (que le « bout de la charrière »). *La ruine sociale, matérielle et écologique du monde agricole vient de la fermeture sur soi de ce milieu.* Du manque de curiosité. Mais c'est toute la vie à la campagne qui est marquée ainsi par la fermeture de l'esprit. Rien ne change parce qu'on ne fait jamais que les mêmes choses. *Car quand on veut faire quelque chose à la campagne, on ne pose que deux questions : Qu'est-ce qu'on faisait avant ? Qu'est-ce que fait le voisin ?* C'est tout. On ne va pas s'informer de ce qui se fait ailleurs, dans le département voisin, dans le pays voisin, à l'autre bout du monde, malgré internet et l'accés qu'il permet à tous les savoirs locaux. On n'ouvre pas un livre. On cherche les éléments pour décider ici-même et dans le passé. Dit autrement : on cherche des éléments de décision sous ses pieds !

Ne dit-on pas que l'idiot regarde ses pieds parce qu'il croit qu'ils vont lui donner la réponse ? L'idiot est « bête comme ses pieds ». Il ne voit pas plus loin que le bout … de son nez ou le bout de ses pieds ?

Vous pensez que j'ai la critique facile et que, si j'y regardais de plus près, je verrais que les élus, les agriculteurs, tous ces gens qui détruisent la nature, ne le font pas volontairement. Mais ils détruisent, c'est un fait, et chacune de ces destructions me fait mal au cœur. Ils me font mal. Et je réagis à cette douleur. Que sont mes mots pour les arbres et les animaux qui meurent en silence suite aux décisions des élus et des agriculteurs avares ? En comparaison de ces morts silencieuses me mots ne sont rien, alors qu'on me laisse les exprimer à qui les mérite ! Que tous ceux qui détruisent la Nature sachent que cela aura des conséquences. Avec la Nature, tout est suivi d'effets.

Le contraire de l'ouverture d'esprit est cette fermeture d'esprit. Elle alimente l'immobilisme mental et donc l'immobilisme politique.

On m'a plusieurs fois dit que je devrais me lancer en politique. Ou au moins que je devrais aller voir ces élus et leur expliquer les conséquences de leurs décisions. Non, je ne ferai pas ça. Car rien de ce que je puis dire ne peut influencer ces élus. Voyez mon texte *Des arbres et des valeurs*. L'homme occidental moderne n'admet pas deux choses : qu'on questionne son rapport à l'argent et qu'on questionne les raisons de son comportement. Un élu est une personne au caractère affirmé. Il pourra sourire à mes propos, dire qu'il les a compris, afin simplement de se débarrasser au plus vite de moi. Mais pour lui, il est hors de question de se remettre en cause, car c'est justement en ne se remettant jamais en cause, en persistant, en revenant toujours à la charge, qu'il est arrivé au niveau de responsabilité qu'il occupe aujourd'hui. C'est son ego. Mais si ! Et si les élus étaient altruistes, notre société serait tout autre. Devenir un élu implique une compétition politique, un combat politique : celui qui a l'ego d'un lion remporte la victoire.

C'est une des raisons pourquoi je ne veux pas parler aux élus. L'autre raison est la suivante. Un élu est un citoyen comme un autre : il est soumis au culte de l'argent, donc au culte du capitalisme mercantile, donc à la devise « faire toujours moins d'effort ». C'est la promesse du capitalisme : l'argent doit rendre la vie toujours plus facile. Il faut des machines pour ne pas faire d'effort au travail, il faut des ordinateurs pour remplacer le stylo et le papier, il faut des autoroutes pour plus de sûreté et pour plus de vitesse, il faut des traducteurs automatiques, il faut des applications sur smartphone pour allumer votre chaudière quand vous n'êtes pas dans votre maison. Il faut des sites internet pour rencontrer l'âme sœur ou se faire des amis en quelques clics de souris. Alors, qu'est-ce que vous obtenez quand vous croisez la fermeture d'esprit avec le culte de la facilité ? Vous obtenez … la *dégénérescence*. La dégénérescence intellectuelle, morale, sociale et physique aussi. La difformité des corps, les maladies dites de civilisation.

Le respect de la nature, au contraire, est quelque chose qui s'appréhende par un intellect élevé, par une sensibilité élevée, par des émotions raffinées. Il faut tout à la fois une âme de poète, d'ouvrier et de scientifique pour comprendre la nature et donc pour pouvoir la respecter — et je dis ça à contre-coeur, car tout ce qui se présente comme poétique est automatiquement relégué au rang de fumisterie ou de connerie par l'immense majorité des Français. Dans tous mes livres d'agroécologie je prends grand soin d'éviter les termes de « poète » ou « poésie » afin de ne dégoûter aucun lecteur. Bref, je ne veux pas parler de la nature avec un élu parce que je sais qu'il ne peut pas me comprendre. Et ne veut pas me comprendre.

Rien ne change, et ça va continuer. La destruction de la nature, dit autrement la destruction de notre environnement nourricier et protecteur, est actée et tend vers la totalité.

J'ai dressé là un tableau très noir. Mais va-t-on en rester là ? Peut-on dépasser cette misère présente ? La question cruciale est celle-ci : l'*humain moderne a-t-il la capacité de restreindre ses comportements destructeurs ?* Dans un précédent texte j'exprimais ma volonté de contribuer à améliorer le monde. Alors bien sûr que nous pouvons nous contrôler ! *Mais* il nous faut pour cela un objectif clair et des moyens clairs. Les politiques actuelles de « développement durable » sont risibles, inefficaces et intellectuellement basses. Ce sera l'objet d'un prochain texte que de proposer un objectif politique véritable, en adéquation avec l'actuel niveau de dégénérescence. Il faut s'ouvrir l'esprit, oui, mais pas n'importe comment. Il ne faut pas confondre demain et après-demain, il ne faut pas confondre le mythe, l'utopie et la volonté.

Épilogue : la refermeture de l'esprit

Il arrive qu'un domaine de la société évolue favorablement vers plus d'humanisme, quand les individus acteurs de ce domaine, quotidiennement, veillent à ce que les esprits s'ouvrent, veillent à ce que tous les aspects d'un problème soient pris en compte, veillent à ce que soient transmis à la jeunesse des moyens et des rêves, veillent à ce que la force ne prime pas sur l'intelligence. Pour rappel, je définis l'humanisme comme étant la somme de quatre inclinaisons : l'inclinaison morale, qui est de ne pas tuer, l'inclinaison éthique qui est de ne pas faire souffrir, l'inclinaison environnementale qui est de ne pas détruire la Nature et l'inclinaison spirituelle qui est le droit pour tout un chacun de chercher un sens à la vie.

Ces temps-ci, l'agriculture évolue vers plus d'humanisme. L'agriculture biologique a fait sa petite place dans les mentalités et dans les comportements : on y refuse l'usage des pesticides qui tuent ou font souffrir les animaux, humains inclus. Cependant, selon moi, cette forme d'agriculture renie peu à peu les convictions et les intuitions de ses pionniers. Je vois des maraîchers bio qui ne font ni compost ni engrais verts, qui cultivent sur des bâches en plastique, qui utilisent des variétés hybrides, qui ont des arrosages automatiques, qui utilisent des engrais. Les hybrides sont des variétés conçues sur demande de l'industrie agricole, pour avoir des plants au rendement maximal. Mais la qualité nutritionnel — et gustative — de ces plants est inversement proportionnel à leur rendement. Mon semencier bio, français, se fournit en partie chez un semencier allemand. Un semencier bio aussi cela va de soi, mais depuis peu propriété de … BASF. Bref, propriété d'un chimiste producteur de pesticides et résolument orienté vers l'artificiel. Un ennemi de l'agriculture bio, pour le dire sans fausse pudeur. Je réfléchis à changer de semencier, car en coopérant avec BASF mon semencier va perdre son ouverture d'esprit. Il va retomber dans les travers de la pensée agricole industrielle et chimique. Et ces maraîchers bio qui renouent aussi avec les mauvaises pratiques conventionnelles vont, selon moi, bientôt en pâtir. Ça commence déjà : le label AB perd chaque jour de son prestige. Comprenez bien : cette *refermeture* de l'esprit va s'accompagner d'une baisse de l'innovation quant aux techniques respectueuses du sol et de la biodiversité. Les conditions de culture vont se dégrader à nouveau. On ne va plus rien inventer.

Les pionniers de la bio avaient une conception « ouverte » de la vie. Ils considéraient que les cultures faisaient partie du grand tout de la vie, dont une grande part nous demeure inconnue, d'où une indispensable attitude de respect et d'humilité envers les plantes et la terre. D'où le devoir d'observer finement sa terre et ses plantes, chaque jour. Le devoir d'avoir l'esprit ouvert face à la nature. Ce respect s'est traduit en innovation technique pour améliorer les sols, pour stopper leur érosion, pour les protéger, pour les soigner. Tout le contraire des conceptions productivistes de l'agriculture industrielle ! Dans ces conceptions industrielles, la terre et les plantes sont deux facteurs d'une équation qui doit relier d'un côté un nombre d'heures minimum de travail avec de l'autre côté un chiffre d'affaire maximum. Le « grand tout de la vie » est absent de l'équation. D'où la non-durabilité de cette forme d'agriculture. C'est le grand tout de la vie qui est perdu de vue, qui est oublié, qui est « tenu pour négligeable de par la nécessité de faire des compromis » quand l'esprit se referme.

Qui pourrait faire un « rappel à l'ordre » à ces agriculteurs bio qui s'égarent ? Et faut-il seulement les rappeler à l'ordre ? Peuvent-ils encore ressentir dans leur cœur cette intuition du grand tout de la vie ? Le veulent-ils ? Comprennent-ils les conséquences pour l'agriculture bio, à savoir un tarissement de l'innovation ? À savoir l'abandon du souci de la biodiversité ? À savoir le retour des monocultures ? Autrement dit : la fin de l'agriculture bio.

Les pionniers de la bio prenaient des risques, tant techniques que commerciaux. Les bio actuels veulent au contraire des techniques simples et productives, qui génèrent un chiffre d'affaires élevé et prévisible. Surtout, un rendement maximal par heure de travail. L'agriculture pour faire de l'argent — pour les pionniers de la bio, l'argent était au service de l'agriculture, culture de la vie.

Si l'on pose le début officiel de l'agriculture bio en 1980, sa pleine reconnaissance en 2010 et le « boom » pour la demande des produits bio en 2015, on constate qu'il aura fallu juste 3 ou 4 ans pour que le basculement s'amorce, que l'esprit commence à se refermer et que les raisons profondes de pratiquer l'agriculture bio soient relativisées et abandonnées.

Que l'humain est faible.

PS mars 2020. Quand on adhère pleinement à un principe, à une philosophie, à certaines valeurs, on se doit de le mettre en pratique. Cela implique, pour surmonter les obstacles et les imprévus, d'être créatif et de s'adapter. S'adapter et inventer. Quand on dit qu'on adhère à tel ou tel principe, mais que concrètement il faut faire des compromis, que concrètement il faut par moment abandonner ce principe, le rogner, moi je rétorque – mais je le garde pour moi, je ne le dis pas à voix haute – que cette attitude n'est pas sérieuse. Je sais que les adeptes du compromis, eux, s'estiment sérieux et voient en moi un idéaliste. Eux voient leur rendement horaire, eux voient leur chiffre d'affaires, quand moi je vois l'épanouissement de l'intellect, de la dextérité et de la sensibilité. S'en tenir à son idéal, c'est s'obliger à s'adapter et à être créatif, c'est-à-dire à faire des efforts de réflexion, d'observation et de ressenti. C'est être souple d'esprit, tandis que celui qui prône le compromis, au contraire, est rigide d'esprit. Pour lui, pas question de faire évoluer sa façon de penser, l'acuité de son regard et la précision de ses gestes. Il se prive de nouvelles connaissances, quand moi je les recherche. Quand moi je les guette chaque jour dans mon jardin. Par exemple, j'ai remarqué le fait curieux que quand j'étale de la tonte entre mes céleris chaque mois d'octobre à janvier, les vers de terre l'incorporent dans le sol. Mais quand février arrive, ce processus d'incorporation s'arrête, et l'herbe demeure à la surface du sol. C'est sans lien avec le froid ou la pluviométrie. En théorie, les vers de terre ne devraient pas s'arrêter de mélanger la terre, mais ils le font pourtant ! Explication ? Je n'en ai pas. Je dois juste tirer de cette observation l'idée que février marque le début d'une nouvelle phase dans la vie annuelle du sol. Je n'ai pas encore d'application pratique pour cette idée. Mais dans le futur, en combinaison avec d'autres idées venant d'observations fines, qui sait ?

SOL INVICTUS

Novembre 2019

Réflexions sur l'essence de la démocratie et l'avènement d'une société écologique

« Sol invictus » : le soleil invaincu. C'est-à-dire en tout lieu et en tout temps brille sur les hommes les lumières de l'intellect, de la sensibilité, du corps épanoui, de la fraternité, de l'amour et en fin de compte brille et rayonne la gloire de l'espèce humaine à travers le Cosmos. Sol invictus est l'accomplissement parfait de notre destinée. Il n'y a plus d'obscurité, il n'y a plus de recoin où puisse se cacher la bassesse morale, où le petit vice puisse être cultivé en secret, nourri par les déchets intellectuels et émotionnels des uns et des autres que les vaniteux ramassent et collectionnent chaque jour en fouinant dans la poussière ; les meurtres de masse, la maladie et la misère n'existent plus. Sol invictus est le paradis de la lumière éternelle.

Δ

Sans aller jusque là, une démocratie véritable nous procurerait la plus grande joie et le plus grand bien. Mais c'est tout sauf facile, et nous en convenons : la démocratie est l'organisation sociale « la moins pire », comme on dit couramment. C'est « le pire des systèmes, à l'exception de tous les autres », aurait dit Churchill. Séparation des pouvoirs, pouvoirs et contre-pouvoirs, centralisation et décentralisation du pouvoir. C'est bien, mais bon, cette organisation la moins pire produit du Donald Trump, du François Hollande, du Angela Merkel, du Margaret Thatcher, du Eric Silvani, du Boris Johnson.

Quels sont les objectifs, prosaïquement, de l'organisation démocratique ? Il n'y en a que deux : c'est de garantir et maintenir la paix, et de se maintenir soi-même. La démocratie doit mettre en place les moyens de se maintenir, de ne pas s'effondrer à la première crise, sans quoi elle ne peut pas garantir la paix. Elle doit être stable. Qui voudrait de la démocratie si elle ne portait pas la promesse de la paix et, comme garantie de cette promesse, sa stabilité ? Une semaine de paix ou une année de paix n'intéressent personne. On ne peut rien vouloir d'autre qu'une paix à durée illimitée.

La démocratie est par définition limitée à un espace donné. Elle y est circonscrite. À l'intérieur de cet espace elle est en mesure de maintenir la paix. Au-delà, elle n'a aucun pouvoir. Elle n'a que son rayonnement diplomatique. L'Europe des démocraties est entourée de dictateurs : Vladimir Poutine en Russie, Recep Tayip Erdogan en Turquie, les innombrables petits dictateurs du Moyen-Orient, et plein loin, la Chine, dictature affirmée.

Quand guerre il y a, ce n'est pas la démocratie qui ramène la paix : c'est le combat militaire. Certaines personnes croient que la démocratie est la solution à la guerre. C'est une erreur de pensée. La fin des affrontements guerriers signifie la fin de la guerre, donc le début de la paix. Et la paix peut éventuellement mener à la démocratie. Les « gauchistes » font par trop cette erreur d'inverser la cause et la conséquence. La démocratie est une conséquence. Elle n'est possible que dans certaines conditions socio-historiques. Les gauchistes veulent destituer un despote qui règne sur un pays et y installer une démocratie ? Comme en Afghanistan, en Irak, en Syrie, en Lybie. Erreur d'enfant que de vouloir cela ! N'avons-nous pas fait nous-même, peuple de France, l'expérience que la démocratie est une construction progressive ? Depuis le XVIIIe siècle, depuis 300 ans, nous aiguisons notre démocratie à la française. Ce sont les efforts accomplis pour la faire s'étoffer décennie après décennie qui donnent au peuple démocratique sa fierté d'aujourd'hui. La démocratie est un long processus évolutif.

Dans un peuple démocratique, les processus d'édification de l'individu sont nombreux. Mais certains processus tirent l'individu vers le bas, vers des comportements qui l'éloignent de la compréhension de ce qu'est la démocratie. La nécessaire mise en pratique quotidienne de la démocratie par tout un chacun s'en ressent : les injustices, la misère, l'indigence, le crime, la corruption deviennent flagrantes. Connerie, fermeture sur soi et égoïsme prennent le pas sur le respect de l'autre. « Ne fais pas à toi-même ce que tu ne voudrais pas qu'on te fasse » est une maxime qu'on oublie un peu plus chaque jour, sous l'influence constante de ces processus néfastes.

À partir de quel moment peut-on dire que la démocratie fait faillite ? C'est quand des mesures de force et de ruse législative sont décidées pour gouverner un peuple jugé « bête et méchant ». Un peuple peut rapidement exprimer une violence destructrice : les manifestations des « gilets jaunes » en 2018 l'ont montré — à nouveau. Si cette violence se retourne contre lui-même, c'est un signe pour les décideurs que le peuple est en train de devenir bête et méchant. Lors des émeutes parisiennes de 1995, les habitants faisaient brûler les voitures de leurs voisins de quartier ou de palier : la violence populaire se muait rapidement en auto-destruction. On l'a encore vu en novembre 2018. Du peuple monte une force qui n'est pas canalisée et qui, naturellement comme toute force, produit ses plus grands effets sur les éléments les plus faibles. Donc non pas sur les gouvernements, sur les forces de l'ordre et sur les aristocrates, mais sur le peuple lui-même. La force du peuple s'élève comme une vague qui lui retombe sur la gueule.

Comme l'enfant colérique qui en vient à s'asphyxier lui-même dans son accès de rage, qui s'étrangle dans ses pleurs et dans ses glaires au sommet de sa puissance.

Dans ces moments de consternation démocratique, il est d'usage que les voix des intellectuels s'élèvent pour incriminer les faiblesses du système éducatif. Oui, ils ont raison. *Pourquoi un peuple devient-il bête et méchant ? Il devient bête parce qu'on n'a pas édifié son intelligence. Il devient méchant parce qu'on n'a pas édifié son amour.* Parce qu'on ne lui a pas montré les preuves de l'intelligence à son égard, parce qu'on ne lui a pas montré les preuves d'amour à son égard. Parce que, enfant, on ne lui a pas montré et démontré les vertus de l'amour et les vertus de l'intelligence. Et comme il tend, naturellement par la loi de l'entropie, à s'éparpiller, à se disperser, à s'égarer, à se désagréger, il faut lui montrer l'importance des limites pour se définir lui-même et l'importance de se contrôler soi-même. *Amour, intelligence et maîtrise de soi.* Si quand on l'éduque on ne fait rien rentrer de bon en lui, rien de bon ne peut ressortir de lui une fois adulte. Logique ! Si une fois adulte le citoyen ne voit pas ces trois qualités incarnées dans les personnes qui le gouvernent, s'il a pour exemple de réussite démocratique des élus corrompus, des fonctionnaires qui se cachent et des enseignants qui donnent le bac à tout le monde ou qui sont toujours absents, vers quelle lumière le citoyen va-t-il avoir envie de se diriger ? Je vous laisse trouver les faciles réponses à cette question.

Le peuple qui n'est pas éduqué, qui n'est pas éclairé, est une « populace ». La populace est au peuple ce que le vaurien est à l'enfance. La question est : à qui la faute ? À l'enfant ou à celui qui est censé le guider et le faire devenir adulte ?[2]

Toujours est-il que ces clameurs d'indignation des intellectuels face aux dégradations du peuple par le peuple ne résolvent pas les problèmes. Dans ces « territoires perdus de la République », selon le titre d'un livre à succès, et je rajoute dans ces « laps de temps perdus de la République », la démocratie ne garantit plus la paix. Hé oui amis gauchistes : dans ces territoires perdus, dans ces moments perdus, la démocratie ne peut plus rien. La paix a disparu ; seule la force, fille de la guerre, peut ramener l'ordre en éteignant les explosions de force populaire. L'ordre, donc la paix, qui est le prélude à la démocratie. Rappelez-vous le sacerdoce du général de Gaulle une fois la guerre terminée en France : ramener l'ordre. L'ordre était le prélude à l'unité nationale, elle-même prélude à la démocratie. Ce retour à l'ordre, par lequel les milices rendaient les armes, n'avait rien de démocratique. Le général a du imposer ses convictions, de sa propre voix, en se rendant en personne dans chacune des grandes villes de France, en martelant sans cesse « nous le devons à l'ordre ! », « le devoir d'ordre ! ». J'ai pu écouter quelques passages de ces discours, dans un documentaire consacré à la fin de la guerre en France. L'heure était joyeuse autant que grave et solennelle. Le général voulait absolument faire passer ce message : que nous Français avions un devoir d'ordre. L'ordre, oui, mais un devoir ? Envers qui ? Pour qui ? Envers et pour nous-mêmes. Car si nous ne donnions pas la priorité à l'ordre, tous les efforts et les sacrifices accomplis durant l'occupation et dans le feu de la guerre n'auraient d'autres

---

2 Quand je relis ces lignes en mars 2020, j'ai entre-temps regardé quelques émissions de téléréalité et des « sitcoms ». On me dit que ces émissions sont simples parce qu'elles n'ont pour objectif que de divertir, que de délasser après la journée de travail. Mais s'il-vous-plaît, non, ne confondons pas bêtise et divertissement !

fruits que les fêtes de la victoire. Cette grande énergie de la victoire, de la libération, naturellement comme toute énergie, va se dispersant, s'effilochant, se désagrégeant. Pour qu'elle puisse se transformer en quelque chose d'autre et non qu'elle se dissipe telle la fumée dans l'air, il faut la canaliser. Nous Français, pour que nos efforts ne fussent pas vains, nous le devions à l'ordre, afin de reconstituer notre pays. Le reconstituer en soi et en tant qu'entité solide face aux grandes puissances militaires et économiques mondiales qui allaient s'affirmer dès la fin de la guerre. C'était un devoir envers nous-mêmes.

Aujourd'hui, donc, face à la destruction écologique, face à la fermeture d'esprit, que faire ? Car si nous ne faisons rien, la dégénérescence va emporter non seulement ce qu'il reste de nature, mais aussi la démocratie elle-même. Comment sortir des mauvaises habitudes de « l'évolution immobile », comment changer de cap ? Aujourd'hui quel devoir avons-nous envers nous-mêmes ?[3]

Et bien, *il faut vaincre la peur et donner les moyens d'agir.*

Les gens immobiles ont peur. Disons-leur de changer de politique économique ou environnementale ; ils nous écouterons à peine, peut-être, nous les (rares) penseurs. Mais, sûrement, ils ne feront rien. Ils ne changeront rien. Car qui seront-ils s'ils mettent un terme à ces façons de penser et de faire qui les définissent ? *La peur du changement est insurmontable si elle est précédée de la peur de se perdre soi-même.* Je crois que beaucoup des reproches qui sont fait aux « pèquenauds » de la campagne sont incorrects : ceux qui incitent au changement, à penser et à faire différemment, les « bobos » ne fournissent pas

---

3 Car si nous n'avons pas de devoirs envers nous-mêmes, ce serait extrêmement prétentieux de dire que « nous avons des devoirs envers les générations futures ». Si nous sommes incapables de gérer les affres de notre époque, nous sommes incapables de planifier un quelconque futur. Charité bien ordonnée commence par soi-même.

assez « d'images du futur ». Les bobos sont des moralistes, qui vivent dans l'idée plutôt que dans la réalité. Ce lendemain qui chante et qu'on vante doit être précisément illustré. Exactement de la même façon qu'on dessine le plan du nouveau jardin qu'on veut créer au printemps prochain. Ceux qui martèlent qu'il faut sauter dans l'inconnu, qu'il faut oser, qu'il faut avoir confiance, ne donnent ni la forme ni le fond. Ni le pour quoi ni le comment. Ni les moyens ni le cap. Trop souvent, entre celui qui dit qu'il faut changer (d'économie, de voiture, de mode de vie, de marque de café) pour respecter la planète et le destinataire de ces paroles, il y a un abîme. Ce n'est pas tant l'absence de dialogue entre les vertueux, les sachants et les idiots pollueurs qui manque mais, concrètement, la passerelle au-dessus de l'abîme.

En toute chose il y a des gens qui savent et des gens qui ne savent pas. L'expert en climat est certainement un plouc en agriculture ou en menuiserie. En démocratie, sol invictus, tout le monde s'exprime, tous les point de vue sont pris en compte. Tout le monde dialogue avec tout le monde. Les individus convergent. Pourquoi cela n'est-il pas le cas aujourd'hui ? Pourquoi ces divisions *identitaires* dans notre démocratie ? Pourquoi tant de gens se sentent-ils exclus ? Quand un peuple se divise, la démocratie est-elle encore possible ? C'est une crise, qui se terminera soit dans la paix de la démocratie qui aura refait ses preuves, soit dans la guerre.

La démocratie n'est pas qu'affaire de mots. Elle n'est pas que de dialogue. Elle doit être faite d'actions de tous les partis en présence. Il est inacceptable qu'un parti soit celui qui ordonne et que l'autre soit celui qui agisse, par exemple. C'est trop souvent le cas quand il y a le parti des « sachants » et celui des « ignorants ». Le sachant aime transmettre, l'ignorant aime agir. Chaque parti doit faire un pas vers l'autre, les sachants doivent présenter leur savoir de mille et une façons, les ignorants doivent écouter leur curiosité, leur intuition, et les deux partis vont ainsi y gagner à se rencontrer. Le sachant ne peut pas se contenter de rester dans le cœur de sa discipline et attendre des autres qu'ils aient le même intérêt et la même façon de voir que lui. Sa responsabilité de sachant lui incombe d'aller vers les autres. L'ignorant quant à lui a pour unique responsabilité de se dire « ah, je ne connais pas ça, cette science, cette technique, mais je vais jeter un coup d'œil parce que ça semble cool, ou puissant, ou super efficace ou dingue surprenant ». Le diplomate doit pouvoir présenter sa discipline de façon intéressante à un éboueur. Le garçon vacher doit pouvoir présenter sa discipline de façon intéressante à un chercheur en mécanique quantique.

Mais cette rencontre est difficile, je le sais. Moi-même j'échoue à transmettre ce que je sais et ce qui me motive.

Quand on veut communiquer, la formulation est importante. Quand elle est réussie, elle parvient à réunir des gens que tout oppose a priori. Si la formulation est mauvaise, l'un des partis aura l'impression d'être le seul à faire un mouvement et se sentira inférieur, négligé par ou soumis à l'autre parti. La bonne formulation réunit, la mauvaise formulation crée des frontières entre les partis.

La volonté démocratique est la volonté de réunir tous les partis existants sur le territoire démocratique.

Prenons le thème du changement de société. Quelle formulation est apte à réunir tous les partis ? C'est la formulation d'un *idéal*. L'idéal donne le pourquoi et le comment du changement. Le fond et la forme. La direction et la motivation. L'idéal est l'expression la plus condensée de cette vision du lendemain qui chante. De cette d'une société du futur radieuse. Mais formuler un idéal est difficile. Je crois qu'il faut d'abord procéder de deux façons.

Il faut *clarifier*. Il faut créer une vision claire de l'avenir, car l'avenir est à la fois le continent de tous les possibles et de toutes les innovations ainsi que de tous les doutes, les incertitudes, les imprévisibles, les inattendus, les insoupçonnés, les fausses bonnes idées, les problèmes. Le *pire* est tapi quelque part dans cet immense continent inconnu. La personne que vous voulez convaincre de changer mérite donc que vous lui fournissiez des précisions quant à la nouvelle personne qu'elle sera demain. Sur les plans factuels, intellectuels et émotionnels il faut être précis.

Il faut ensuite *décider*. Il faut faire de cette personne nouvelle, de cette nouvelle société, non pas un projet pour demain, une alternative pour demain, un concept « post », mais *un choix pour aujourd'hui*. L'idéal n'est ni une utopie ni un concept fumeux dont la date de réalisation est inconnaissable. L'idéal est posé dans le temps présent, ici et maintenant. Il faut faire en sorte que la décision puisse être prise aujourd'hui-même.

La formulation de l'idéal requiert une mise en mots simple, c'est-à-dire *factuelle*, pour canaliser et les interprétations et les émotions qu'on en attend, et les interprétations et les émotions qu'on va amener pour la questionner, la critiquer, la déstabiliser. L'idéal est un fait.

C'est cela que je ne vois ni n'entends dans aucun des partis politiques actuels. Je suis écologiste de cœur et d'intellect, mais quand je lis le programme du parti « Europe écologie les verts », je désespère des intentions qui s'enchaînent au fil des pages (environ 70 pages de programme pour le congrès de fin 2019). Le respect de la nature exige réflexion et sensibilité. Pour bien des gens, c'est trop « intello ». C'est une des raisons qui explique les scores toujours faibles des partis écologistes. Donc justement le parti EELV a besoin d'un idéal judicieusement formulé. Lisons les titres des motions générales qui seront soumises au vote lors du congrès du parti écologiste : « L'écologie au pouvoir. Grandir ensemble pour gagner enfin », « Le temps de l'écologie », « Démocratie écolo » et « Le souffle de l'écologie. Retouchons terre ! ». Ce n'est pas avec ces mots-là qu'on fait changer un pays qui n'a jamais été désireux de protéger la Nature. Et quand il l'a fait, c'était toujours à contre-coeur sous la menace des lois.

Un idéal judicieusement formulé se décline facilement dans toutes les échelles de temps et d'espace. Il est adaptable facilement à toutes les particularités locales et sociales. Il est moteur, actif et valide au début, au milieu et à la fin du processus de changement.

J'avais proposé en 2012 (et publié dans mon livre *Nagesi* en 2016) l'idéal « Vivre en paix avec la Nature pour que notre évolution humaine puisse continuer ». Cela est biologiquement, dans les faits, vérifiable. Poursuivre dans l'indifférence la destruction de notre biosphère nous mène avec certitude à la mort. La mort de nos sociétés actuelles mais aussi notre mort en tant qu'espèce. Mais les mots « paix » et « évolution » sont trop abstraits. Trop de gens ne peuvent pas se les approprier. Une direction est certes donnée, mais l'ensemble ne confère pas un élan vital, une motivation limpide. Insatisfait de cette formulation, j'ai donc continué à réfléchir. Je ne suis pas encore parvenu à un idéal limpide et efficient ; je ne trouve que des slogans dont la candeur, la menace d'ordre prophétique ou l'intelligence très fine les rend inopérants. Inaptes à atteindre le plus grand nombre de personnes.

Un idéal doit bien sûr contenir une idée supérieure, quelque chose dont on ne puisse pas douter que son accomplissement représentera un tournant historique dans l'histoire du pays.

Alors, me demanderez-vous, que faire ? Vous ne nous donnez pas cet idéal qui pourrait motiver toute la société à embrasser l'écologie. Devons-nous donc arrêter de militer pour l'écologie ? Non, surtout pas. Mais en attendant il faut continuer à imaginer et surtout continuer à se représenter cette société meilleure et écologique que nous désirons. *Il faut nourrir et affermir notre imaginaire.* Moi cette société je la vois dans les Star Trek, séries

Next Generation, Voyager et Deep Space Nine. Mais les Star Trek sont trop hauts intellectuellement pour 90 % de la population. Et vous, où voyez-vous, en détail, ce monde meilleure ? Dans quelle œuvre de fiction ?

Le jour viendra où nous disposerons de cet idéal. Pour exemple, je vous en donne un : « On va sur la Lune. » Voilà un idéal d'une grande puissance ! Réfléchissez aux innombrables conséquences qu'eurent ces cinq petits mots prononcés dans les années 1950. C'est ça un idéal qui a la force d'entraîner toute une société. Autre exemple d'idéal, celui utilisé par le président américain Woodrow Wilson en 1913 pour convaincre son peuple que les États-Unis doivent jouer un rôle sur la scène internationale : « le devoir de propager la liberté et la paix dans le monde ». Certes le président agissait prosaïquement, avec des objectifs stratégiques. Mais c'est cet idéal qui résonna dans l'âme du peuple américain, et qui lui fit accepter les changements voulus pour lui par Wilson. Pour faire advenir une société écologiquement éveillée, je ne désespère pas de trouver un idéal formulé simplement et qui touche l'âme du peuple.

Tant que l'idéal n'aura pas été formulé, les mesures de protection de la nature demeureront mineures, relatives, moquées et ignorées par la majorité des partis en présence. Quand il aura été formulé, sa puissance fera abdiquer les partis immobilistes.

Je me suis rapproché d'un tel idéal avec mon texte *De la ZNIEFF à Kepler 186-f* publié dans *Nagesi*. Si nous ne pouvons pas maintenir la vie, notre propre vie, dans notre écosystème terrestre, de facto nous n'avons pas l'intellect pour créer des écosystèmes viables sur d'autres planètes inhospitalières ou pour coloniser l'écosystème viable d'une autre planète sans le détruire. Tout ce que nous allons faire ou toucher hors de notre planète se conclura par la destruction et par notre mort. À ce stade de notre évolution intellectuelle et comportementale, je précise bien. La vie dans l'espace, un jour prochain, commence ici bas par le respect de la nature. Dans le jardin par exemple. Quand notre intellect et nos comportements auront évolué au point de vivre en harmonie avec la nature sur Terre, alors nous ne pourrons pas ne pas *spontanément comprendre ce qu'est la vie à une échelle supérieure, c'est-à-dire dans le cosmos et sur des planètes différentes.* De même qu'au début du XXᵉ siècle Einstein ne pouvait pas ne pas imaginer, formuler et confirmer une nouvelle conception de l'espace et des sciences physiques. De même qu'il était impossible aux époques concernées de ne pas abolir l'esclavage, de ne pas donner le droit de vote aux femmes, de ne pas abolir la ségrégation raciale, de ne pas rendre leur indépendance aux pays colonisés, de ne pas découvrir les microbes, de ne pas découvrir le phosphore, l'électricité, etc. Quand les conditions furent réunies, ces *changements de paradigme* (selon l'expression de Thomas Kuhn) s'accomplirent avec un moindre effort. À la suite d'un moment d'équilibre où les forces antagonistes en présence, devenues d'égale puissance, se contre-balancent, s'accaparent totalement les unes les autres, elles laissent tout un champ libre pour qu'une nouvelle force émerge et se déploie sans aucune entrave.

Dans ces moments de changement de paradigme, ce n'est pas simplement qu'un système vient en remplacer un autre. C'est que *le monde change et s'agrandit,* comme l'explique Thomas Kuhn. Ce serait une évolution qu'une société écologique vienne remplacer la société capitaliste de consommation de masse. Ce serait un changement de paradigme si une nouvelle vision de la vie émergeait, dans laquelle et les désirs des capitalistes d'aujourd'hui et les désirs des écologistes d'aujourd'hui perdraient leur prétention à la globalité et ne deviendraient plus que relatifs. Restreints. Non pas insignifiants mais relatifs, comme l'est devenue la physique de Newton dans le nouveau monde agrandi de la physique d'Einstein.

Instauration d'une société écologique en remplacement, par voie d'un idéal. Ou nouveau paradigme de la vie (ou de l'écosystème). Les deux pourraient advenir presque en même temps, l'émergence d'un nouveau paradigme appuyant l'évolution écologique de la société sur Terre, puis la remplaçant rapidement par une société nouvelle et agrandie constituée de parcelles de vie sur différentes planètes. Placée dans une biosphère à l'échelle spatiale. Une fois déployé le potentiel du nouveau paradigme, la société sera aussi déployée à l'échelle spatiale et la vie à cette échelle fera que les souffrances que l'humanité s'inflige à elle-même depuis des temps immémoriaux (guerre, despotisme, crimes, injustices, indigence, etc) n'auraient plus de raison d'être.

Nous voilà arrivés bien loin des faiblesses de l'organisation démocratique ! Ces faiblesses ont pour conséquences la dégénérescence intellectuelle des citoyens et la destruction de la nature, que nous pouvons constater chaque jour sous la forme de faits divers sordides, d'affaires d'état, de banales corruptions locales, de « buzz » médiatiques ou au contraire de silences médiatiques complaisants. Le niveau actuel de dégénérescence peut-il entraver voire empêcher tout changement d'advenir ? Je ne sais pas si l'instauration de la société écologique ou la venue du nouveau paradigme de la vie sera progressive ou fulgurante. Y aura-t-il un « grand soir » ? L'un ou l'autre, je me réjouis que tous ces gens au ventre mou qui portent et propagent l'atonie politique actuelle, l'évolution immobile, se verront privés de la parole. Ils n'auront plus rien à dire. Leurs privilèges sociaux et matériels seront abolis. Ils perdront leur pouvoir. Ce sera très bien qu'ils arrêtent de faire tout le mal qu'ils font actuellement. Ils ne profitent que trop de l'organisation sociale qu'ils ont sapée et dont ils clament qu'il n'existe rien de mieux. Tous ces maires, ces conseillers municipaux, ces députés, ces sénateurs, ces préfets, ces hauts fonctionnaires. Ces gens qui travaillent en ne pensant qu'à leur retraite ! Que de sangsues, que de fainéants qui aujour-d'hui moquent ceux qui pensent et qui réfléchissent. Qui ne leur accordent aucune attention, *comme pour bien prouver qu'on peut consommer, travailler, faire tourner une société, sans réfléchir à ce qu'il y a d'autre et de plus grand que la consommation, le tra-vail et la société.* Je veux croire qu'un jour ces comportements petits, mesquins, n'existeront plus, et qu'on se rendra dans des musées de psycho-histoire pour voir des exemples archéolo-giques de cette bêtise humaine.

Sol invictus ; le soleil est invaincu, le soleil brille. Je suis heu-reux de ce texte, je suis heureux de mon jardin, j'ai confiance en l'avenir. Mon cerveau et mon corps ont maintenant besoin de repos. De vacances. C'est novembre, il pleut et il fait froid, mais pour moi le soleil brille. Si vous avez compris ces lignes, il brillera aussi pour vous.

POURQUOI L'ISLAM FAIT PEUR

Décembre 2019

En 2020 se dérouleront des élections municipales. Dans certains arrondissements des grandes villes de France, des musulmans seront candidats, qui entendent implanter les lois musulmanes aux côtés des lois de la république. Des penseurs nombreux, guidés par Eric Zemmour, s'alarment de ces « revendications communautaires ». Ils voient dans ces candidatures, concrètement, une étape de plus dans la colonisation de la France par les musulmans. Par colonisation s'entend une soumission des Français aux lois musulmanes, et non pas une coexistence des Français et des musulmans.

Ces cris d'alarme engendrent un tel cirque médiatique que la vérité n'est plus visible. La vérité est que, pour nous Français, l'Islam fait peur. Les clowns médiatiques traitent immédiatement de racistes, d'hitlériens, de facho, de Gaulois, d'enfermé sur soi, toute personne qui énonce un fait : le fait d'avoir peur de l'Islam. Bien sûr, comme toute peur, la peur de l'Islam mène au rejet des musulmans. La peur est par définition une émotion qui nous fait nous éloigner, nous protéger, nous défendre, nous séparer, nous centrer sur nous-mêmes. Si nous prenons ces clowns médiatiques par leurs costumes ridicules et les jetons en dehors de la scène médiatique, il demeure que les lumières de la raison restent posées sur ces attitudes factuelles de rejet et de haine des musulmans. Les attitudes de discrimination, comme disent les clowns.

La peur du musulman et le rejet du musulman sont factuelles. Ce sont des faits et, une fois les clown disparus, ce sont de vieux messieurs très sérieux qui viennent dire, toujours sur la scène médiatique, que ces faits ne sont pas biens. Ne sont pas moraux, ne sont pas humanistes, ne sont pas raisonnables, ne sont pas rationnels, ne respectent pas la dignité humaine et sont contraires aux droit de l'Homme. Après les hurlements des clowns, le doigt levé de la raison et le doigt pointé de la morale... Poussons donc gentiment mais résolument ces grands-pères hors de la scène ; voilà, nous allons maintenant pouvoir faire quelque chose de vraiment utile et de vraiment nécessaire : expliquer la peur de l'Islam.

Celui qui enseigne l'Islam, l'imam, fait peur. L'imam est auto-proclamé. Tout un chacun peut se nommer imam. Pour nous Français, cela nous rappelle les gourous, ces chefs de sectes qui sont toujours auto-proclamés, qui affirment avoir un accès direct et unique à des « vérités supérieures ». Leur objectif est toujours de déposséder ceux qui les écoutent de leur esprit critique et de leur personnalité : c'est la manipulation mentale. L'Islam nous fait peur parce qu'il ressemble à une secte portée par d'innombrables gourous. Et nous ne connaissons que trop les méfaits des sectes, et nous sommes unanimes : les sectes sont interdites. Il est hors de question de tergiverser sur ça, gourous et manipulations mentales ne peuvent pas être acceptées en France. Sinon, si on accepte ces inepties, autant renoncer tout de suite aux vertus de l'éducation et à notre système éducatif qui enseigne des faits objectifs et universels.

Les imams dictent aux femmes leur sexualité et leurs habits. Cela nous fait peur, plus précisément cela nous rappelle notre propre passé et nous fait craindre d'y retourner : un passé où les femmes n'avaient pas droit à leur propre opinion ou n'avaient pas le droit de l'exprimer et encore moins de vivre en accord avec. Il est pour nous inadmissible que des musulmans implantent en France des lois contraires aux droits des femmes. Nous ne voulons pas de cela, très clairement.

L'Islam fait peur parce que c'est une religion et je le dis, même si on n'ose plus le dire : les religions appartiennent au passé de notre pays. L'essence des religions existera toujours et, en tant qu'essence, les religions ont leur place en France. Mais aujourd'hui et depuis soixante-dix ans, nous avons abandonné nos religions. Notre vie quotidienne n'est plus rythmée et dictée par les préceptes religieux. Pourquoi ? Parce que les religions sont bien trop petites pour vivre dans le monde moderne. Oui, petites. Voyez : chaque religion destine à ses membre des règles de vie. Les religions ont réponse à tout. Mais pour avoir réponse à tout, elles doivent simplifier à grands traits la société et la Nature. Notre société d'aujourd'hui provient des religions, c'est un fait. Mais elle en est l'épanouissement. Hier, la religion était comme une colonne, un tronc d'arbre, où tous les aspects de la vie étaient liés, étaient réunis et accolés les un aux autres. Avec la philosophie, tous ces aspects se sont individualisés, ce qui leur a permis de grandir et de former aujourd'hui la société, qui est comme les milles branches longues et élancées d'un grand arbre, où chaque discipline est épanouie et produit des fruits abondants et surprenants. La religion, qui liait tout ensemble, mais qui enchaînait tout ensemble, empêchait que chaque chose s'épanouisse. Il fut un temps où l'humanité avait besoin de la religion, mais ce temps est révolu. La science, par exemple, est née justement de la fin de la religion, dès le moment où on a admis avec Emmanuel Kant que la raison n'est pas l'apanage de Dieu. Le fait de vouloir unifier et simplifier toute la vie n'est pas en accord avec notre mode de vie présent. Le catholicisme, par exemple, n'est plus en accord avec notre temps, parce que sa doctrine unificatrice et simplificatrice mène inexorablement à une vision dichotomique du monde. « Il y a nous, il y a les autres. Il y a le bien, il y a le mal ». J'ai eu une amie catholique, intelligente, cultivée, qui pourtant adhérait aux éléments de langage catholiques d'être « pour la vie » ou « contre la vie ». « Je choisis la vie » sont des mots qui reviennent sans cesse chez les catholiques. Tout cela, et c'est pareil pour l'Islam, est trop enfantin pour notre France d'aujourd'hui. Une vision du monde « en noir et blanc » n'a plus sa place aujourd'hui.

Ce qui ne signifie pas que la spiritualité n'a plus sa place aujourd'hui, nuance !

La peur de l'Islam est donc la peur du gourou, de la secte, de la négation de la femme, de la pensée simpliste. Nous Français avons cette peur parce que notre histoire nous a montré les malheurs qui adviennent quand on écoute le gourou, quand on vit dans la secte, quand on dit aux femmes « de la fermer », quand on veut expliquer le monde par oui ou par non.

Les candidats musulmans trouvent leur légitimité dans l'apparente « perte des valeurs » qui caractériserait notre société moderne : ils nous jugent mécréants, athées, donc peuple sans âme contre lequel on doit légitimement s'imposer. Ils voient en nous une société vide.

Certes, nous traversons une phase à vide. Mais est-ce une raison pour renouer avec des normes de notre passé ? Pas du tout ! Alors, vers où allons-nous aujourd'hui ? Je vous le dis : devant nous il y a un choix, le choix entre le retour à la crédulité religieuse, l'orgie capitalistique d'une économie où l'argent est la mesure de tout et … une troisième voie, que je décris dans mes textes suivants. Une troisième voie que j'essaie de faire connaître mais, comme toute nouveauté, qui est difficile à faire admettre.

Oui, la nouveauté n'est pas d'accepter l'épanouissement de l'Islam en France, comme le hurlent les clowns médiatiques, mais d'accepter que l'humanisme qui a succédé aux religions,

aujourd'hui accouche d'une nouvelle trajectoire pour notre pays.
Et oui !

•

Ces réflexions ramènent aussi à la vieille querelle entre
athées et croyants. Les croyants jugent les athées inférieurs,
incomplets, parce qu'ils leur manque la foi pour pouvoir s'élever
(vers Dieu). Les athées jugent les croyants inférieurs parce que
leur foi les empêche de voir le potentiel de la créativité
humaine. Mais ni la foi ni l'athéisme n'empêchent d'être veule et
indigent. Le libre penseur que je suis considère que seuls le libre
arbitre (le pouvoir de décider par soi-même) et l'esprit critique
(se donner les moyens du libre arbitre en analysant soi-même les
idées et les comportements) peuvent mener à quelque chose de
viable, la religion menant in fine au totalitarisme et au génocide
de « l'autre » et l'athéisme menant in fine au nihilisme. Quand
dans une religion, l'individu se voit imposer un comportement
avec pour argumentaire que « cela plait à Dieu », que par ce
comportement il sert Dieu, que Dieu attend de nous qu'on
l'aime et qu'on l'on serve, alors de facto on lui interdit d'exercer
son esprit critique. En France, aucune religion ne devrait être
autorisée qui ne serait pas une voie de confrontation et de per-
fectionnement de l'esprit critique et du libre arbitre. D'où en
théorie ... une évidente pluralité de religions et de spiritualités
en France, tout citoyen étant libre d'aller et venir entre elles,
aucune n'ayant le droit de prétendre détenir la vérité absolue et
aucune n'ayant le droit de menacer intellectuellement et psycho-
logiquement les individus pour cause de non-suivi des préceptes.
Voilà ce qu'un président de la France devrait affirmer haut et
fort, invitant ensuite les personnes qui tiennent à une approche
fondamentaliste des religions à quitter la France. Parce qu'en
France le libre arbitre et l'esprit critique sont des valeurs inaliénables ; elles sont notre identité.

LE PROGRAMME ÉCOLOGISTE

Décembre 2019

« De la Terre à l'Espace »

Voilà la voie, le slogan, le leitmotiv, le mot d'ordre, l'injonction, la profession de foi, le sillon fertile, l'idéal du programme écologiste !

C'est la voie qui se présente aujourd'hui à nous pour éviter les périls d'une société qui ne vit que pour et par l'argent, d'une société libérale démagogique qui autorise tout, d'une société où la moindre des peurs est prétexte au rejet de l'autre, d'une société où le travail d'une machine est préféré à celui d'une main humaine, d'une société où la Nature est absente de l'imaginaire comme de la vie quotidienne de ses membres, enfin d'une société dont l'identité s'efface peu à peu.

La technique progresse continuellement. Demain : l'intelligence artificielle, le transhumanisme, la création génétique, l'utérus artificiel, l'interface électro-neuronale, la fusion nucléaire. Après-demain, de nouvelles théories physiques, l'exploration spatiale au-delà du système solaire, de nouvelles théories de la vie.

Toutes ces impressionnantes techniques doivent demeurer des moyens au service de l'humanité. Si puissantes, en soumettant l'humanité à leurs contraintes, elles pourraient bien en annoncer la fin. *Pour les faibles d'esprit, la technique soumet plus qu'elle ne permet.*

Qui est cet humain que nous voulons devenir, qui vit sur la Terre et qui explore l'espace ? Qui est cet humain qui a le sens de l'infiniment petit et le sens de l'infiniment grand ? Pour ne pas être le jouet des forces qui le constituent ni des forces qui le dépassent, pour ne pas écraser ce qui le constitue et pour ne pas se dissoudre dans ce qui le dépasse, ce modeste humain n'a qu'une seule façon de procéder, il n'a qu'une seule façon de vivre : c'est en respectant ce qui est plus petit que lui et ce qui est plus grand que lui.

Cette juste place de l'humain dans le cosmos, bien des systèmes idéologiques la lui ont promises. Mais jusqu'à présent, ces promesses n'ont fait que mener l'humain à s'entretuer et à détruire son milieu de vie, avec pour raisons, diverses, le respect des dieux, l'honneur de la famille, la pureté du sang, l'extension de l'espace vital, le lucre, la hiérarchie sociale, la propriété, la Nation, le Parti, la parole de vérité d'un prophète, qu'il soit religieux ou séculaire. Dès les premiers temps de notre société, le culte de la possession de richesses, le culte de la puissance technique, le culte de la hiérarchie sociale, le culte de la responsabilité divine, ont poussé l'humain à s'entretuer et à soumettre la Nature. L'Iliade et l'Odyssée d'Homère, il y a 2500 ans, sont les récits joyeux et initiatiques de notre violence envers nous-mêmes.

Où allons-nous, si nous continuons à chérir ces cultes ancestraux ? Nous allons vers un humain qui s'émeut tendrement d'une séance de démocratie participative à la mairie de son quartier, quand la moitié de l'humanité vit dans la misère. Nous allons vers un humain qui s'émeut tendrement à la vue d'une tomate biologique, quand la moitié des terres arables sont en voie de désertification ou disparaissent sous le béton. Nous allons vers un humain qui s'émeut tendrement à la vue d'un enfant autiste qu'on inclut dans une classe normale d'enfants, quand les médias emplissent de publicités débilitantes les cerveaux des adolescents. Nous allons vers un humain qui se réjouit que sa nouvelle voiture ne consomme que cinq litres d'essence au cent, quand le nombre de voitures et la combustion mondiale de pétrole ne font que croître. Nous allons vers un humain qui se réjouit de son nouveau maillot de bain quand il se trouve sur une plage que l'érosion fait disparaître.

Si nous continuons à chérir nos cultes ancestraux, cet humain aura perdu le sens des priorités. Mais cet humain, vous l'avez reconnu, n'est-ce pas ?

« De la Terre à l'espace » signifie, concrètement :
- Respect de la Nature, c'est-à-dire du cycle naturel de la matière organique, de la reproduction et de la biodiversité ;
- Arrêt de la destruction des terres arables ;
- Valorisation du travail manuel et artisanal, ainsi que de l'enseignement des savoir-faire et des processus de créativité;
- Réduction des moyens de transport à leur fonction utilitaire;
- Arrêt de l'enfouissement de toute forme de déchets ;
- Interdiction des matériaux non recyclables ;
- Circonscription géographique des circuits de production et de vente ;
- Arrêt des ventes d'armes à d'autres pays ;
- Arrêt de l'importation de tout objet et production réalisés sans respect des droits de l'Homme ;
- Obligation d'une agriculture sans intrants et aux semences locales ;
- Interdiction de la vente d'humain (gestation pour autrui) ou d'organe ;
- Obligation pour les enseignants du collège et au-delà d'être des acteurs de la discipline qu'ils enseignent ;

- Territoires d'Outre-Mer : cohabitation des systèmes juridiques et culturels français et autochtones ;
- Obligation de l'élevage agroécologique ;
- Simplification des lois, de l'impôt et des institutions pour amener leur signification à l'application nécessaire et suffisante de la devise « liberté, égalité, fraternité ». Ceci implique une importante série de redéfinitions, qui sont exposées dans le programme Circum 40. Le mille-feuilles législatif et administratif actuel ne sert que deux objectifs : masquer les privilèges de certains et forcer la majorité à payer toujours plus d'impôts.
- Arrêter, comme il découle du Circum 40, la déconstruction des forces de l'ordre et des services de perception de l'impôt. Ces fonctions disparaissant, en cas de crise seule l'armée pourra assurer l'ordre dans le pays : nous serons alors parvenus à un état militaire et la démocratie aura cessé de facto d'exister.
- Garantir à tout un chacun les soins médicaux, tout en exigeant de tout un chacun un apprentissage validé de la santé du corps et du mental. L'ordre des médecins doit être refondé ; l'importance évidente de l'alimentation pour la santé doit être inculquée aux médecins.

Les personnes qui porteront le programme écologiste aux élections à venir doivent être imprégnées de ce programme. Quand elles auront été élues, chacune de leur analyse et de leur décision se fera par et pour ce programme.

Et les grands défis techniques de demain ? En nous permettant de renouer avec notre humanité et en nous permettant de continuer à l'épanouir, le programme écologiste va nous permettre de garder le contrôle de ces techniques. Notre humanité, donc notre identité, se fait par le respect de nous-mêmes et le respect de la Nature. Ainsi demain, non seulement aurons-nous le contrôle assuré de nos nouvelles techniques, mais aussi nous aurons l'imagination libre pour qu'advienne de nouvelles théories de la physique et de la vie. Ce sont ces théories qui permettront, *après-demain*, d'entamer une sereine exploration de l'espace, qui est la destinée de l'humanité. Qui en est le fruit formidable.

Demain, le programme écologiste permettra donc une société renouant avec ses fondements humanistes et préparant le terrain pour un futur formidable.

C'est dans cette société que nous avons le devoir d'entraîner la jeunesse d'aujourd'hui. C'est dans cette société que demain ils s'épanouiront, nourris de l'espoir du fruit formidable qui les attend. Si nous ne leur promettons pas cette société, si nous n'affirmons pas dès aujourd'hui notre volonté de faire advenir cette société, nous les laisserons errer avec, sur leurs épaules, les fardeaux dont Homère faisait la liste il y a déjà 2500 ans. Nous prenons le risque de les laissons tomber dans la négation de l'humanité, telle que de trop nombreux films de science-fiction aujourd'hui la leur présente, via un post-apocalyptisme et un trans-humanisme réalistes pour la gloire et le lucre de quelques prophètes capitalistes. Pour la gloire de quelques entreprises internationales surpuissantes.

Ma génération, les quarantenaires d'aujourd'hui, a manqué d'un noble objectif de vie ; après des études dans un système scolaire démagogique, le chômage nous a accueillis. On nous a appris que seul l'argent compte, que l'argent est la valeur étalon de toute chose et de toute relation humaine. Dépités, sans confiance en nous, nous n'avons pas pu transmettre aucun enthousiasme aux générations qui nous suivent. Nous sommes la première génération à être plus pauvre que la précédente, dépendante de ses parents, depuis la fin de la seconde guerre mondiale.

Alors nous avons réfléchi, diplômés que nous sommes. Quand nous avons pu « changer de vie », quitter l'industrie qui nous a fait comprendre que seul le rendement horaire compte, nous avons décidé que d'autres valeurs étaient supérieures au rendement horaire. À ce jour, nos réalisations ne sont pas impressionnantes, elles sont fragiles, elles sont souvent compromises, perverties ou récupérées par l'industrie et ses façons de penser et de soumettre les individus. Elles sont souvent qualifiées de « retour en arrière ». Mais elles existent et elles ont pour uniques destinataires : les plus jeunes que nous. Nous retournons au basique, au simple, au fondamental, parce que toutes les constructions sociales, législatives et économiques des générations précédentes se sont accumulées, en se sous-divisant sans cesse jusqu'à ce qu'aujourd'hui elles forment un édifice trop haut et trop fragile pour pouvoir porter dessus quoi que ce soit d'important et de massif. Dit autrement : cet édifice ne peut plus supporter d'évolutions importantes. Il faut reposer des fondations : c'est la société que le programme écologiste entend construire à partir d'aujourd'hui.

J'entends déjà les critiques : c'est là un programme fixé, donc rigide, donc anti-démocratique. L'écologie, c'est d'abord des objectifs qu'on définit en discutant ensemble, me direz-vous. Parce que la politique dans une démocratie, c'est un processus de débat et de discussion. Voyez le Président Macron : son programme est jugé par tous anti-démocratique. Or le temps pour ce genre de critiques est révolu. Depuis Mitterand on a donné la priorité au débat démocratique, et on a vu que ce sont les menteurs et les démagogues qui se sont imposés. Ma génération a éprouvé toutes les conséquences de cette démagogie. Toutes les connaissances et toutes les voies possibles s'offrent à nous aujourd'hui. Il n'y a plus à discuter pour en inventer d'autres ; il faut en choisir une ! « De la Terre à l'Espace » : c'est cela ou rien.

UNE SOCIÉTÉ ?

Janvier 2020

Quelle meilleure réflexion pour démarrer une nouvelle année que de se demander à quoi sert une société ? Pourquoi vivre ensemble ? J'aie confiance en vous, cher lecteur. Vous savez, maintenant, depuis cinq années que j'écris, que j'apprécie particulièrement ce genre de grande question fondamentale. Je suis confiant que vous allez oser encore une fois, avec moi, faire le lien entre le local et le global. Faire le lien entre la vie quotidienne et ces grandes questions de l'humanité. Faire le lien entre ce que nous faisons et ce que nous espérons, c'est-à-dire faire le lien avec les rêves que nous avons le droit d'avoir.

Faire le lien entre les petites choses et les grandes choses ; entre les petites questions et les grandes questions : oui, il faut *oser* le faire. Car c'est agrandir notre perspective sur la vie et ce faisant c'est quitter les façons de voir et de penser qui nous rassurent. Chercher à comprendre la place du local dans le global, ce n'est pas rassurant. Cela amène inévitablement la question de la justification : comment justifions-nous nos actes ? Questionnement, remise en cause, changement ... Ce processus n'est pas évident, ce processus n'est pas confortable, alors cher lecteur je vous félicite pour votre audace !

Le sujet du jour est donc : À quoi sert une société ? C'est une question philosophique qui laisse augurer des sujets

« bâteaux », ennuyeux, sans rien de nouveau. Tout n'a t-il pas déjà été écrit sur le sujet ? Que le lecteur me fasse encore une fois confiance. Je lui promets d'aboutir à quelque chose d'inattendu.

Δ

À quoi sert une société ? Vivre ensemble doit procurer des avantages, autrement nous vivrions isolés les uns des autres, sans autres contacts sociaux que ceux nécessaires à la perpétuation de l'espèce. Nous vivrions tels les orang-outans et non tels les chimpanzés. Nous avons le besoin de vivre avec, parmi et pour nos semblables, comme les chimpanzés, alors que les orangs-outans vivent côte à côté, sans interaction sociale. Le chimpanzé veut vivre avec ses congénères, l'orang-outan non. Le chimpanzé constitue une société, l'orang-outan constituent des agrégats. Vivre en société nous rend-il la vie plus facile ? Oui et non. La vie en société amène son lot de guerre, de misère, de voleurs, de truands, de profiteurs, de têtes brûlées. Le concept de « bien » et de « mal » existe déjà chez les chimpanzés. Nous sommes si nombreux à vouloir, plus ou moins, tout le temps ou ponctuellement, un peu ou beaucoup, faire du mal à nos semblables. Admettons-le. Nous avons tous des germes de violence en nous. Nous sommes biologiquement programmés pour vivre en société, mais nous portons en nous des gènes qui défient le vivre-ensemble social : désir de domination, d'agressivité, d'égoïsme. L'arrogance et le désir de puissance existent chez les chimpanzés, comme chez nous, mais pas chez les orang-outans.

Faut-il comprendre que la société est nécessairement tragique ? C'est-à-dire qu'elle un bien qui inclut en soi un mal inexpugnable ? Alors qu'on aime à penser qu'une société sans agressivité serait idéale, on constate que les orang-outans, non agressifs, non dominateurs, n'ont pas inventé la vie en société.

Est-ce la preuve que pour faire société, il faut que chaque individu soit traversé par des émotions fortes, dont il ne peut pas réprimer les expressions ? La vie en société serait alors un « remède » à l'ingérabilité, au chaos, des émotions individuelles ? Sans société, nous mourrions étouffés ou débordés par nos émotions ?

Que d'hypothèses ! Revenons au présent. Cette violence toujours possible, quand elle se manifeste, n'est pas pour autant rejetée hors de la société, comme vous et moi pouvons le constater facilement à chaque heure du jour et de la nuit. Vols, escroqueries, crimes, manipulations mentales, motards fous sur les routes, etc, etc. Les années et les siècles passent et nous continuons à nous faire souffrir les uns les autres. La bêtise, l'ignorance, la veulerie, la fainéantise, la rigidité administrative engendrent aussi leur lot de misères ; elles exercent des violences passives mais bien réelles. Toutes ces violences ne sont pas rejetées. On ne dit pas « à partir de maintenant toute violence est interdite ! » On n'exclut pas, on ne bannit pas, les personnes qui commettent des actes de violence active ou passive. Pourquoi ? Car ces personnes sont aussi capables d'actes vertueux, amicaux, avenants, prévoyants, soignants, aidants envers leurs semblables. Chacun de nous peut aimer et blesser ; chacun de nous peut aider et dédaigner. Nous sommes violence et amour.

Tragédie, encore.

Mais il convient de remarquer que certaines personnes sont particulièrement détestables : elles font à dessein des actes vertueux pour, en parallèle, pouvoir faire des actes abominables, violents, mensongers, mauvais. Telle ma banque actuelle, qui insinue sur la base du droit français que je blanchis des capitaux, alors qu'elle est présente dans les paradis fiscaux, qui sont les résidences d'innombrables entreprises « boîte aux lettres » dont la seule raison d'être est justement de blanchir des capitaux. D'un côté cette banque met en avant son utilité sociale (accorder des crédits, des « prêts », faire tourner l'économie, permettre aux entreprises de se créer), de l'autre elle travaille avec des escrocs dans les paradis fiscaux. Toutes les banques font ça, me direz-vous. Certes.

Et elles sont acceptées dans notre société française qui clame être une des sociétés les plus vertueuses au monde.

Prenons du recul. Faisons la somme des avantages et des inconvénients de la vie en société. Cette somme est-elle positive ? Vit-on tout de même plutôt bien en société ? Voyez que les différences entre sociétés sont flagrantes. On vit mieux en Allemagne qu'au Mali ou qu'au Pakistan. Mais cette piste de réflexion ne mène à rien. Je ne pense pas qu'on puisse conclure que la société va toujours vers le meilleur. Ce qu'il faudrait, c'est pouvoir comparer la vie en société, quelle qu'elle soit, avec une vie non sociale. Une vie humaine en agrégat, comme les orangs-outans. Comment se développerait un humain si la vie sociale n'existait pas, autre que le strict minimum biologique entre le parent et la progéniture ? Je crois que cette vie humaine-là serait … en fait je n'en ai aucune idée. Serait-elle plus ou moins épanouissante ? Angoissante ? Satisfaisante ? Rassurante ? Je ne sais pas. Cette vie est si difficile à imaginer ! Cela impliquerait-il que nous soyons débarassé de toutes nos émotions ?

Si nous rencontrions un humain qui aurait vécu toute sa vie sans société, je pense que nous ne pourrions même pas communiquer avec lui. Curieuse, la question suivante l'est certainement, mais on peut la poser : cet humain serait-il un *pur humain* ? Nous connaissons des cas d'enfants sauvages. Ils sont rares. On peut raisonnablement penser que les tous jeunes enfants abandonnés par leurs parents ne survivent pas dans la nature. C'est l'hypothèse de la mort prématurée : ils sont certainement dévorés par les prédateurs ou bien ils succombent à des maladies ou meurent de faim tout simplement. D'où le très faible nombre d'enfants sauvages ayant jamais était trouvé. Ou bien, hypothèse de la survie, ces enfants ont survécu, ont grandi et, comme beaucoup d'espèces animales, ils ont appris à fuir l'homme. Et cela très efficacement grâce au gros cerveau de notre espèce.

L'hypothèse de la survie est invraisemblable. Il semble donc que la vie humaine soit impossible sans vie en société. Un pur humain serait donc un humain social. Développons maintenant cette idée à fond. Plus il serait socialement épanoui, plus il serait humain. Intuitivement, 90 % des humains ont le désir de vivre dans une grande ville. Notre société actuelle compte moins de 10 % d'individus qui sont d'accord pour s'isoler afin de travailler au contact de la nature, des animaux, des plantes.

À la lumière de ces considérations, je repose la question : Pourquoi donc la vie sociale, la vie ensemble, comme les chimpanzés vivant en groupe hiérarchisé, et non comme l'orang-outan, qui vit seul ? Pourquoi la société ? La meilleure réponse relève de la biologie de l'évolution, me semble-til : car la nature fait peur. Elle est source de dangers imprévisibles et inévitables. La *protection* est donc avant tout ce qui caractérise la société. L'être humain est un animal grégaire qui se regroupe quand il a peur. Comme les vaches, les chevaux ou les poules : c'est ce même comportement de regroupement face au danger que nous utilisons pour les domestiquer et les élever. Dans le groupe, dans la communauté, dans la ville, on se sent en sécurité. Bien sûr, à partir du moment où la vie ensemble implique d'autres dangers inhérents (meurtriers, tueurs, gangs, etc), une force de l'ordre doit être établie. Toute société a ses règles pour signifier les violences qui sont autorisées et celles qui ne le sont pas.

Plus l'individualisme prospère, plus la vie ensemble devient dangereuse ou à tout le moins, moins désirable. Un ramassis d'égoïstes ne fait pas une société protectrice.

Qui de la liberté en société ? Est-on plus libre en société qu'en vivant avec la nature ? *L'obéissance aux lois* de la société est le prix de la sécurité qu'elle procure. Les lois des sociétés créent toujours des classes de riches et de pauvres, de dominants et de dominés. Les lois de la nature doivent aussi être respectées. Elles sont dures. Au moins sont-elles identiques pour tous les individus. Mais la Nature donne à chacun un corps différent.

Individus, groupes, institutions, entreprises : pour bien vivre en société il faut accepter que tous les individus ont des aspects positifs et des aspects négatifs. Il en va de même pour tout ce que les humains font, construisent, imaginent, inventent. La *volonté* est donc une caractéristique essentielle pour bien vivre en société, pour maintenir la *cohésion* en dépit de la *diversité* des individus. La volonté est aussi volonté d'aller vers ce qui est bien et volonté de fuir ce qui est mal : le respect des lois. L'être social doit avoir la volonté de bouger tout simplement, au sens propre comme au sens figuré. Car si on ne bouge pas, le hasard se charge d'amener à notre rencontre des individus ou des institutions néfastes. Ils et elles ont d'autant plus de prise sur nous que nous sommes immobiles (mentalement et concrètement) et sans moyen de défense. En société, soit il faut bouger, soit il faut avoir les moyens de se défendre. Une société où les gens immobiles, faibles, handicapés, ne sont pas agressés ou exploités, à ma connaissance, n'existe pas. Voyez les « cas sociaux » : ce sont eux les plus pauvres et les plus indigents de notre société. Les industriels leur bourrent la tête de publicités pour ingurgiter de la « mal-bouffe », des plats préparés qui sont fort onéreux. Quant aux handicapés mentaux et physiques, ils sont toujours plus ou moins des cobayes pour l'industrie pharmaceutiques et biotechnique. Quant aux plus faibles, les enfants : dès le plus jeune âge on fait entrer le culte de la mode, acheter la dernière nouveauté, dans la tête des enfants. Même eux, on ne les laisse pas tranquilles. On veut tirer profit de leur innocence. Il faut donc en permanence faire preuve de *volonté pour ne pas devenir la proie* de celui qui est plus fort et/ou plus intelligent. Ceux qui n'y parviennent pas deviennent des cas sociaux et des SDF. Ils renoncent à leur statut d'humain social.

Avec la nature, donc dans une vie non sociale, il faut aussi de la volonté, mais cette volonté ne produit pas le même effet sur notre personnalité que la « volonté sociale ». La volonté sociale sert à nous éviter la misère matérielle et la soumission aux volontés puériles des autres. La « volonté naturelle » sert à nous procurer un toit, des habits et de la nourriture. Une fois que nous avons cela, nous ne nous sentons pas ni plus riche ni supérieur à la nature. Ça ne fait aucun sens de penser qu'on est supérieur à la nature. Par contre en société, ça fait énormément de sens de penser être plus riche et être supérieur aux autres. On « réussit sa vie » quand on devient cadre ou chef d'une entreprise. Sans objet face à la nature, la volonté de dominer est un trait essentiel de la vie en société. Celui qui demeure ouvrier ne réussit pas sa vie, comme on dit. Les progressistes idiots ont crû, un temps, que l'humain pouvait être supérieur à la nature. Ils l'ont, un temps, soumise avec moult bulldozers. Ils se sont réjoui de pouvoir faire table rase des arbres, des marais, des rivières. Hélas, la nature a continué à s'exprimer en faisant avec les constructions humaines ce qu'elle faisait aux arbres, aux montagnes, aux animaux. Les constructions des petits humains prétentieux ont cassé, évidemment.

La vie en société glorifie le *temps court*. C'est le culte de la mode. Vivre avec la nature, c'est vivre selon le rythme de la nature, selon ses durées : jour, cycle lunaire, saison, année et … éternité. Le temps infini. Du moins le temps des étoiles et des galaxies « au-dessus » de nos têtes. Celui à qui ce temps-là fait peur doit vivre en société. Il ne doit pas en sortir. Celui qui n'a pas peur du temps infini va … trouver le temps long en société, où s'agitent milles personnes qui ne pensent qu'à acquérir des richesses matérielles, qu'à affirmer leur pouvoir sur leurs semblables. Et si elles n'y parviennent pas, elles pensent à mille façons de faire du mal à leurs semblables. Tous ces agissements sont *prévisibles*. C'en devient ennuyeux. Les seules personnes qui sont capables de nous surprendre, de me surprendre, sont celles qui sont reliées au temps infini de la nature.

La société rassure ; elle prodigue la sécurité. Le prix en est, en plus de la soumission aux règles, *l'absence d'imagination*. L'intellect fait des aller-retours incessants entre la volonté de l'individu en question et la volonté des autres individus, comme la balle blanche dans un match de ping-pong. L'intellect est encadré. Mais face à la nature, l'intellect sort du cadre. Il tâte l'impensable et l'improbable. Il tâte l'infini, il tâte l'intemporel. Quand nous passons quelques instants avec la nature, il faut donc vouloir se départir de tout ce que la société nous a mis en tête. Quand on va randonner au bord de la rivière, mais qu'on ne fait que discuter avec un compère ou penser au prochain message qu'on va mettre sa page Facebook, on ne voit rien de la Nature... On ne rencontre pas la Nature. On ressent la Nature comme étant une simple case parmi d'autres de la société, équivalente, par exemple, à la case courses du jour ou crédit pour la voiture.

Plus on vit avec la nature, moins on devient compatible avec la société. C'est ce que je ressens. Certaines personnes choisissent de quitter la société quand elles sentent le terme de leur vie approcher. C'est un aller sans retour. D'autres essayent de vivre dans l'une et dans l'autre ; leur vie est riche, même s'ils sont parfois mal vus ou incompris. À ce sujet : nous connaissons tous des grands noms, des personnes qui ont introduit dans leur époque une originalité remarquable. On a lu leurs livres, on a vu leurs peintures, on a écouté leurs créations, on a utilisé une machine qui repose sur leur invention. Ces créateurs originaux ont-ils trouvé leur inspiration dans la société ou en reliant une part d'eux-mêmes à l'infini de la nature ? Surtout, pour toutes leurs œuvres que la postérité a reconnu, combien d'autres de leurs œuvres ont été ignorées par la société ? Imaginez que c'est comme si, à chaque génération, une personne exprimait tout le savoir de l'univers, mais que la société, selon les caractéristiques de son époque, ne remarquait que ce qu'elle pouvait voir à cet instant présent. Voyez tous ces génies, Einstein par exemple. À quel moment la société a-t-elle imposé dans sa tête qu'il devait se consacrer aux sciences physiques et pas à toutes ces autres choses auquel il s'intéressait étant enfant ?

Ce qui m'amène à formuler une question (que je crois) originale : Dans la vie sans société, l'être humain, s'il parvient à échapper aux prédateurs et à grandir, va-t-il pouvoir exprimer tous ses talents ? Va-t-il devenir le vecteur des infinies possibilités de la nature, du cosmos, et devenir, donc, un être omnipotent ? Au lieu que de rester limité par ce que la société interdit et autorise ? C'est l'hypothèse de la *complétude*. Si cette façon de penser était correcte, alors elle expliquerait pourquoi on a trouvé si peu d'enfants sauvages. Ils n'ont pas été dévorés par les prédateurs : ils leur ont échappé parce qu'ils sont devenus omnipotents. Étant omnipotents, ils nous échappent de même. Nous pouvons détecter leur présence. Nous n'avons même pas les moyens de supposer leur présence. Mais qui sait ? Ils existent peut-être. Ils sont peut-être là, tout proche de nous ?

C'est là une hypothèse qui permettrait de fonder une secte, basée sur le pouvoir de convaincre les mamans d'abandonner leurs enfants à la nature, en bas âge, afin qu'ils deviennent des êtres omnipotents et totalement réalisés ! Des purs humains. Êtres qui par la suite vont guider doucement l'humanité sur un chemin d'amélioration, mais sans que nous puissions jamais entrer en contact avec eux directement, car eux sont omnipotents mais pas nous. Notre faiblesse nous empêche de les voir. Qui veut adhérer à la secte ?

Le risque avec les grandes questions est de ne pas parvenir à une réponse unique, mais à encore plus de questions en cascade.

Et de la lecture de toutes ces questions et ébauches de réponses, le lecteur ne retiendra ou presque de significatif. Car quant tout se vaut, rien vaut.

J'aimerais, arbitrairement, que le lecteur retienne ceci. La majorité des individus vit pour et par les autres individus. Notamment, chacun essaie d'acheter au plus bas prix pour transformer et revendre au plus fort pris. Commerçants, artisans, industriels... Mais une minorité d'individus vit *à partir de* la Nature. Ces individus sont l'interface entre la Nature et la société, donc ils doivent vivre en partie selon les règles de la Nature, donc ils doivent pour leur survie ne pas toujours respecter les règles de la société. C'est ainsi. Pour eux, la société ne justifie pas tout et la société ne doit pas avoir toujours le dernier mot. Pour eux le client n'est pas roi, par exemple. Sinon c'est leur mort à eux et, par voie de conséquence, c'est la mort de la société. Je parle là bien sûr des agriculteurs. Leurs impératifs d'interface Nature-Société doivent être respectés.

LE PRINCIPE DE PRÉCAUTION

Janvier 2020

« Le principe de précaution » : voilà une expression qu'on a beaucoup entendue à une certaine époque, et qu'on n'entend plus aujourd'hui. Avant-hier on l'invoquait pour les pesticides, hier on l'invoquait pour le compteur Linky. Aujourd'hui ni pour les pesticides ni pour ce compteur n'utilise-t-on cette expression. On ne l'a pas remplacée par une autre, non. On a fait plus simple : on a simplement arrêté d'envisager les risques liés à ces techniques.

Le principe de précaution, pour être exact, n'existe pas. Il y a trois cas de figures : on est certain d'être en présence d'un risque et on agit pour s'en protéger ; on est en sécurité ; on n'est pas certain de la présence du risque. Dans ce dernier cas, il faut agir « comme si » : on prend des mesures de protection au cas où le risque se manifesterait bel et bien. La précaution stricto sensu vaut quand le risque est présent : la précaution est le fait de prendre des mesures pour éviter d'attirer le risque à soi. Le danger est réel ; on va essayer de l'éviter.

C'est-à-dire qu'on ne peut prendre des mesures de précaution qu'en présence d'un risque connu. On ne peut pas prendre de mesure de précaution contre un risque dont on ignore les caractéristiques et même l'existence.

Soit il y a un risque, soit il n'y en a pas, soit on ne sait pas. En général, c'est dans ce dernier type de situation qu'on invoque le principe de précaution. Concrètement, on dit par exemple : « cette machine est peut-être dangereuse, mieux vaut ne pas l'utiliser ». Cette posture est bien sûr infantile, mais tout cela est orchestré par les médias, à la solde des producteurs de ces machines ou des techniques douteuses. Les médias, et surtout ceux les plus populaires, colportent le jugement que toutes ces personnes qui doutent de l'innocuité des nouvelles techniques sont des idiots. Des idiots parce qu'ils disent « cette machine est peut-être dangereuse, mieux vaut ne pas l'utiliser ». Bien sûr, il y a toujours quelques idiots pour dire ça, mais la majorité de la population ne pense pas ainsi. La majorité de la population pose la question « est-ce dangereux ? ». Question que les producteurs des nouvelles techniques honnissent. Vous me comprenez ? Pour désarmer leurs éventuels opposants, les producteurs de machines douteuses mettent en avant des critiques idiotes émises à l'encontre de leur machine. Ça leur permet de scinder la situation, avec d'un côté eux, les intelligents, et de l'autre côté les techno-sceptiques, les idiots.

Moi je préfère poser la question suivante : « a-t-on des raisons de penser, au vu des connaissances scientifiques actuelles, que cette nouvelle technique peut être dangereuse pour la santé ? ». Si on me dit oui, alors il faut tester cette dangerosité, il faut mettre en évidence les conditions de sa manifestation. Mais si on me répond non, si on me dit qu'il n'existe aucune raison de penser, en théorie et en pratique, que cette machine est dangereuse, éh bien je dis qu'il faut tout de même faire un test. Un test le plus simple possible, un test de bon sens. Je ne me satisfais pas du « il n'y a pas de raison de penser que ». Et pourtant je suis un scientifique de formation ! Avoir des raisons de penser que … est un point de bascule très puissant de la démarche scientifique.

Prenons par exemple le compteur électrique Linky. A-t-on des raisons de penser que les ondes électromagnétiques qu'il émet sont dangereuses pour la santé ? Non, scientifiquement c'est prouvé qu'aucune molécule organique ne peut entrer en résonance avec ces ondes. Leur fréquence est trop élevée. Ces ondes nous traversent tout comme les ondes de la télévision, de la radio, de la téléphonie mobile. Alors ? Alors faisons quand un petit test. Non par précaution mais juste au cas où. Mettons par exemple un élevage de souris devant un compteur linky en fonctionnement, et comparons la santé des souris avec celles d'un élevage placé devant un compteur classique. Comparons leur santé pendant un an : ce n'est pas un test qui coûte cher. Si on ne constate aucune différence, on pourra abandonner tous nos doutes quant à la dangerosité de ce compteur.

Ce test de précaution, qui ne mange pas de pain, est certainement fait de façon standard pour toute nouvelle invention, me direz-vous. Oh que non ! Les agences de santé publique, française et européenne, se gardent bien de les faire. Les agences laissent aux inventeurs le soin d'apporter les preuves de l'innocuité de leur invention. Les agences de santé n'ordonnent pas ce genre de test, simple, au résultat clivant « oui c'est peut-être dangereux / non ce ne l'est pas ». Aujourd'hui en 2020 la science est incapable de trancher sur la dangerosité d'un pesticide, d'un téléphone, d'un compteur électrique, d'un biberon en plastique, d'un colorant alimentaire… C'est fou, non ? Non ce n'est pas fou, c'est très logique parce qu'on fait de la mauvaise science. Un bon scientifique, curieux et ouvert d'esprit, ne pourrait pas résister à l'envie de faire ce genre de test « au cas où ». C'est justement, l'histoire des sciences en a maintes fois donné la preuve, dans ces situations où l'on attend rien de particulier que de grandes découvertes ont été faites. En science, le « des raisons de penser que » n'exclut pas le « au cas où, on ne sait jamais ».

Le hasard m'a ramené devant les yeux la morale qu'on avait tirée des crimes nazi : *faire comme tout le monde donne le sentiment de ne pas être responsable.* Aujourd'hui, nous faisons tous pareil, nous utilisons tous ces techniques, ces machines auxquelles on a refusé de faire passer un simple test de précaution. Non pas que nous soyons irresponsables mais parce que les gouvernements, les entreprises, les banques et les médias ne nous laissent pas le choix. Ils ne nous obligent pas explicitement à utiliser ces techniques, mais ils découragent et déconseillent de « faire autrement ». Dans le régime nazi, l'interdiction de faire autrement était explicite. Le régime nazi ne laissait pas le choix à personne. Aujourd'hui, dans les faits nous vivons sous une dictature, une dictature d'un nouveau type. Compteur linky, pesticides, nucléaire, ondes électro-magnétiques, nanoparticules, phtalates des plastiques, téflon des casserolle... Depuis les années 1960 les écologistes dénoncent ces boîtes de Pandore. Aujourd'hui, toutes ces boîtes sont grandes ouvertes ! Aurait-on voulu faire pire qu'on ne s'y serait pas pris autrement. Et de l'histoire nous savons que faire comme tout le monde ne nous exonère en rien de notre responsabilité individuelle et collective !

Le peuple, nous, nous allons trinquer sévèrement. Nous allons souffrir. Le principe de précaution est juste un voile qu'on nous jette sur les yeux pour nous faire sourire et patienter. Idem pour la « transition écologique » : c'est dans les années 1980 qu'il aurait fallu arrêter de brûler les énergies fossiles. Et qu'il aurait fallu arrêter le nucléaire — dont on enfouit les déchets, enfouir, la bonne blague ! La transition écologique est un concept vide.

Voyez les feux qui ravagent en ce moment l'Australie : ce peuple de colons qui a massacré les aborigènes mérite-t-il un autre destin ? Que peut récolter un peuple qui sème la méchanceté et la bêtise ? Qui ne pense qu'au pognon. Nous occidentaux qui avons toujours méprisé la nature, qui avons moqué et méprisé ceux qui sont sensibles à la nature, je vous le dis, le temps du principe de précaution est révolu. Il va nous falloir affronter tout ce qui sort des boîtes de Pandore que nous avons ouvertes. L'indigence politique actuelle et l'absence d'autorité morale du peuple font aussi partie de ces monstres qui s'échappent : à ça aussi il faudra apporter remède.

En guise de conclusion, je vous invite à voir ou revoir le film *La belle verte* de Coline Serreau, afin de vous aider à imaginer comment les humains pourraient continuer d'évoluer si les pollutions techniques de toutes sortes étaient supprimées.

LETTRE AU PRÉSIDENT DE LA RÉPUBLIQUE

30 janvier 2020

Cher Monsieur Macron,

Je souhaite dans ce courrier vous faire part de mon point de vue en réaction à une partie de votre discours tenu ce jour dans l'usine de batteries Saft, située à Nersac en Charente.

Vous avez déclaré « Je suis comme vous extrêmement préoccupé par les conséquences du changement climatique. Mais je ne fais pas partie des catastrophistes pour lesquels il faut détruire de l'emploi, il faut décider de faire de la décroissance pour répondre à ce défi. Nous y répondrons, comme d'ailleurs l'humanité l'a toujours fait, par de l'innovation et la réorganisation du savoir-faire. » (source BourseDirect.fr, 30/01/2020).

« Comme d'ailleurs l'humanité l'a toujours fait » : nul doute qu'avec ces mots, vous vous êtes attiré l'hostilité des écologistes, des décroissants et de toutes les personnes qui voient dans la réduction de notre économie un levier indispensable pour l'adaptation au changement climatique, à la raréfaction des ressources et à la disparition de la biodiversité naturelle. Il faut justement changer notre attitude face aux problèmes, inédits, de notre temps. Miser notre salut sur la créativité et la puissance technique serait une erreur, car c'est justement cette attitude qui est responsable de nos maux présents. Le culte technique nous a mené à l'industrie de la mal-bouffe, à l'industrie étouffante du tout-pétrole, à la gestion honteuse des déchets nucléaires, aux pollutions des eaux de consommation par des molécules nocives, à la destruction du bocage, etc.

Pour autant, l'attitude de décroissance, qui apparaît comme l'exact contraire du culte technique, n'est pas non plus la solution. Elle ne peut pas l'être, car elle justement la négation d'un trait essentiel de l'homme moderne : sa créativité technique, dit autrement son désir d'explorer et de relever des défis.

Ni le culte technique ni la décroissance ne sont des solutions. Mais tous deux sont parties de la solution. La solution réside

- dans la reconnaissance et l'acceptation de l'une et de l'autre

- et dans l'équilibrage de l'une et de l'autre

par Vous et par votre gouvernement. Paradoxalement, la solution technique ne sera possible, et désirable, et effective, que si la pensée décroissante est légitimée, généralisée, banalisée[4].

Ce paradoxe n'est pas loufoque, car pour arriver à la solution aux problèmes du temps présent évoqués en préalable, il suffit d'y ajouter un *moyen terme* qui est au cœur de l'une et de l'autre.[5] Au cœur de la décroissance comme du culte technique. Puis-je vous expliquer ces affirmations à l'aide d'un exemple historique ? Cet exemple est, selon moi, un épisode historique de grande importance, dont nous payons aujourd'hui le prix sous forme de conséquences néfastes pour la santé publique.

Au 19e siècle, Justus von Liebig, dans les pas des découvertes chimiques de Lavoisier, introduisit la théorie chimique du sol : la fertilité du sol dépend de la présence en son sein de trois éléments, l'azote, le phosphore et le potassium. Sont-ils présents,

---

4 L'une et l'autre se justifient mutuellement (ajout postérieur).

5 Ce moyen permettra l'équilibrage

les cultures poussent, grandissent, incorporant ces éléments dans leurs tissus. En les récoltant, ces éléments sont donc extraits du sol. Absents du sol, les cultures suivantes ne peuvent pas s'en nourrir, donc s'épanouir. Il faut alors ramener, après chaque culture, ces trois éléments au sol. À cette date, les progrès scientifiques et techniques sont tels qu'il est désormais possible de synthétiser chimiquement ces éléments. Liebig préconise donc, pour augmenter les récoltes, de répandre ces engrais avant chaque culture, mais sans oublier comme il est de tradition d'épandre aussi du fumier et de conduire les cultures de façon traditionnelle. Ainsi les récoltes seront plus abondantes.

Or par la suite les agriculteurs décidèrent d'abandonner les usages traditionnels et de fonder la fertilité du sol sur le seul ajout des engrais chimiques, infiniment plus rapide et facile à transporter, épandre et incorporer en terre que du fumier.

On voit ici d'un côté le chimiste Liebig et la créativité technique (le culte technique), de l'autre côté les acquis de la tradition agricole. Les conséquences de ce choix entre deux options que l'on a rendues antagonistes (alors que Liebig prescrivait qu'elles devaient être combinées) se font sentir aujourd'hui de façon généralisée : les cultures sont systématiquement malades et nécessitent d'être aspergées de biocides pour parvenir au stade de la récolte, quand bien même la terre est enrichie d'engrais chimiques. Les résidus de biocide pénètrent dans les récoltes, qui elles-mêmes sont de faible qualité (les plants ne s'épanouissant pas bien).

J'en viens au moyen terme pour construire la solution. Au 19e siècle, le savoir empirique, acquis via l'expérience et la finesse des sens de l'agriculteur (sa capacité innée puis développée dans l'observation, le toucher, le sentir, de la terre et des plantes) est ce moyen terme qu'on a délaissé. Grave erreur. *Ce moyen terme, cet épanouissement des sens et du savoir-faire, est un trait humain tout aussi essentiel que la créativité technique.*

Hélas, il fut banni pour cause de progrès scientifique — une justification non fondée.

Du point de vue humaniste qui est le mien, l'épanouissement des sens (dans tout métier), est essentiel. Il procure satisfaction, sérénité, confiance. Il est la base à partir de laquelle la curiosité peut sainement s'exprimer. Donc la créativité. Rien ne justifie de l'abandonner. Il donne sens à la technique, en l'affirmant dans son statut de moyen et non de fin en soi.

Le culte technique est aujourd'hui décrié par les décroissants parce que devenu une fin en soi. Le développement technique doit être couplé au développement humaniste. Pensez à feu Stephen Hawking, le physicien qui a conçu la théorie du big bang et qui était totalement paralysé. Il ne pouvait plus, au terme de sa vie, que bouger ses yeux. Pour lui, un fauteuil extrêmement sophistiqué fut construit, pour remplacer autant que possible ses fonctions corporelles perdues. Grâce à ce fauteuil, il a pu continuer à utiliser et faire profiter au monde ses qualités humaines de réflexion, d'observation, d'imagination, de conception, d'explication et de transmission. C'est pour cette sensibilité humaine que des centaines de personnes ont voulu et ont construit son fauteuil à la plus fine pointe de la technique. Sans cette sensibilité humaine, sans son savoir et son savoir-faire, la volonté de création technique n'aurait tout simplement pas existé.

Revenons aux décroissants. J'estime en être un, mais au cœur de cette attitude il y a ce moyen terme : la volonté d'épanouissement des sens. Dit autrement, la volonté de reconnaissance et de développement de nos évidentes, simples mais centrales, capacités humaines. Nous voulons faire avec nos mains, voir avec nos yeux, sentir avec nos mains et notre nez. Nous voulons constituer et accumuler du savoir-faire. Cela fait de nos métiers des métiers désirables, où jamais on ne s'ennuie et où toujours on peut imaginer de nouvelles idées. Nous considérons que c'est un droit. La vie devient une aventure. Je pense que c'est tout cela qui met la technique à sa juste place. Le culte technique n'est pas la seule voie d'épanouissement humaniste. Notez que le terme de décroissant n'est donc pas le plus exact. Cette attitude décroissante, vous l'aurez compris, dans son essence humaniste ne mérite pas d'être qualifiée de catastrophiste.

Revenons à l'usine Saft. Concrètement, la production et l'utilisation généralisée des batteries pour voitures électrique seront d'autant plus vraisemblables que leur utilisation sera réduite au seul nécessaire. Voilà la solution que je vous propose, qui réunit culte technique et décroissance, via le moyen terme de la sensibilité humaine. Oui, les producteurs industriels de batterie devront repenser leurs chaînes de production… C'est un ajustement technique nécessaire pour laisser de la place à la sensibilité.

Cette solution que je vous propose est donc une « troisième voie », qui réunit et dépasse et le culte technique et la décroissance.

Elle est certes, ainsi présentée, un peu difficile à vulgariser. Et elle est originale : or l'originalité (l'inconnu) fait toujours d'abord peur. Elle constitue néanmoins un cadre moral clair et robuste pour les décisions à prendre à court terme comme à long terme. Comme l'explicite Henry Kissinger dans son livre Diplomatie, le président est un éducateur et il lui revient de fixer le cadre moral pour la Nation. C'est un défi.

Vous qui avez relevé le défi d'abandonner le style politique prévalant depuis le début des « trente glorieuses », allant au-delà de la division inopérante gauche/droite, aurez-vous envie de relever ce nouveau défi : instituer dans notre pays une dynamique (économique et sociale) basée sur le couple culte technique / sensibilité humaine ? Je sais que c'est un défi difficile ; le culte technique enserre aujourd'hui presque toutes les têtes. Mais, seul, je pense que c'est un mauvais cheval. Je suis écrivain-jardinier agroécologiste, j'ai une formation de scientifique.

Je suis donc motivé autant par les percées technologiques que par la vie simple au contact de la nature ; l'un et l'autre se combinent pour donner le meilleur dans mes essais techniques agricoles.

Je vous adresse, Monsieur le président, mes salutations respectueuses.

PS : Quand le savoir agricole traditionnel fut abandonné à partir du 19ᵉ siècle au profit du seul savoir scientifique, cela eu pour résultat que *des voies possibles d'innovation furent ignorées.* Ainsi des engrais verts, dont on connaissait les usages au 19ᵉ siècle. On trouve cet usage enseigné encore en 1909, car c'était quelque chose de commun, puis plus rien. On n'en trouve plus trace dans les manuels des décennies suivantes. Il faudra attendre les années 2000 pour que l'usage des engrais verts refasse surface. Aujourd'hui, encore 20 ans plus tard donc, leur usage n'est toujours pas redevenu commun, même en agriculture biologique. Les recherches scientifiques sur ces engrais verts – qui sont des plantes améliorant la qualité du sol et la santé des cultures – sont balbutiantes. Voilà comment on s'est privé des fruits de 100 années de recherche scientifique ! Quant à certains aspects de l'agriculture, notamment le rôle de la qualité de l'air dans la croissance des plantes, c'est là un aspect que les « anciens » connaissaient. Ils humaient l'air et ils savaient comment telle ou telle culture pousserait ou ne pousserait pas à tel endroit. Rien qu'en humant l'air. Cela est expliqué dans le cours d'agriculture de l'abbé Rozier de … 1769 ! C'est là une autre voie d'innovation qui pourrait être explorée à condition de ne pas dénigrer ce que nos cinq sens peuvent nous apprendre de notre environnement. La sensibilité humaine ne doit pas être dénigrée sous prétexte qu'elle est plus simple ou sommaire ou rustique que la recherche scientifique rationnelle ; c'est s'amputer follement de la moitié de notre humanité.

LETTRE À ALAIN FINKIELKRAUT

4 février 2020

Cher Mr. Finkielkraut,

J'ai écouté ce samedi matin premier février, comme à mon habitude, votre émission *Répliques* sur France Culture. Vos invités étaient Régis Debray et Olivier de Rey et vous avez parlé des incohérences de l'écologisme.

Votre thèse était le manque de sensibilité des écologistes envers la nature. Ils n'ont rien de Chateaubriand, leur reprochiez-vous. Ils ne pensent la nature qu'en termes productivistes.

L'écologie politique est un échec intellectuel. Je suis un écologiste convaincu, pour ne pas dire fanatique, et le libéralisme moral de l'écologie politique est tout sauf conciliable avec le respect de la nature. Cependant, ceci facilitant cela, on reproche dans le même jet aux écologistes d'être des technophobes. On leur jette à la figure le « retour à la bougie ». D'une part, cet argument n'a d'autre but que de ridiculiser, et quiconque l'utilise s'exclut lui-même du noble champ de l'intellect. D'autre part, à la racine de cet argument, et de vos reproches envers l'écologie, il y a un malentendu : un malentendu justement sur la place que les écologistes (les vrais, ceux qui la font et pas ceux qui en parlent) donnent à la sensibilité.

La sensibilité est en effet au coeur de l'écologie. Mais comprenez bien, ce coeur est dynamique, c'est-à-dire qu'il est traversé de doutes, de passions, de raison, d'espoirs, de renoncements. Il est donc bien vivant, il bat, il donne des coups. La question de la sensibilité tourmente les écologistes, d'autant plus que les charlatans, les vautours et les profiteurs ne sont pas loin, qui utilisent effrontément l'écologie dépouillée de sa sensibilité pour faire de l'argent facile. Tout en vendant l'image d'une écologie de sensibilité. C'est la stratégie des producteurs et des distributeurs industriels de fruits et légumes bio, notamment.

Il se fait que notre Président ne voit pas bien non plus la place que l'écologie véritable donne à la sensibilité. Il nous accuse d'être des « décroissants » technophobes et pessimistes. Le malentendu est là, aussi ai-je écrit une lettre au Président pour lever ce malentendu, pour expliquer le quoi et le pourquoi de cette sensibilité, et je vous transmets également cette lettre. Puisse-t-elle contribuer à faire avancer le débat, à faire émerger de nouveaux concepts, parce qu'à mon sens le débat n'a pas bougé d'un pouce depuis les années 1960 entre les progressistes et les naturophiles, les premiers accusant les seconds de rater le train du progrès, les seconds accusant les premiers de ne pas avoir de coeur. Pour un pays d'intellectuels comme la France, je trouve ça navrant.

Sur un tout autre sujet, quoi que, puis-je vous proposer une idée pour votre émission *Répliques* ? L'idée que la vie intellectuelle en France est fanée, parce qu'elle n'a plus de racines. Il me semble qu'elle n'est plus qu'une fleur fanée, parce qu'elle n'est plus irriguée par tous les petits penseurs, intellectuels et écrivains de tous les départements de France. Sa tige pour ainsi dire continue d'exister : ce sont toutes les structures parisiennes (associations, médias, universités) lieux d'expression de l'intellect. Mais en « province », il n'y a plus rien. Je me considère comme un de ces petits penseurs, j'ai écrit dix-sept livres. Je vis en Basse-Normandie, dans la Manche, et pour rencontrer des pairs, eh bien, c'est impossible. Nous sommes si peux nombreux à aimer réfléchir et écrire nos réflexions. Du Mont Saint-Michel jusqu'à Caen, il n'existe aucun club d'intellectuels. C'est rien ou tout ; c'est rien ou Paris. Les petits penseurs comme moi n'ont en fait même pas ce choix, car les « grands » éditeurs les refusent. Ils ne prennent même pas la peine de répondre à l'envoi de leur manuscrit. Il en résulte que la vie intellectuelle en France est exclusivement parisienne. La production intellectuelle nationale est en fait une production d'une seule commune. La production intellectuelle française serait peau de chagrin si par le passé les penseurs provinciaux avaient été évincés par les éditeurs : Tocqueville, Barbey d'Aureyvilly, Balzac, Prévert, Alain, Maupassant … Il manque aujourd'hui à la vie intellectuelle française sa masse de petits penseurs et, je dois bien le dire, son contact avec la nature et le monde la production. Le monde rude. La profondeur et la force des mots couchés sur le papier par les écrivains que j'ai nommés, venait de leur vie en contact avec la nature et le labeur des gens qui produisent. Sans cette connaissance du terreau, local, point d'élévation vers le ciel, universel. Que vaut la finesse d'une pensée si elle ne provient pas d'un terreau ? Le terreau noir, informe, où tout est mélangé, où aucun joyaux caché ne préexiste. Plus de racines, plus de terreau : la finesse de la vie intellectuelle française actuelle ne vaut rien car elle est séparée du quotidien, du trivial, du prosaïque, du banal, du lourd. C'est une erreur, car le monde est un et indivisible. De même que l'écologie nous enseigne que nous sommes redevables de notre existence aux déjections des vers de terre, la vie intellectuelle française doit-elle renouer avec ses origines.

Donc je vous propose ce thème pour votre émission : quelles sont les causes de la mort de la vie intellectuelle en province et est-il possible de l'y ressusciter ?

Cordialement et respectueusement,

PS

*Juger un livre, un tableau, une sculpture, un film non sur sa
beauté, sa force d'expression, mais sur sa moralité ou sa préten-
due immoralité est déjà une spectaculaire connerie, [...]*
Gabriel Matzneff

La littérature se place au-dessus de tout jugement moral [...]
Vanessa Springora

Quand Vanessa, qui fut abusée dans son adolescence par
Gabriel, devenue éditrice reprend la posture de son abuseur, en
affirmant que la littérature est au-dessus de tout jugement
moral ! Je vois dans cette reprise la preuve d'une fermeture
intellectuelle des penseurs et écrivains parisiens. Ils se citent les
uns les autres, ils se nourrissent entre eux, chacun veut devenir
l'horizon intellectuel de l'autre. In fine, ce milieu ne produit
aucune nouveauté. Ce milieu se dit ouvert, alors qu'il n'a pour
horizon que lui-même. Et c'est advenu à force d'écarter tous les
écrivains qui sont proches de la réalité, qui sont ancrés en elle,
donc qui considèrent l'écriture non comme une fin en soi mais
comme un outils, un moyen, un instrument. Pour ce milieu, la
référence à soi-même constitue le premier critère de qualité littéraire. Ce n'est pas ça littérature. Ça c'est de la fainéantise.
Lisez mon texte *Écrire dans le vide*, par exemple, pour comprendre ce qu'est l'écriture.

ÊTRE FRANÇAIS

Mars 2020

Qu'est-ce qu'être Français ? Et pourquoi se poser cette question ? Mais la raison en est toute simple : on se pose cette question, on se la re-pose et on se la re-pose quand la précédente réponse que nous lui avions trouvée ne nous convient plus. À partir du moment où vous avez reçu une instruction, une éducation, implicitement on vous a fait endosser une identité, l'identité française. C'est le point de départ. Une fois adulte, c'est-à-dire dès lors que vous possédez des savoirs et de l'expérience et que vous pouvez les transmettre à plus jeune que vous, bref une fois que vous faites partie de ceux qui instruisent, l'identité ne doit plus être pour vous un concept implicite. Il vous faut la mettre en mot, il vous faut désassembler et réassembler ce concept, il faut que vous ayez fait maturer ce concept. Il faut que ce concept se soit étoffé grâce aux expériences que vous aurez vécues, qui auront été des occasions de tester votre compréhension de ce concept.

J'affirme là que l'identité française se pense. Mais peut-être êtes-vous ceux qui estiment que l'identité ne se pense pas ? Vous estimez que l'identité est un résultat, le résultat de nos choix et de nos non-choix. L'identité ne se définit pas au préalable, on ne saurait en faire une théorie ni un objectif de vie, pour un individu comme pour une nation. L'identité française est une façon de vivre et c'est tout. Point besoin de la penser. Soit, c'est votre droit !

Et tant mieux pour vous ! Mais moi je suis de ceux qui ont besoin de définir les mots avant de pouvoir vivre. J'ai besoin de la définition : c'est comme le cap qui est indispensable au marin pour naviguer. Dans la vie, plus il y a de choix à faire, plus le contexte est tumultueux — plus les vagues et les courants sont forts —, plus j'aime que le cap soit loin mais net. Précis. Les petits tours et détours du destin, les retards, les obstacles, les temps morts, peuvent alors m'écarter temporairement du cap, m'en faire dévier, mais toujours je garde la confiance de revenir sur mon droit chemin. Parce que j'ai un cap, les incartades ne me font pas peur. Je vis ainsi. Et c'est mon droit de vivre ainsi !

L'identité française peut-elle être un cap ? Bien des programmes politiques ne sont pas clairs là-dessus. Ils le devraient. Au niveau de la nation, c'est-à-dire vis-à-vis des autres nations, il semble que les gouvernements successifs gardent à peu près la même ligne. La même identité. Il existe un style français de diplomatie. Et c'est tant mieux, et ce n'est pas ce qui m'intéresse ici. Ce qui m'intéresse ici, et qu'aucun programme politique n'ose définir, c'est l'identité française au niveau de l'individu : son comportement envers lui-même et envers les autres individus. L'identité, c'est une façon de se comporter (ce qui n'exclut pas de la penser, d'y réfléchir, bien au contraire).

Les partis « de gouvernement », PS, UMP, Modem, LREM maintenant, se refusent à poser une définition de l'identité française, pour se différencier des partis « extrêmes » qui eux la posent et en font leur point de départ politique. Quoique ... Il me semble que même le parti « Rassemblement National » peine à définir ce qu'est être Français. Tous les partis essayent de donner une définition, mais tout de même ! Ils noient le poisson en en donnant une définition vague : ils invoquent les valeurs communes, l'histoire du pays, les traditions, le siècle des

Lumières, la laïcité, la République, etc. Rajoutez : le refus de la dictature, le refus de la pensée unique, liberté, égalité, fraternité. Bref, d'un bord politique à l'autre je trouve les définitions d' « être Français » vagues, abstraites et compliquées. Toujours pour la même raison, je suppose : on pense que définir cet identité reviendrait à la figer et à instaurer un régime de gouvernance totalitaire. Les nazis et les communistes l'ont fait, on connaît le résultat. On ne veut pas de ça pour la France.

Or je refuse de m'inscrire dans cette vision dichotomique définition claire de l'identité = dictature versus non-définition = liberté. Je suis persuadé qu'une définition claire et concrète est possible qui garantisse la liberté de l'individu, tout en permettant la vie sociale et en étayant la définition de notre nation vis-à-vis des autres nations ! Car il faut relier le niveau de l'individu au niveau de l'international : c'est une exigence intellectuelle à laquelle on ne peut pas se soustraire. Si la France a la place qu'elle a aujourd'hui sur l'échiquier des relations internationales, c'est parce que l'identité Française est définissable et définie. C'est parce que le Français agit et pense de façons qui lui sont propres. Si ce n'était pas ainsi, la France serait un petit pays sans souveraineté, de la même façon qu'un individu sans identité, qui ne sait pas qui il est, se fait mener par le bout du nez, se fait imposer les volontés d'autrui et s'étouffe dans ses propres problèmes[6].

J'ajoute – en admettant pécher par arrogance – que c'est peut-être par manque de puissance intellectuelle et non pour éviter une dérive totalitaire, qu'aucun parti politique ne donne une définition claire de l'identité française. Aujourd'hui l'excellence intellectuelle est bien cachée, on ne la trouve ni sur Twitter ni sur Facebook ... Il faut avoir envie de partir à sa recherche. Et quand vous l'avez trouvée, quand vous l'avez

---

6 La corruption est un signe de faiblesse identitaire.

apprise, quand l'avez pratiquée et que vous en avez récolté les fruits pour vous-même, il faut encore vouloir en faire part, car les idées différentes, et mille fois plus encore les idées nouvelles, se brisent sur l'immobilisme et sur le critère de l'aptitude au buzz médiatique. L'époque actuelle n'est pas tendre avec la subtilité intellectuelle (un pléonasme, je sais).

Et si les élus donnaient une définition claire de l'identité française, ils devraient s'y tenir ...

Qu'on me permette donc de proposer une définition de l'identité française, de l'être Français, une définition précise et concrète en quatre points. Tel un ... carré des possibles ! Être Français c'est :

1. Être *responsable*. Le Français est responsable de soi-mêmes, de sa famille, de ses amis, de ses proches, de ses collègues, de ses voisins et in fine de son pays.

2. Avoir *l'esprit critique*. Le Français a le droit et le devoir de poser des questions, de ne pas croire s'en avoir évalué par lui-même.

3. Exercer le *libre-arbitre*, qui est le droit et le devoir de décider par soi-même.

4. Être *progressiste*. C'est-à-dire sur le plan social, avoir la volonté d'améliorer sans cesse la société, et sur le plan individuel souhaiter que chaque personne, dans l'activité qu'elle pratique, s'épanouisse, c'est-à-dire devienne plus sensible, plus habile et plus intelligente.

Vous êtes Français quand vous êtes responsable, quand vous faites preuve d'esprit critique et de libre-arbitre et quand vous êtes progressiste. Voilà ce qui fait de vous un bon citoyen français, voilà ce qui fait de la France un pays rayonnant.

Prenons maintenant deux exemples de cas limites de l'identité Française.

Les « cas sociaux », comme on les appelle parfois, ne sont responsables de personne. Ni d'eux-mêmes ni de leur famille, encore moins de leurs proches. Ils se complaisent dans la fainéantise, et ce n'est pas un cliché, j'en connais. Considérons le fait suivant : qu'aucun parti politique ne parvient à se donner les moyens de remettre ces gens au travail. Pourquoi ? Par crainte de passer pour un parti autoritaire ! Or pourquoi tant de personnes s'insurgent contre les cas sociaux, qui reçoivent sans contre-partie argent et logement de l'État ? Parce que la responsabilité est une partie essentielle de notre identité. Je vais de temps en temps livrer quelques légumes chez une vieille dame de mon village. Souvent elle me parle avec fierté du jardin qu'elle avait et de ses trois vaches et quelques volailles et lapins. Avec ce jardin, et par son labeur enthousiaste, elle a nourri ses enfants. Un jardin, quelques bêtes, quelques outils, un tas de fumier : la misère me direz-vous. Si peu. Mais non, vous ne voyez rien, car avec ce si peu, quasiment toutes les familles de France ont vécu et grandi dans les années 1950 à 1970 ! Et avant encore. Cette vieille dame, avec le peu qu'elle avait, avait *la fierté de pouvoir être responsable de sa famille.* Aujourd'hui, ce sentiment de responsabilité existe toujours. Pas besoin de faire de rappel à l'histoire, aux « valeurs de la République », à de vagues repères littéraires : la responsabilité est un concept que tout Français comprend. C'est du concret. Mais aucun parti politique n'ose lui dire à ce brave Français que oui, c'est simple, c'est fondamental et que c'est une part de l'identité. Ils n'osent le dire. C'est qu'il y a tant d'élus qui sont irresponsables …

Prenons enfin le cas des religions. Aujourd'hui on brandit le terme de laïcité à tout bout de champ. On pense que ça va régler le problème avec l'Islam. Le concept de laïcité, selon moi, ne vient pas encore assez au contact des gens dans la vie quotidienne. Il demeure trop abstrait. Les gens sont mal à l'aise avec l'Islam. Les gens sont également mal à l'aise avec toutes ces églises vides et que le contribuable doit continuer d'entretenir. On n'ose pas admettre qu'on a abandonné la religion chrétienne. Quant au bouddhisme, on l'accueille avec un sourire mais on ne voit pas bien à quoi ça sert. Pour lever ces malaises que tout un chacun peut ressentir au fond de soi-même et vis-à-vis d'une certaine conscience que peut-être il existe de grandes lois de la Vie, il faut en appeler à la définition de l'identité française. Je l'écris donc ici clairement : en France ne sont amicalement acceptées par les personnes non religieuses, que les religions qui invitent aux points 2, 3 et 4 de l'identité Française. Une religion qui entrave les points 2 et 3 n'est sera pas bienvenue en France. Plus largement, un système de pensées et de pratiques qui entretient, qui alimente et qui renforce la crédulité de ses adeptes n'est pas bienvenu en France. Le tolérer, c'est accepter de rogner notre identité.

Que désire-t-on ? Je ne l'entends pas assez. J'entends trop de répétitions. Si même quand on est chez soi on n'ose plus dire ce qu'on pense … Et cela rejaillit sur la place internationale de la France …

En France, rien ne devrait aller contre cette définition de l'identité Française. Le nihilisme, qui est refus du point 4, n'est pas français. L'utopisme, qui est refus du point 1, n'est pas français. Le fascisme ou l'autoritarisme, qui est négation des points 2 et 3 (et redéfinition du point 4), n'est pas français.

Bien sûr, je ne possède pas la Vérité et on peut me reprocher de vouloir généraliser ce que moi je trouve convenable. Sur France Inter vendredi 6 mars 2020, un invité affirme que c'est choquant de dire que pour être une femme il faut avoir une vulve. Selon cet invité, nul besoin non plus d'avoir un corps de femme pour être une femme, féminité et masculinité ne dépendant pas du corps, de sa physiologie, de sa maturation. Si on peut faire de telles généralisations sur une chaîne de radio nationale, répandre au niveau national de telles idées, c'est bien la preuve que chacun a le droit de généraliser ce que lui trouve convenable. De facto. Chacun pense que sa vision du monde peut devenir une norme universelle et chacun a le droit de s'exprimer ainsi.

Est-ce que se comporter ainsi, c'est être Français ? Non, évidemment, c'est de l'égoïsme donc c'est du renoncement à la responsabilité. C'est aussi refuser aux autres l'exercice de l'esprit critique et le libre arbitre. *Il existe mille façons de voir le monde, et c'est être français que de les réunir et de les confronter les unes aux autres.* Personne n'a le monopole de la Vérité. Être responsable, c'est admettre qu'on n'est pas parfait et omniscient, et donc que les décisions à prendre pour le pays doivent succéder à une phase de confrontation des points de vue et des idées. En démocratie, la Vérité nait du choc des idées, écrivait Henry Kissinger.

J'aimerais bien pouvoir confronter mes idées à celles d'autres personnes. Quelle serait l'issue de ce débat d'idées ? ... Je ne sais pas ! Est-ce que ce débat aurait plus de conséquences qu'une discussion au café du coin ? Pas sûr. Mais ce serait mieux que rien. Mieux que la solitude du penseur.

Annexe

À l'école du deuxième rituel : Présentation officielle de l'école à l'attention des aimables parents.

Chers parents,

L'École de la nouvelle Terre est un lieu tout à la fois de transmission, de pratique, de découverte et d'exploration. Les jeunes gens y viennent pour s'épanouir en apprenant. L'espace central de l'école est le Jardin du Savoir. Planté d'arbres et de buissons sacrés, il contient les fameuses Pierres du Savoir. Leur utilisation est très simple : votre enfant n'a besoin que d'apposer ses mains sur une des pierres, en présence de son Mentor. La Pierre est un réceptacle de la Noosphère ; c'est-à-dire qu'elle ne transmet pas directement dans l'intellect de votre enfant des savoirs concrets ou abstraits, des concepts, des chiffres, des mots. La Pierre va nourrir l'esprit de votre enfant en intuitions, en symboles, en énergies, en mouvements, en formes, qui reposent depuis la nuit des Temps dans la noosphère. La Pierre va les lui insuffler. Par sa volonté, sa curiosité, accompagné de son Mentor et de ses camarades, votre enfant va apprendre à transformer ce *nouveau* potentiel intérieur en mots, en pensées, en idées, en constructions et en actions de toute sorte, seul ou à plusieurs.

Pour permettre à votre enfant, au stade du deuxième rituel, une initiation à tous les domaines de la vie, de la Nature et du Cosmos, l'école dispose en plus d'un laboratoire des sciences de la matière, d'une salle d'entraînement du Soleil Intérieur et d'un panopticum cosmique qui représente en quatre dimensions notre système solaire, bien sûr, mais aussi le système Kepler et le système Kalypso. Sans oublier les nombreux coins et recoins de l'École dédiés à la créativité et à la transmission entre élèves et Mentors.

Bienvenue à l'École. Nous sommes heureux de vous accueillir et d'accompagner votre enfant.

LA DOUCE HAINE SUR INTERNET

14 avril 2020

Vous avez certainement remarqué, sur les réseaux sociaux d'Internet, que la moindre polémique se voit accompagnée de cracheurs de haine : sous couvert de l'anonymat et de l'impunité d'Internet, ils moquent, ridiculisent, calomnient, injurient et finalement menacent les acteurs de la polémique. Que ce soit l'initiateur de la polémique, ceux qui le soutiennent ou qui le désapprouvent, les cracheurs de haine invectivent tout le monde. Les cracheurs de haine sont de gauche comme de droite.

Le rapport social étant dénaturé par Internet, ces cracheurs de haine se permettent de dire des choses qu'ils n'oseraient jamais dire en face à face. Ils calomnient l'autre, et surtout il veulent faire taire l'autre. Ils veulent le ramener au silence. C'est le classique « ta gueule ! » en version Internet.

Bien sûr, cette injonction n'est pas acceptable, même dans le monde virtuel. Nous vivons dans un pays de libre expression. Les cracheurs de haine sont vite repérés et dénoncés aux administrateurs des réseaux sociaux, et c'est tant mieux. Cependant, nombreux sont ceux qui continuent de vouloir nier à l'autre son droit d'expression, et qui disent non pas le vulgaire « ta gueule ! » mais le subtil « est-ce que tu es certain que ce que tu écris et mets en ligne sur internet, c'est vraiment utile pour ceux qui vont te lire ? ». À côté d'une haine directe, brutale existe une *douce haine* qui n'en a pas moins les mêmes objectifs : faire taire et ridiculiser.

Michel Onfray, par exemple, que j'aime beaucoup par ailleurs, utilise parfois cette technique. Ainsi, il réprimande toutes celles et ceux qui sont auto-édités. Il donne les explications suivantes dans un texte dont j'ai oublié le titre. Il explique que beaucoup de gens lui envoient leurs textes et leurs manuscrits pour demander son avis. Il y a là beaucoup de mauvais textes selon lui. Il invite à se questionner avant d'écrire : pourquoi veut-on écrire ? Sans doute estime-t-il que les niveaux de style, d'argumentation et de références des textes qu'on lui soumet sont trop faibles. Lui qui a lu tous les philosophes, qui écrit depuis plus de quarante ans, voudrait-il que toute personne qui n'a pas une érudition équivalente à la sienne se taise ? Pardon : n'écrive pas. C'est hélas ainsi que je comprends la réprimande d'Onfray envers ceux qui sollicitent son avis, et je regrette qu'il se permette un tel jugement catégorique contre les personnes qui sont moins douées et/ou moins expérimentées que lui dans ce domaine.

Sur le fond, sa réprimande cible l'égoïsme : ces écrivains maladroits en quête de reconnaissance seraient mûs par le désir d'être vus de tous, estime-t-il. Beaucoup de ces écrivains veulent la gloire sans l'effort. Et en effet, cela ne saurait surprendre dans une société individualiste. Ce serait une écriture à visée exhibitionniste et non à visée littéraire. Le livre (auto-édité) serait comme la voiture ou le smartphone qu'on achète : un objet pour se mettre en valeur. Un objet en soi vide de contenu. Le livre auto-édité, le fait de se dire soi-même écrivain au lieu que ce soit la société qui attribue ce titre une fois les preuves faites, cela ne trompe pas, dirait Onfray : c'est un signe (parmi d'autres) de la décadence de notre civilisation.

Michel Onfray a publié cette réprimande sur son site internet. Lui est un auteur reconnu, il a fait ses preuves donc accordons-lui la légitimité de pouvoir départager les bons écrivains des mauvais écrivains. Mais son invite au silence, son invite à déposer la plume, est discutable. S'il fallait la respecter, plus personne n'oserait écrire.

Sur internet, on trouve bien des gens qui, sans être eux-mêmes auteurs, se permettent tout de même de dire aux écrivains apprentis que leurs écrits sont inutiles. Ça m'est arrivé plus d'une fois, toujours via les réseaux sociaux. Une personne voulait me faire penser que je suis un mauvais écrivain parce que mes livres ne trouvent pas leur public. Et cette personne de me dire en plus que ses écrits, via son seul blog, rencontraient son public. Preuve que je ne savais ni communiquer ni ressentir les attentes, les besoins, du public. Je lui ai répondu que son texte publié sur son blog, sur le thème du « haut potentiel » intellectuel, ne se différenciait pas de ce que j'avais pu lire ailleurs sur le sujet. Et que ce sujet trouvait toujours son public dans la mesure où il prête facilement à la flatterie. Quel lecteur ne se sent pas flatté de lire un texte sur la « douance » et le « haut potentiel » dans lequel il se reconnaît ? Moi, sur ce thème du haut potentiel je vois l'arnaque au coin de la ligne … C'est un thème qui fait vendre. Mais demandez aux personnes qui écrivent sur la douance des preuves concrètes, demandez-leur ce qu'elles ont réalisé grâce à leur don et leur haut potentiel intellectuel. J'ai demandé, sur les réseaux sociaux, et je me suis fait vite rembarré. Pourtant, moi qui me considère comme un peu futé, je voudrais bien lire et voir les réalisation de personnes vraiment très futées. Afin d'apprendre d'elles. Mais les vrais surdoués ne disent jamais qu'ils le sont.

Revenons au sujet du texte, la douce haine sur internet. Que ce soit un écrivain de renom ou un quidam qui veuille influencer les personnes qui s'essayent à l'écriture, pour leur faire comprendre qu'elles feraient mieux d'arrêter, c'est là un déni de la liberté d'expression. C'est une douce haine qui n'en est pas moins une haine. Et ce déni, même formulé en bon français (pas sous forme d'insultes comme les cracheurs de haine) ne peut pas être justifié. D'autant plus qu'aujourd'hui la vie sociale autour des idées est plutôt restreinte. Les cafés philosophiques demeurent une rareté. Le débat syndical, politique et religieux n'existe plus dans l'espace publique. Donc c'est dans « l'air du temps » que beaucoup de personnes veuillent passer par l'écriture pour s'exprimer. Et qu'on soit bon ou mauvais écrivain, débutant ou confirmé, cela n'est pas important car pouvoir s'exprimer est un droit. En face à face, qui oserait dire à quelqu'un de ne pas exprimer ses idées, ses intuitions, ses réflexions, ses avis ? Dire de se taire ? Personne n'oserait. Via Internet hélas, on ose. Trop de gens osent. En fin de compte, ces gens exercent une police de la pensée — mais en lisant leurs autres écrits sur les réseaux sociaux, on découvre qu'ils sont les premiers à clamer haut et fort le droit à la liberté d'expression.

Ces faux policiers de la pensée sont aussi, il me semble, prisonniers d'une conception passée du livre et de son statut, qui explique leur réaction autoritaire. Pour une bonne partie d'entre eux, un livre doit être parfait. Un livre ne doit contenir que le meilleur de l'humanité. C'est donc pour cela qu'eux-mêmes écrivent — ou s'abstiennent d'écrire. Quel que soit le domaine : scientifique, littéraire, romanesque, etc. Ils estiment qu'aucun livre ne doit être publié qui n'apporte pas quelque chose de nouveau à l'humanité. Chaque livre ne peut être qu'une brique de plus pour l'édifice de l'humanité. Cette posture, très rigide, témoigne d'une culture de l'instruction, de l'érudition, du respect du savoir et de l'innovation. C'est bien. Mais cette conception rigide du livre n'est pas la mienne. Moi je suis pour le livre populaire : le livre qui est écrit par le peuple, c'est-à-dire par tout un chacun. Je n'y vois aucun mal. Les faux policiers de la pensée, eux, estiment que le livre doit demeurer la marque de fabrique des seuls héros de l'humanité. Des seuls intellectuels possédant moult titres et postes à l'université. Dont ils font partie, bien sûr.

Il faut comprendre qu'ils ne veulent lire que des livres de qualité, écrits par des auteurs reconnus. Pas de temps à perdre à lire le livre d'une secrétaire, d'un plombier, d'un paysan ! Oui, les livres de ces gens du petit peuple ne sont pas parfaits. Mais ils sont en prise directe avec la vie, sur le fond comme sur la forme. La vie n'est pas parfaite, la vie n'est pas lisse, elle n'est jamais rondement menée. Leurs écrits — les miens donc, car je fais partie du petit peuple — sont comme la vie qu'ils mènent : avec des hauts et des bas, en zigzags, avec des interruptions, avec des phases de préparation, de travail et de récolte, avec des phases de repos, avec des accélérations, avec des stagnations. Sur le fond comme sur la forme. L'idée de pureté argumentaire et stylistique n'y existe pas, pas plus qu'elle n'existe dans la réalité.

Sur internet, on nous fait comprendre qu'il vaudrait mieux pour nous de ne plus écrire. Qu'il faut laisser cet art à ceux qui en sont les justes dépositaires. Bien sur, on ne tiendra nullement compte de ce genre de conseil. Nous sommes en démocratie.

LE JARDIN ET LA LOI

Septembre 2020

Qu'est-ce qu'une loi ?

Il n'existe pas de société sans loi. La loi du plus fort, la loi du plus riche, la loi qui procède du pouvoir divin ou encore la loi de l'anarchie sont des lois, qui chacune fonde une forme de société particulière. Dans notre démocratie qui est fondée sur une constitution et sur les droits de l'Homme et du citoyen, on décide des lois au parlement. En ce moment, des lois sont votées – lois de bioéthique – ou sont en train d'être préparées lentement mais sûrement – lois de discrimination positive, loi d'antiracisme et loi concernant les forces de polices auxquelles on retirera bientôt le privilège d'user de violence légitime. Quand on lit ces lois et ces ébauches de lois, on peut se demander ce que notre démocratie offre de mieux qu'une royauté, qu'une théocratie, qu'une dictature. La démocratie est censée nous garantir les meilleures lois, selon le principe énoncé par Henry Kissinger dans son livre magistral *Diplomatie* : « En démocratie, la Vérité émergé du choc des idées ». Nous ne pouvons pas ne pas avoir, ne pas concevoir, les meilleures lois qui soient, pour vivre dans une société la meilleure qui soit. Sinon à quoi bon la démocratie ?

Notre démocratie est censée nous procurer des lois basées sur la Vérité, et non sur les désirs et les lubies des plus riches, des plus forts, des plus inspirés de Dieu, des plus rusés, etc. La Vérité est ce qui vaut pour tout le monde ; elle est universelle, donc c'est sur elle que doivent reposer les lois d'une démocratie.

Je ne suis qu'un jardinier, mais je ressens cette intuition que notre société provient de la terre. Aussi technicisée qu'elle puisse être, elle vient et elle vit des produits de la terre. Les lois de la terre, plus connues sous le nom de lois de la nature, sont les premières des lois que je dois respecter dans mon jardin. Si je ne les respecte pas, je n'obtiens aucune récolte, mon travail est vain. Si je ne les respecte pas, je n'obtiens *rien*. Par contre, si je les respecte, tout devient *possible*. Je peux faire une culture, deux, trois, je peux cultiver tout un jardin, je peux faire des rotations de cultures, je peux planter des arbres qui seront utiles aux cultures, je peux conduire une prairie dont le foin servira à nourrir la terre, donc les plantes, donc les Hommes. Je peux mettre à mon service toutes les plantes et toutes les petites bêtes qui vivent dans le jardin afin de me nourrir à la condition que *je respecte les lois de la Nature.*

Je tenais à préciser qu'il faut ressentir ce lien, aussi ai-je utilisé le terme d'intuition. C'est instinctif. Pourtant cette intuition n'est pas évidente ; on comprend facilement ce lien d'un point de vue intellectuel, mais ce n'est pas assez. On s'y arrête trop rapidement, on croit avoir tout compris. Mais non : il faut le ressentir.

Et j'ai une autre intuition. Que dans la société une loi possède la même définition, la même portée, qu'une loi de la Nature, c'est-à-dire : *une loi est ce qui nous permet de construire.* Une loi est ce qui nous permet de construire une vie ensemble, de construire des maisons ensemble, des routes, des entrepôts, des tables, des stades, des bibliothèques, etc. C'est une évidence, mais au vu des actuels évènements, au vu de la, selon moi, qualité douteuse des lois qui sont actuellement votées, je crois que nous avons oublié cela. Nous tolérons, par exemple, les gamins et les imbéciles (religieux comme agnostiques) qui ne respectent pas les lois. Nous acceptons ces comportements. Alors que ces comportements montrent que ces gamins et ces imbéciles, demain, feront bien plus grave. Ces jeunes délinquants ne pourront jamais rien construire dans leur vie ; ils ne pourront jamais participer à la construction de la société. Ils seront au contraire des destructeurs, et ils ne pourront pas être autre chose si on ne les éduque pas à être autre chose. Si on les laisse faire, si on les laisse être les seuls juges d'eux-mêmes. Comme pour ces délinquants qu'on réprimande à peine – on leur fait un « rappel à la loi » –, pareillement, on accepte les lois fantoches : ce sont toutes ces lois qui ne servent pas à construire le pays, mais qui au contraire le réduisent. Le détruisent. Ce sont toutes ces lois qui s'empilent, couche après couche, et qui finissent par empêcher l'artisan, l'agriculteur, le maçon, le chaudronnier, le menuisier, de créer. Ce sont toutes ces lois qui servent de justificatif à de trop nombreuses professions inutiles dans l'administration. Ce sont toutes ces lois qui font qu'aujourd'hui en France on ne sait plus rien produire. Mes arrosoirs viennent d'Italie, mon semoir des États-Unis, mes sabots de jardin viennent d'Allemagne, mes vêtements de jardinier viennent du Pakistan… Par contre, nos pays produit une quantité incroyable de banquiers, de comptables, de financiers, de gestionnaires, d'assureurs, de contrôleurs, de certificateurs, d'archivistes.

On accepte le non-respect des lois, on accepte les lois fantoches, et c'est bien triste. On accepte tout ! À notre indigence s'ajoute un oubli grave : on en oublie les *conséquences*. On ne pense plus en termes de conséquences. Revenons au jardin. La Nature est un maître implacable, qu'on ne peut pas tromper.

Dès que dans mon jardin j'ignore ses lois, j'en paie les conséquences. Qui ne veut pas de ces conséquences, qui s'en moque, qui ne veut pas en tirer des apprentissages, ne peut rien construire avec la Nature. *En société, pareillement la loi est double : elle est possibilité de construire en même temps qu'elle est conséquence lourde et douloureuse si elle n'est pas respectée.* Ce sont là deux facettes inséparables. Aujourd'hui on sous-estime gravement les conséquences du laxisme judiciaire envers les délinquants. Quand un maire se fait taper dessus et que son agresseur ne reçoit qu'un rappel à la loi, eh bien, certes l'affaire est classée d'un point de vue judiciaire mais d'un point de vue sociale, pour la société, pour les enfants et l'entourage de cet agresseur qui constate que l'agression n'a eu aucune conséquence, c'est l'ouverture de la porte à tous les possibles. C'est le contrat pour l'anarchie qui a été signé sous leurs yeux par la justice démissionnaire.

Je crois que nous avons oublié cette double définition fondamentale de la loi : *pour construire, sinon les conséquences.* Ou bien laissons-nous cette définition traîner au sol, abandonnée, foulée au pied par les gamins et les imbéciles, parce qu'on ne nous ne *savons pas quoi construire avec ?* Une loi, pour quoi faire ? Donc : une démocratie, la nôtre, pour quoi faire ? Notre actuel Président ne semble pas être en mesure, ne semble pas avoir les épaules, pour porter la réponse à cette grave question : l'objectif de notre vie en démocratie. Et dans la société, pourtant, bien des gens existent qui connaissent la réponse. Quelle doit être la société de demain, qui prolonge les progrès accomplis depuis l'instauration de la démocratie en France ? Cela, je le sais. Et je ne suis pas le seul. Pourtant, nous gardons pour nous ce que nous savons … Nous nous taisons. Michel Onfray critique le manque de projet civilisationnel pour les démocraties occidentale. Sans aucun doute, c'est là un futur positif qui demande à être dessiné (cf. le texte Vie et mort).

Si une loi n'est pas respectée par quelqu'un et que ce quelqu'un n'en subit aucune conséquence, alors cette loi n'est pas une loi. Il faut le dire clairement. Et ce sont toutes les personnes qui respectent cette loi qui sont en fait abusées, qui sont en fait lésées : elles ne peuvent en tirer aucune conséquence positive, aucun effet positif. Elles qui respectent la loi parce qu'elles veulent construire quelque chose, elles ne peuvent que constater comment certains ne respectent rien et jouissent sans entrave de la liberté.

En ce moment, entre crise du COVID et angoisse face à une possible crise économique mondiale, seules des bases solides peuvent nous empêcher de ne pas sombrer. Ne pas sombrer en tant qu'individu et en tant que société. *Il faut que nous revenions aux fondamentaux.* Si l'économie actuelle s'écroule, et que nous avons auparavant identifié, reconnu, accepté, des bases solides, alors nous pourrons reconstruire. Il faut que nous ayons, comme l'aurait dit Napoléon, des « masses de granit » sur lesquelles nous appuyer. Mais si notre économie s'écroule et que nous sommes toujours sous l'emprise idéologique des lois fantoches qui nous régissent aujourd'hui, alors nous ne pourrons rien reconstruire. Ou alors nous reconstruirons une société fantoche. Ou une société rétrograde. Sur ces lois fantoches nous ne pourrons rien reconstruire de fiable et de durable.

$$\varphi$$

Quand on est dans un jardin, qu'on planifie telle et telle culture, que le semis ou la récolte sont difficiles, voire que la culture échoue, on constate la main invisible – non pas celle du marché – mais la main invisible de la Nature. Ça ne se déroule jamais tout à fait comme on le prévoit, avec la Nature. Les

scientifiques ont une expression pour cela : ils parlent de la
« *résistance du réel* ». Le réel résiste. Il est ce qui résiste. Nos
idées, que l'on veut concrétiser, ne se réalisent jamais spontanément et avec facilité. Rien n'est jamais évident, rien n'est jamais
automatique, rien n'est jamais « fastoche ». Le réel exige de
nous petits humains que nous ne ménagions pas nos efforts.
Jamais. Et nos attentes seront satisfaites quand nous aurons bien
et beaucoup travaillé en respectant les lois de la Nature. Car il y
a ceci de rassurant : c'est qu'une loi comporte en elle un principe de *certitude*. Si on la respecte, alors il y aura pour nous des
conséquences heureuses. On peut en être quasiment certain.
Voyez tous nos objets techniques, basés sur la connaissance de
lois de la Nature particulièrement complexes : ces objets fonc-
tionnent avec fiabilité. Quand on tourne la clé de la voiture dans
le contacteur, le moteur démarre. Ça marche ! Internet, ça
marche ! Les satellites, ça marche !

Résumons : loi, respect = conséquence positive, non-respect
= conséquence néfaste, résistance du réel, respect = possibilité
de construire, non-respect = impossibilité de rien construire,
destruction.

Eh oui ! La loi est ainsi une sorte de ligne de crête entre
construction et destruction. C'est un point de bascule énergétique. Je le constate dans mon jardin, où phases et actes de
constructions alternent avec phases et actes de destruction. Le
campagnol, le merle goulu, la chenille vorace, sont des destructeurs. À la croissance des cultures succède leur décomposition.
Sans attendre. Sans attendre même une seule seconde ! Et là
réside tout le savoir-faire du jardinier – agroécologiste – que de
bien faire basculer, au bon moment, avec le bon élan, le jardin
dans la construction puis dans la destruction. Car la destruction
est la décomposition, c'est-à-dire le retour aux particules élémentaires qui, au printemps suivant, pourront au signal donné

par le jardinier ET la Nature, être assemblées à nouveau en fruits et en légumes. C'est un cycle, qu'il faut comprendre sur le plan intellectuel et qu'il faut connaître concrètement[7].

Le même état d'esprit vaut, il me semble, pour les enfants. Ainsi dans la société, il est indispensable de préparer les enfants aux lois qui régissent le monde. Il faut leur apprendre qu'une loi exige le respect, sans quoi rien ne peut être fait. Rien ne peut être construit. Et cet apprentissage requiert d'utiliser le mot « non ». Non ! Ce qu'une cliente, ce matin au marché, ne savait pas dire à sa fille. Sa fille ne savait pas rester tranquille, elle touchait à tout sur mon stand, parlait sans arrêt, interrompait sa mère sans arrêt. À huit ans environ, cette enfant ressemblait déjà à une épave humaine. Que peut-on faire de pire à un enfant que de ne pas lui apprendre à se contrôler lui-même ? De ne pas lui apprendre à identifier et contrôler ses pulsions ? De le laisser soumis à la moindre de ses pulsions. Même mes chats sont plus sages, plus observateurs, plus « réglés » que cette fillette ! *Le mot « non » est, simplement, fondamentalement, le précurseur de la loi dans l'esprit humain.* « Non » indique la frontière proche entre ce qui sera possible et ce qui ne sera pas possible. C'est un concept que l'enfant doit acquérir dès le plus jeune âge. Avant même qu'il ne sache bien parler et écrire.

Sinon ? Sinon cela aura des conséquences. Eh oui… L'enfant ne saura pas se discipliner lui-même, c'est-à-dire qu'il ne saura pas se poser lui-même des limites. Donc il ne saura pas écouter les adultes et obéir. Plus tard, il se croira super intelligent ou super fort. N'ayant pas le concept de limite en tête, il aura des rêves de mégalomane. Il sera submergé par les plus petites émotions (on le dira « hyper-sensible »). On le dira aussi « haut-potentiel » parce qu'en effet il s'intéresse à tout. Mais ignorant le

---

7 C'est là que la pratique du jardinage rejoint la pratique du surf. Il faut savoir prendre la vague au bon moment, il faut savoir voir la vague venir.

sens de l'effort, ignorant le concept de construction (ne sachant pas que pour construire il faut respecter et faire des efforts), voulant tout, tout de suite, il n'ira jamais loin dans aucun centre d'intérêt. Il restera, toute sa vie, un « potentiel ». On lui trouvera des excuses : il est « a-quelque chose », « dys-quelque chose », « bi-quelque chose », etc. Il ne pourra pas apprendre des autres, parce que se croyant le centre du monde, parce que ne percevant pas les limites donc les différences inter-individuelles, il ne percevra pas que telle ou telle personne est un maître en son art. Pour cet enfant devenu adulte, la hiérarchie n'existe pas. On le dit éduqué à l'extrême tolérance, au respect. En fait, dans sa tête il pense que tout est permis et que chacun a le droit de faire comme il veut, et que personne ne mérite d'être critiqué pour ses choix de vie.

Ce mode d'éducation est « à la mode » : on veut éduquer sans dire « non » à l'enfant. Parce que « non », c'est négatif. Parce que ... ce n'est pas constructif d'être négatif, pense-t-on à tort. On vit dans la mode de la pensée positive ! On rejoint là, en fait, *la pensée hippie, qui est rejet de toute pensée négative*. Il ne faut pas parler de ce qui gêne, de ce qui est désagréable, de ce qui peut poser limite, poser frontière. On crée un enfant sans limite, sans limite pour ses pensées, pour sa vie, pour la société. Un enfant de tous les possibles.

Erreur ! La réalité n'est pas celle qui existe dans nos têtes. Le tout positif, cela se pense, mais ce n'est pas la réalité. Un simple petit jardin de rien du tout peut vous l'enseigner. Les gens sont différents les uns des autres. Il y a des novices, il y a des experts. Il y a des intelligents, il y a des idiots. Des travailleurs, des fainéants, etc. Des gens avec beaucoup de capacités, des gens avec peu, des gens avec beaucoup de volonté, des gens avec peu. Ne percevant pas ces différences, l'enfant sans limite exige, réclame, gueule comme un chiard, clame que ces différences n'existent pas, que c'est une idéologie qui nous fait croire à ces différences. L'enfant sans limite est séduit immédiatement par les programmes égalitaristes du socialisme. Il vote pour les lois de bioéthiques qui abolissent les termes de « père » et « mère » pour les remplacer par « parent 1 » et « parent 2 ». Il explique que « pour être une femme, il n'est pas nécessaire d'avoir un corps de femme » (ceci est un élément de langage des militants pour l'égalité homme-femme). Il vote pour l'abolition de toutes les frontières sur Terre et considèrent que nous sommes tous d'égaux citoyens du monde.

L'enfant à qui l'on aura appris à ne respecter aucune loi, à commencer par le « non », deviendra bien sûr une personne qui ne saura pas exercer aucun métier concret. Ni même artistique.Il ne supportera pas la résistance du réel. Il travaillera dans le domaine du mot et de la parole, où l'on peut tout penser et tout dire. Il travaillera dans le domaine de la loi, éventuellement, hélas. Et du journalisme, bien sûr ! Ce sera un adulte qui se satisfait des contacts via internet : medium très pratique, très confortable, pour ceux qui ne veulent voir que ce qu'ils ima-ginent exister. Qui peuvent y trouver toutes les justifications qu'ils désirent pour leur fantasme d'un monde sans loi, sans frontière, sans limite. Je me suis inscrit à divers « groupes » sur Facebook ; j'y ai « rencontré » des centaines de ces jeunes ou moins jeunes qui ont raté leur vie, faute d'avoir pu s'appuyer sur rien de stable et solide. Mais qui clament leur « haut potentiel ». Une loi, si on la respecte, est telle une masse de granit sur laquelle on peut d'une part se reposer et d'autre part construire. La loi confère du repos, de l'assurance, et donc de la confiance en soi, une qualité dont sont dépourvu les enfants sans limite devenus adultes.

En réalité, ces enfants éduqués sans limite manquent de volonté. N'ayant pas fait l'apprentissage de l'adversité du réel, de la résistance du réel, ils ne savent pas ce que signifie vouloir. Ils ne veulent rien, ils sont amorphes. Ce sont des pâtes qui ne lèvent pas car elles sont sans moules.

Ces adultes ratés seront en fait, malgré leur fort sentiment d'individualité, malgré leur aisance verbale, malgré leur capacité à protester, des pantins dans les mains des mégalomanes, des politiciens et des administrations de toutes sortes qui tirent, bien concrètement, en n'ignorant aucune loi, toutes les ficelles de la société. Cette génération sans-limite, dite haut-potentiel ou hyper-sensible, ou encore « génération epsilon (Y) », manque totalement de confiance en soi pour opposer une résistance aux démagogues et aux mégalomanes. Greta Thunberg en est un bel exemple. Et quand elle rencontre des gens du même âge, mais qui ont connu le « non » durant leur enfance et leur éducation, qui aujourd'hui savent concrètement faire des choses, elle qualifie ces derniers de conservateurs, de nationalistes, de suprémacistes blanc. Les démagogues et les mégalomanes, c'est-à-dire toutes ces personnes qui entourent nos élus aux plus hautes fonctions, se frottent les mains et se disent tout bas : « ces jeunes Y sont si serviables, ils critiquent nos adversaires politiques les plus sérieux ! Ceux qui connaissent le terrain, qui connaissent la vie des entreprises, la vie des paysans. » Ces jeunes sans limite ont pris pour adversaires les enfants du réel.

Ω

La vie est cause et effet. Qui croit que tout est possible tout le temps sans conséquence souffre d'un sous-développement intellectuel. Le progrès de l'humanité consiste à bâtir, encore et encore, sur ce socle inaltérable de la condition humaine loi-construction-conséquence. C'est un progrès qui se fait par l'effort, par l'abnégation de soi, par la conscience professionnelle. C'est un progrès qui peut mener, par exemple, à des mondes de science-fiction positive et épanouissante tels que celui de Star Trek. Mais aujourd'hui ce genre de science-fiction est tombé en désuétude. On lui préfère la science-fiction avec des cyborgs, des intelligences artificielles, des cerveaux électroniques, des corps avec des implants de toute sorte, comme on peut le voir dans le film « Alita l'ange de combat » de James Cameron. Aujourd'hui on accepte d'abandonner le respect de nos lois et on préfère, pour après-demain, imaginer des mondes où l'humain est déshumanisé. *Le laisser-aller d'aujourd'hui rend plus facile de penser le déclin de demain.* C'est compliqué de voter des lois, de voter une constitution, qui impose le respect des lois, alors on laisse faire. C'est plus facile. C'est compliqué de faire un plan de jardin, c'est dur de travailler la terre, de semer, de récolter, de mettre du paillage, de faire des engrais verts. C'est plus facile de laisser faire la nature.

Oui, c'est plus facile. Mais ça mène tout droit à la fin de l'humanité. Si les agriculteurs cédaient à cette fainéantise, en deux années l'humanité atteindrait son point d'extinction. C'est très clair. Et quand les agriculteurs, ou tous les gens des autres professions qui travaillent la matière, qui sont assujettis aux lois de la nature, voient année après année toutes les autres personnes dire « c'est pas grave, la loi est pas respectée, on fait juste un mot de rappel à la loi », qu'ils voient année après année les enfants sans-limite exiger tout, tout le temps, clamer qu'aucune personne ne peut se revendiquer supérieure à une autre en termes d'avoir, de savoir et de savoir-faire, il pourrait venir à l'idée de certains agriculteurs d'eux aussi faire comme bon leur semble, à l'image des journalistes, des juges et des élus. Juste pendant une année. Arrêter de cultiver, juste pour voir ce que ça donne ... Trop de laxisme dans la société, c'est une insulte envers toutes les professions qui travaillent la terre et la matière et sont soumises aux lois de la Nature. C'est mépriser les efforts constants qu'il faut pour travailler la résistance du réel.

En dernier recours, si la société devenait prise de folie et jugeait qu'elle n'a aucune limite à s'imposer, il reviendrait – non aux forces armées, devenus pâte à sucre depuis le règne de Macron Ier – mais aux forces agricoles, de faire jeûner durant quelques mois tout ces beaux parleurs. Je rappelle que la vie de chaque personne, *chaque personne*, qui n'est pas elle-même agriculteur, dépend du travail d'un agriculteur. Dépend de l'abnégation de l'agriculteur sous les lois de la Nature. Ce n'est pas juste un acte économique dans un marché libéral que d'acheter de la nourriture : c'est un acte de vie. C'est essentiel. C'est intuitif, c'est instinctif.

Revenons à l'essentiel. Et votons pour des loi solides. Et respectons-les. C'est la moindre des choses que les non-agriculteurs puissent faire pour être égaux en honneur à l'agriculteur. Et de grâce, réintroduisons dans l'éducation le sens de la difficulté, réintroduisons la résistance du réel.

PS

Le jardinier est exigeant envers la Nature : il travaille dur, alors il compte bien les avoir, ces récoltes ! Pour éduquer, c'est pareil : il faut être exigeant. Il faut exiger que la jeune personne s'édifie, sinon elle ne fera que végéter, c'est-à-dire vivre mais sans produire aucun fruit. Il faut exiger, mais en donnant 1) les moyens et 2) les conditions, au jardin comme en classe. L'éducation est une forme de jardinage.

LE MIROIR DE LA MÉMOIRE

Octobre 2020

I

Voici quelques temps que se prépare un nouveau musée du débarquement et de la guerre en Normandie. L'implantation de ce musée, sur fonds privés, est prévue dans les environs de Carentan en 2022. Ce serait un musée utilisant les toutes dernières technologies de mise en scène et d'immersion du visiteur, telles qu'elles existent pour Verdun et les batailles de la première guerre mondiale. Les promoteurs en vantent l'adéquation avec l'air du temps et, surtout, avec la jeunesse : ces nouvelles technologies attireraient mieux l'attention de la jeunesse et elles permettraient de mieux lui transmettre la mémoire des évènements passés. Le musée – ce nom n'est pas adéquat pas plus que parc mémoriel ou exposition, la dénomination exacte reste à trouver – occupera une vingtaine d'hectares.

Comme beaucoup d'habitants, j'ai réagi avec émotion en apprenant ce projet qualifié par la presse de « D-Day land », de parc d'attraction du débarquement, de puy du Fou de la bataille de Normandie. Pas des émotions positives, non, au contraire : des négatives ! De nombreuses raisons, de nombreuses convictions, de nombreuses histoires de vies avant, pendant et après le printemps 1945, sont invoquées pour publiquement dénigrer ce projet de musée d'un nouveau genre. Et j'adhère à toutes ces raisons. Ce sont là beaucoup, beaucoup, d'arguments et de vécus (que je ne peux pas tous recenser ici), pour juger que ce genre de musée n'a pas lieu d'être.

Ma famille a éprouvé la guerre dans sa chair. Ma grand-mère maternelle de Tribehou s'est retrouvée dans une maison qui a été bombardée. Les sacs de farine entreposés là ont pris feu, tout s'est écroulé, elle est restée prisonnière de ces ruines brûlantes durant plusieurs jours avec, en plus, un éclat d'obus dans la cuisse. À deux centimètres près, son artère aurait été sectionnée, et je ne serais pas là pour écrire ces lignes. Sa sœur, alors à l'école de couture à Saint-Lô, est morte pendant ce bombardement. À cause du bombardement. Et ma grand-mère paternelle fut emprisonnée durant l'occupation, pour avoir collecté des informations sur la ligne de chemin de fer Lison-Carteret pour la résistance. Ma tante m'a raconté qu'après la guerre, parfois quelqu'un lui rendait visite : ils s'appelaient alors par leurs anciens noms de code ! Vous comprenez que pour moi il est hors de question qu'un lieu dédié à la transmission de la mémoire de ces évènements, ait la forme d'un parc d'attraction où il serait plaisant de venir, pour voir, pour faire les grands yeux, pour s'occuper, pour faire passer le temps d'un week-end trop long et trop pluvieux, comme cela arrive parfois ici. Non, c'est hors de question. Ce serait irrespectueux. Passe encore les jeux vidéos et les films sur la guerre de Normandie, mais sur le terrain, non.

Toutefois, cette première réaction était dictée par l'émotion, et je ne pouvais pas en rester là : la guerre est chose trop sérieuse pour se laisser guider par les émotions. Il faut une tête froide, même 76 ans après. J'ai donc réfléchi, un peu comme à mon habitude, et me sont venus des arguments rationnels pour contester un projet de musée qui serait trop léger, trop racoleur, trop mercantile. In fine trop pathétique.

Le vendredi 16 octobre, les promoteurs du projet ont eu l'occasion de le présenter sans que la presse s'en mêle – on sait trop bien comment aujourd'hui la presse et les médias déforment la réalité et les propos, les interprétant à leur guise sous couvert de l'objectivité du journalisme. Le D-Day Land n'en est pas un, en fin de compte. Les promoteurs l'ont nommé « hommage aux héros ». Les arguments que j'avais préparés avant cette présentation ont gardé leur validité. Certes, ce vendredi, après présentation par les promoteurs, sans presse interposée, j'ai compris que ce projet n'a rien d'un parc d'attraction et que ses promoteurs veulent avant tout transmettre la mémoire. Ils seront guidés par une importante équipe d'historiens ainsi que par l'Éducation Nationale – quoi que cette dernière ne constitue aucune garantie de qualité, le niveau scolaire étant en chute libre depuis des années[8].

Le premier argument rationnel que j'avais développé contre ce projet d'hommage aux héros est celui-ci : qu'*il n'y a pas eu de héros*. Certes environ 40 000 soldats alliés sont morts durant la bataille de Normandie. Sont-ce des héros ? Non, car ces mêmes soldats, ces mêmes armées, par les bombardements, ont tué 20 000 normands depuis les airs. Américains et Anglais ont bombardé massivement la Normandie, puis l'Allemagne. Quel honneur peut-il y avoir à tuer des civils, non armés, et depuis les airs en plus ? Et le massacre des civils s'est conclu en apothéose avec le largage des bombes atomiques sur Hiroshima et Nagasaki. Certes, les armées allemandes avaient, avant les alliés, commencé le massacre de civils. D'un côté comme de l'autre on a tué des civils, en France, en Pologne, en Allemagne,… Pour

---

8 Et hélas, sur le long terme, la baisse du niveau scolaire est un élément d'explication des attentats terroristes en France – pour faire lien d'une guerre à l'autre.

moi, aucun soldat ne peut donc être un héros, car un soldat appartient toujours à une armée, et une armée n'hésite jamais à ordonner des sacrifices, militaires comme civils. Je suis un pacifiste. Le soldat a quittance pour tuer. On lui ôte son esprit critique et son libre-arbitre, il n'a qu'à obéir. Refuse-t-il d'obéir? Refuse-t-il d'aller au combat quand le feu approche ? On l'arrête, on le juge, on le fusille. Le soldat n'a pas le choix : c'est le feu du front ou le feu du peloton d'exécution décidé par la hiérarchie. Ainsi encadré, le soldat tue ce que qu'on lui ordonne de tuer, civil ou militaire. Pensez à la guerre du Vietnam, à la guerre d'Irak : innombrables sont les civils tués par les militaires. Le guignol Collin Powel, ministre américain de la défense, avait en son temps appelé cela des « dommages collatéraux ». Les tristes oiseaux appellent cela des sacrifices nécessaire, voire un « moindre mal ». Non, à mes yeux les héros n'existent pas. La guerre n'a rien d'héroïque. Le héros n'est qu'un être imaginaire créé pour convaincre des jeunes hommes et des jeunes femmes que c'est bien de tuer et de faire des sacrifices – sacrifier les autres d'abord, soi-même ensuite s'il le faut.

Autre argument rationnel, prosaïque : ce musée impliquerait de détruire vingt hectares de terres agricoles. Je suis maraîcher, vingt hectares c'est vingt emplois, c'est des fruits et des légumes pour 400 personnes pour une année. Autant de fruits et légumes qu'il faudra importer d'Espagne ou d'Italie. Autant d'emplois maraîchers qui ne seront pas créés. Le maire de Carentan a lourdement insisté sur sa volonté de tout faire pour que ce projet se réalise. Comme bien des maires, il se moque de la valeur des terres agricoles ! Pour lui, c'est « rien ». *Petit homme, si tu savais le labeur des anciens qui a été nécessaire, pour tirer de la terre la nourriture qui a nourri les générations qui t'ont donné naissance.* Ces vingt hectares qu'un maire veut bétonner promptement, c'est … dans l'air du temps. Aujourd'hui on n'aime ni les plantes ni la terre. Passons.

Troisième argument. « Hommage aux héros ». Il n'y a pas de héros, mais y a-t-il de l'hommage ? Non plus. Ont été recensés à ce jour en Normandie 96 musées et autres lieux de souvenir en lien avec le débarquement et la guerre. Des millions de gens sont venus découvrir, voir, écouter, comprendre, ce qui s'est passé ici en 1944. La barbarie de la guerre. Tout le monde aujourd'hui sait ce qui s'est passé, en gros, plus ou moins en détail. Mais personne n'ignore. Le souvenir est transmis, la mémoire est conservée et transmise, rien n'est oublié. Est-ce bien ? Réfléchissons. Nous la France, et les autres pays concernés par ces évènements, avons-nous juré solennellement d'en terminer une bonne fois pour toutes avec la guerre ? Avec ces boyaux qui se répandent sur la terre, avec ces membres qui tombent, tranchés par les éclats d'obus, avec ces têtes explosées par le feu des mitrailleuses ? Les bonnes vieilles guerres entre nous et nos voisins, avons-nous juré d'en finir une bonne fois pour toute ?

Il faut croire que non. Aucun de nous n'a inscrit dans la constitution de son pays le *dévouement sans faille à la paix*. Aucun. Certes, à la seconde guerre mondiale a succédé, immédiatement, la guerre froide. Le désir de détruire était toujours là. Bon, on comprend donc, et on admet, que nos grand-parents n'aient pas pu ranger tout de suite les armes. Il fallait continuer à se battre. Mais quand le mur de Berlin est tombé, là on aurait dû dédier nos âmes à la paix. À partir de ce moment-là nous n'avions plus d'excuse pour ne pas nous dévouer à la paix.

On ne l'a pas fait. Et on ne le fait toujours pas. Tous nos élus depuis la chute du mur du Berlin, qui tous connaissent notre histoire, qui tous connaissent les évènements horribles qui se sont produits durant la seconde guerre mondiale, qui tous sont venus dans ces lieux de mémoire pour voir et comprendre, tous sauf rares exceptions ont choisi de faire de la France un pays vendeur d'armes de guerre. Le vœu solennel de paix aurait impliqué que nous fabriquions des armes uniquement pour notre défense, et que nous n'en vendions pas. Ce vœu-là n'a jamais été prononcé, par nos élus, au nom du peuple français.

Wilhlem Reich a écrit en 1948 un livre intitulé « Écoute, petit homme ». Pour être tout à fait honnête, je n'ai pas lu ce livre. Ma tante, oui, et elle m'a cité cette unique phrase de lui : « Écoute petit homme, ta chaîne brisée tu ne sais plus ce que tu es ». Ta chaîne brisée, tu ne sais plus ce que tu es. C'est-à-dire qu'une fois libéré des chaînes de la soumission, du nazisme, de la guerre, l'être humain ne sait plus qui il est. Quel tragique paradoxe. C'est le tragique de notre humanité ! On pourrait dire de ces mots de Reich que ce ne sont que vues de l'esprit : une fois la guerre finie, les Occidentaux savaient où ils allaient. Ils ont initié une formidable poussée de progrès social et technique. Mais ils n'ont pas renoncé à la guerre pour autant. Les chaînes n'ont pas été brisées.

Pourquoi ? Parce que si nous arrêtions de faire la guerre, nous ne saurions plus qui nous sommes ?

Revenons au projet de musée. Sur la forme il est novateur, cela je ne le conteste pas. Sur le fond il n'apporte rien de nouveau. Tout ce qu'il va transmettre, on le sait déjà, tous les musées existants le transmettent déjà. Pourquoi donc le créer ? En fin de compte, ce nouveau projet semble inutile. Et il lui manque une trame philosophique. Cela, je l'ai clairement ressenti quand ses promoteurs ont parlé du point de départ de ce projet et de leurs motivations, à la fois personnelles et éducatives (car ils ont des enfants en âge d'apprendre et de comprendre la seconde guerre mondiale). Les promoteurs ne m'ont pas convaincu. Certes, ce sont leurs motivations, et c'est ainsi. Mais ces motivations sont trop évidentes. Trop simples. Il existe déjà près d'une centaine de lieux de mémoire, exhibant des objets, des armes, des témoignages, des lieux d'époque reconstitués, des explications autant sur les temps forts de la guerre que sur la « petite histoire », les petits détails qui ont eu leur importance, qui ont donné à ces moments toute leur gravité. Mais voilà, parler des faits, connaître les faits, cela ne suffit pas. Connaître le vécu des soldats alliés, allemands, des civils, cela ne suffit pas. Tous ces musées mettent à notre disposition des éléments objectifs, et une armée d'historiens s'assure en effet de leur objectivité. De leur réalité, de leur exactitude. Certes, dans ces musées on apprend aussi le facteur humain. La tension humaine. La mise en lumière des ressorts profonds de notre humanité, ces ressorts qui ont été si tendus à bloc au cours de ces années-là, jusqu'aux points de rupture. Oui, tout cela on peut le savoir, mais ça ne suffit pas.

Il manque des trames philosophiques, et il manque la confrontation au tragique de notre condition humaine.

Je suis un scientifique de formation, et pourtant je vais vous dire un secret qui n'en est pas un : l'objectivité totale n'existe pas. Quoi qu'on regarde, notre regard n'est jamais neutre. Et ce nouveau musée qui prétend amener, encore une fois, les faits objectifs et vérifiés de la guerre, ne nous apprendra donc rien de plus. Il pourrait nous apprendre quelque chose de nouveau *s'il s'habillait d'une trame philosophique forte*. Une trame de la tragédie humaine.

Revenons à Wilhelm Reich.

Comme je l'écrivais, nos chaînes, en fait, nous ne les avons pas brisées. Nous sommes toujours un peuple qui aime la guerre, le sang, les tripes, les drames. Ce nouveau musée ne vaut donc rien, et tous les autres ne valent rien, car ce n'est qu'une vaste hypocrisie : nous parlons de devoir de mémoire, d'hommage rendu aux héros, mais nous continuons à activer les mêmes mécanismes qui les ont conduit à s'entre-tuer il y a 76 ans.

Les promoteurs parlent de transmission aux jeunes générations. Cette formulation semble importante : il faut que les jeunes sachent. Oui, mais ! Mais il y une étape qui est sautée, comme par magie : la transmission à notre génération, à nous, à nous les adultes d'aujourd'hui ! Pourquoi continuons-nous à accorder à nos élus le pouvoir de vendre des armes de guerre à des pays dont on sait qu'ils vont faire la guerre. Qu'ils vont engendrer toutes les horreurs à l'identique de celles que nos grand-parents ont endurées. Pourquoi faisons-nous cela ?

Ce vendredi 16 octobre, avant d'aller à la conférence de présentation du projet, je suis allé mettre des fleurs sur la tombe de ma grand-mère. Je lui ai dit « salut mamie, comme ça va ? », tout en sachant au fond de moi que moi, ma génération, tout ceux nés à partir de 1960 et qui avons la possibilité de faire le vœu de paix et de l'inscrire dans la constitution, nous ne l'avons pas fait. Pourquoi ? Est-ce que nos grands-parents ne sont pas assez entre-tués ? Est-ce qu'ils auraient du en faire plus, pour qu'on comprenne ? Est-ce que mes grand-mères n'ont pas assez souffert ? Non, nous ne leur avons rendu aucun hommage ; le seul hommage qu'on pouvait leur rendre était une résolution ferme et solennelle pour la paix.

La mémoire est un héritage. Si nous n'en faisons rien, à quoi bon répéter comme un mantra qu'il faut la transmettre ? Ce « devoir de mémoire » avec lequel on nous bassine tout le temps les oreilles, quand on vit ici dans la Manche. La mémoire, ça doit servir à quelque chose.

Voilà la tragédie humaine. Et voilà ce que ce musée devrait mettre en lumière pour qu'il obtienne mon assentiment : il devrait mettre côte à côte toutes les décisions de guerre et qui ont menées à la guerre en 1939 et jusqu'à sa conclusion, avec les décisions qui nous prenons aujourd'hui de vente d'armes et de missions de guerre. *La mémoire doit être notre miroir.* On doit regarder le passé à partir de notre présent.

Au cours de la conférence, j'ai dit cela aux promoteurs du projet comme un défi à relever. Évidemment, malgré les applaudissements de la salle, ils n'en tiendront pas compte. Nous ne pouvons pas dire à nos enfants que nous sommes des hypocrites.

II

Faut-il expliquer la conséquence de notre refus du pacifisme ? Elle est évidente : la France a perdu sa voix. La voix de la paix, la voix des Lumières. La France n'est plus un phare humaniste dans le monde. Les encouragements, les injonctions, les remontrances que notre petit Président fait au Liban, à la Syrie, à la Turquie, à la Russie, ne sont pas prises au sérieux. Elles font même rire : « voilà le Président qui se dresse comme le défenseur de la paix dans le monde, mais il aime tout autant vendre des armes que faire de beaux discours. Il se croit mieux que nous. » Ainsi des armes récemment vendues à la Grèce, pour faire face aux velléités expansionnistes de la Turquie. Or, à défaut d'être pacifiste, la France – nous – est-elle un pays guerrier ? Un pays qui a les moyens de mener des guerres ? Oh que non ! Un peu de guéguerre au Mali, un soutien ici et là aux États-Unis, là un peu de coopération pour destituer des dictateurs au Moyen-Orient. On ne voit aucun résultat à ces mini-actions militaires, à cette stratégie militaro-diplomatique. Jean-Yves Le Drian, ministre de la Défense il y a quelques années de cela, expliquait que nous devons bien vendre des armes : les recettes de ces ventes nous permettre de nous payer nos propres armes et notre armée !

Moi, ce que je vois là, c'est que *nous n'avons le courage ni de la paix, ni de la guerre.* Nous aimons trop vendre des armes pour pouvoir prétendre être des pacifistes – et donc pour prétendre défendre la démocratie – et nous en vendons trop peu pour avoir une véritable armée. Ainsi nous sommes la risée des pays dirigés solidement par des hommes à poigne. Et nous sommes pour cette raison la cible favorite des djihadistes. Je ne suis pas chrétien, mais cette maxime chrétienne convient tout à fait à notre situation : « Dieu vomit les tièdes ». Ce ni-ni, ni paix ni guerre, équivalent au cher « en même temps » de notre Président Macron, déteint sur notre identité nationale. Cela l'effrite irrémédiablement, plus le temps passe. Mes grand-mères bougent dans leur tombes ! Mac Caulay écrivait dans ses *Lays of Ancient Rome* : « Pourquoi un homme affronte-il un destin contraire, si ce n'est pour les cendres de ses aïeux, et les temples de ses dieux ». Nous qui avons mis à bas les temples de nos dieux, nous rechignons à respecter les cendres de nos aïeux. En quoi croyons-nous donc encore ?

III

Les circonstances font les hommes. En temps de paix, il est facile de clamer qu'on porte des valeurs nobles, qu'on les comprend, qu'on les incarne, qu'on les transmet. Mais quand les temps se gâtent, ce ne sont plus les paroles qui servent à différencier les nobles des couards, des pleutres et des indécis : ce sont les actes.

Voyez aujourd'hui ce virus qui se propage partout. Sans attendre, notre bonhomme-président fait un discours militaire. « Nous sommes en guerre, l'ennemi est invisible, l'ennemi est un virus, le conseil de défense sera réuni, l'état d'urgence décrété », etc, etc. Voilà pour les mots. Quant aux actes, le premier consista à abandonner derechef… notre liberté ! Notre liberté de nous réunir, de commercer, de discuter, de nous éduquer, de nous divertir, de nous soigner. Un discours militaire, une velléité militaire, n'a de sens que s'il y a quelque chose de précieux à protéger. Bonhomme-président a décidé – et nous a convaincus – que la Liberté n'est pas de ces choses précieuses qu'on doit protéger à tout prix. Au contraire, il convient de l'abandonner pour faire la guerre au virus. Et le peuple a applaudi.

Quelle fougue, quel courage, que celui d'un peuple qui hier clamait avoir vaincu les monstre nazi grâce à des valeurs nobles de liberté, de démocratie, d'égalité, de « valeurs républicaines » et qui aujourd'hui abandonne ces nobles valeurs dès les premières pertes humaines.

Je taquine le lecteur, bien sûr. Nous obéissons aux mesures stupides de guerre contre le virus parce que nous peuple français avons le sens du devoir et – encore un peu – du respect de l'autorité. Mais c'est pour nous une *humiliation*. Ce confinement, déconfinement, masque, gel hydroalcoolique, gestes barrière, mesures de distanciation sociale, isolement, etc, tout cela nous l'acceptons en nous humiliant une première fois. Et nous sommes humiliés une seconde fois par les ministres, et leurs perroquets « journalistes », en étant obligés d'entendre chaque jour que *nous* sommes les responsables de la circulation du virus. Ce sont surtout les jeunes qui sont responsables, et les familles, car c'est là où le virus circule, nous disent les ministres et les journalistes. Dans les familles. Et entre les « jeunes » qui se réunissent pour jouer ou pour vivre des moments entre amis. Le premier ministre, lui, est très sérieux. Il monte en « première ligne » contre le virus, pour annoncer « un mois de novembre très difficile » et des « mesures restrictives », c'est-à-dire un nouveau confinement. Il n'en veut pas aux restaurateurs, explique-t-il, mais il en fait les premières victimes économiques en leur interdisant d'exercer leur profession. Car c'est là que « le virus circule le plus ». Dit autrement : il leur interdit de vivre. Interdire à quelqu'un d'indépendant d'exercer sa profession, c'est lui interdire de vivre.

Notre liberté est-elle vraiment en train de disparaître à cause d'un virus ? Oui, c'est vraiment ce qui est en train de se passer. Un virus qui est plus monstrueux et plus puissant qu'Hitler, cela va sans dire… Un virus plus fort que notre valeur la plus chérie. Mes grand-mères gigotaient déjà drôlement dans leurs tombes en constatant que nous ne rendions pas hommage à leurs sacrifices, en n'ayant le courage ni de la paix ni de la guerre ; maintenant elles tapent à grands coups sur les couvercles pour en sortir. Les cimetières résonnent de ces bruits sourds, et bientôt nos corps seront rougis de la puissante fessée qu'elles nous administrerons.

Je suis profondément convaincu que toutes les décisions prises par les gouvernements, depuis 40 ans, ne sont que des actes sur une scène de théâtre. Derrière, il n'y a rien. Pourquoi le discours de guerrier du président et de ses premiers ministres, face à un virus qui n'a rien du terrible Ebola ni même de la variole ? Comprenez : ce discours est une façade. Une façade qui cache un gouvernement qui veut détruire le système de santé français. Un gouvernement qui ne veut pas que ce système évolue pour soigner les malades du virus. En cette mi-octobre, le premier ministre explique qu'il va aider les hôpitaux pour augmenter leurs nombres de lits. Voilà des mots qui ont … six mois de retard. Ce gouvernement veut donner la valeur et le pouvoir moral de notre système de santé publique aux seules entreprises pharmaceutiques. Il attendait depuis 2018 l'opportunité pour poursuivre cette funeste entreprise : il avait ordonné aux forces de l'ordre, en 2018, de tabasser les infirmières et le personnel soignant qui exigeait plus de moyens pour les hôpitaux. N'oublions jamais cela.

Notons au passage que les forces de l'ordre, par respect pour l'autorité, ont obéi à ces ordres iniques et anti-humanistes du bonhomme-président. Notre système de santé aurait été plus apte à soigner les malades si ces forces de l'ordre avaient déposé leurs armes et refusé de frapper les soignants. L'entreprise de dépeçage du système de santé aurait été stoppée. À mes yeux, les forces de l'ordre ont perdu beaucoup de leur honneur en tabassant les infirmières. Elles ne le recouvreront que si, dans une prochaine situation, elles prennent le parti du peuple et non de ce gouvernement qui est contre la France.

IV

Pour conclure, faut-il rappeler que le courage implique la connaissance ? En ces heures où le redouté virus circule, il faut le « combattre » non pas à coup de loi et de décret pour interdire la vie social, ni à coup de médicaments et de recherche d'un éventuel vaccin. Il faut le rendre moins dangereux en utilisant les lois qui régissent la vie de ce virus. C'est-à-dire les lois de la biologie.

Ce virus est un virus du système respiratoire. Aucun des virus de ce genre que l'on connaît n'est mortel, et pour cause : la salive et les mucus des voies respiratoires sont de puissants anti-viraux et anti-bactériens. Ils sont le fruits de millions d'années d'évolution de notre espèce. C'est tout simplement la mal-bouffe qui est responsable : mal nourris, notre salive et nos mucus ne nous protègent plus. Il leur manque des constituants. Plutôt que d'interdire les restaurants, au contraire il faut les ouvrir en leur imposant de ne servir que des plats faits dans le restaurant avec des produits frais. Avec moult épices et fines herbes, et tisane de plante obligatoire en fin de repas. Dans les commerces et super-marchés, il faut interdire la malbouffe, les sucreries, les plats préparés industriels, les conserves. Le virus est dangereux quand son milieu de vie lui permet de se multiplier sans contrainte. Changer ce milieu, c'est-à-dire notre corps, bouche, poumons, salive, mucus, est simple : il suffit de changer notre alimentation. Cela ferait des restaurateurs non plus des coupables mais des acteurs de la santé.

C'est ce que l'on nomme la voie de « l'immunité collective », qu'aucun pays ne veut prendre parce que jugée trop coûteuse en vie. Mais c'est la seule voie possible, c'est la seule voie qui est conforme aux lois de la Nature, notamment à la théorie de l'évolution. Seulement, pour prendre cette voie, il faut prendre en main notre alimentation. Choisir cette voie sans volonté de nous nourrir mieux conduit certainement à une hécatombe !

Beaucoup de lecteurs jugeraient ces mesures alimentaires enfantines. Ces lecteurs sont des enfants, qui ignorent une loi fondamentale de la nature : nous sommes ce que nous mangeons. Cette ignorance n'est pas un hasard. L'absence d'éducation et d'instruction à la santé par l'alimentation est un des moyens utilisés par les gouvernements successifs de gauche et de droite pour infantiliser les citoyens, afin de les déposséder des moyens de leur santé et de les rendre dépendants des entreprises pharmaceutiques. En ce sens, l'ordre des médecins a abandonné la visite médicale scolaire obligatoire. Aucun médecin digne de ce nom ne pourrait accepter d'abandonner ainsi ce précieux outils de santé publique. Peu de médecins sont donc dignes du titre qu'ils portent.

Δ

« Adhuc stat », comme disent les Franc-maçons. La colonne est brisée mais sa base demeure. Le peuple de France peut se relever à condition qu'il ose sortir de la peur et de l'ignorance dans laquelle ses gouvernants le maintiennent depuis 40 ans. Il faut du courage. La situation présente nous donne l'opportunité de faire preuve, comme nos grand-parents, de courage. Le ferons-nous ?

LE RÔLE SOCIAL DES GENS INSTRUITS

Novembre 2020

En ces temps de crise sanitaire, en ces temps de crise économique, en ces temps de crise sociale, en ces temps de crise du moral des individus emprisonnés chez eux, en ces temps de crise écologique, en ces temps de crise religieuse, nous avons plus que jamais besoin de Lumière !

Une de mes tantes me faisait un jour ce reproche : « Que font les gens comme toi, les écrivains, les penseurs, les intellectuels, pour amener tout ce que vous savez aux gens du peuple ? Pourquoi aucun philosophe ne va dans un hypermarché pour, là entre un rayon de charcuterie et un rayon de conserves, transmettre son savoir et ses façons de penser, deux talents dans lesquels vous vous dites exceller ? »

Car à quoi bon de grands savoirs, à quoi bon d'admirables façons de penser, d'analyser, de synthétiser, de comparer, d'induire, de déduire, etc, si tout cela n'est pas transmis aux gens qui n'en ont pas, ou qui en ont moins ?

Un des vices de l'intelligence est de se justifier par rapport à elle-même. « Je suis intelligent parce que je me réfère à des livres intelligents, à des auteurs intelligents, à des philosophies intelligentes, etc ». Et puis « Qui ne fait pas l'effort de lire tels ou tels livres n'est pas apte à comprendre mes écrits, mes thèses, mes prospectives ». C'est un vice : les gens « comme moi » tendent à circonscrire l'intelligence, donc à la séparer de ce qui ne serait pas intelligent.

Mais en prenant du recul, ne constate-t-on pas que chaque profession fait de même ? Chaque pâtissier, chaque menuisier, chaque garagiste, chaque directeur administratif crée des cercles concentriques en fonction de ce qu'il estime être des niveaux de qualité et de savoirs différents.

Si effectivement on peut facilement départager le travail d'un bricoleur du dimanche de celui d'un compagnon du devoir, dans le monde des pensées, des savoirs, des idées, au contraire il est impossible de départager, de délimiter, de circonscrire, d'éloigner, de séparer les idées, les pensées, les thèses, les unes des autres. *Le monde des idées est un monde sans frontière.*

Dans ce monde, tout est interdépendant. Chaque idée, chaque théorie, chaque hypothèse, chaque thèse, chaque supposition, chaque conclusion, chaque déduction, chaque principe, chaque prémice, bref chaque pensée se définit par rapport aux autres pensées. Dans ce monde des idées, tout est relié à tout ; c'est un immense enchevêtrement de fils qui se croisent et se recroisent.

J'admets avoir quelques facilités à naviguer dans ce vaste monde. Et en plus je suis instruit. Mais avant de définir ce qu'est l'instruction, revenons à la question posée par ma tante. Pourquoi ce si vaste monde des idées resterait-il l'apanage de quelques-uns ? Pourquoi en effet les savoirs et savoir-penser des uns ne sont-il pas mieux partagés avec les autres ? Avec les gens qui n'ont pas de métier intellectuel et / ou de formation intellectuelle. Nous sommes pourtant tous dotés d'un cerveau, qui est un merveilleux organe génétiquement programmé pour apprendre, pour comprendre, pour prédire, pour réfléchir, pour décider. Est-ce que nous intellectuels sommes frileux, sommes peureux, à l'idée de transmettre nos savoirs et savoir-penser à des gens qui en ont moins ou en ont d'autres ? C'est possible, je l'admets. Nous craignons peut-être de nous salir.

Mais venons-en à l'instruction. Qu'est que l'instruction ? Inspiré du philosophe Épictète et de son *Manuel*, envisageons ici l'instruction comme un processus en trois temps.

Le premier temps est celui du transfert de connaissance ou de savoir-faire. Le maître dit à l'élève que telle chose existe, qui est composée de tels et tels éléments ; que tel matériau existe, qui se travaille de telle et telle façon avec tels et tels outils. Le deuxième temps est le temps de l'explication, du pourquoi : pourquoi il est important de connaître tel matériau, de connaître tel ou tel phénomène naturel, telle grammaire, telle conjugaison, etc. Le troisième temps est celui de la logique, c'est-à-dire du pourquoi du pourquoi. Prenons un exemple. Les alchimistes ont découvert le phosphore : 1) à partir de quelle matière première ? 2) comment ont-ils procédé et 3) quelles façons de penser les ont mené à cette découverte ? Autre exemple : Stephen King a quasiment inventé un genre littéraire à la croisée de l'horreur, du mystère, de la religion et des habitudes de la vie quotidienne : quelle est sa façon de voir le monde ? Quelles sont les philosophies élémentaires auxquels il se réfère ?

Les trois temps se résume ainsi : quoi faire ? (connaissances factuelles), pourquoi le faire ?(théories explicatives) et comment en arrive-t-on à le penser (processus de pensée) ?

Si un intellectuel se rend dans un supermarché, entre le rayon des charcuteries et le rayon de la lingerie, que doit-il transmettre aux chalands ? Des connaissances factuelles ? Des théories explicatives ? Des processus de pensée ? Un peu de tout ça à la fois, à propos du métal qui constitue les boîtes de conserve, à propos de l'azote qui sert de conservateur dans les sachets de salade préparées, à propos du nylon et du coton qui constituent les fibres des sous-vêtements.

En théorie, pourquoi pas ? On imagine un Marc Lesgi de « E=M6 » ou un Jamy de « C'est pas sorcier » donner plein d'explications dans les rayons du supermarchés, avec des petits montages savants, des modèles réduits, des animations vidéo. Cela pour des choses techniques comme des choses plus abstraites, telles que la psychologie de la couleur et de la forme des emballages par exemple.

Mais on n'imagine pas un intellectuel venir exposer, à côté des pâtés en croûte ou des vêtements à un euro faits par des enfants en Inde, les principes du Manuel d'Épictète ou des Pensées pour moi-même de Marc Aurèle. Ou les inductions et déductions de Pierre Rabhi. Ou encore expliquer pourquoi Anna Karénine se suicide, ou pourquoi l'avare de Molière est devenu qui il est devenu. Ce n'est pas le lieu pour ça, tout simplement. C'est dégrader l'instruction que de la faire se réaliser dans un lieu inapproprié, convenons-en. Quelle Lumière cela peut-il apporter que de parler des constructions les plus élevées de l'humanité dans des lieux où on stimule les instincts les plus bas de l'humanité ?

Quand on s'instruit dans une université ou dans une école supérieure, on acquière cette chaîne à trois maillons d'Épictète, mais cela prend du temps, beaucoup de temps. J'ai passé d'innombrables heures à apprendre sur les bancs du lycée et de l'université. Une fois mes études finies, j'ai continué seul à apprendre, en lisant des livres, en prenant des notes des passages que je trouve intéressants et des idées que je découvre pour la première fois. En assistant à des conférences. Cela prend beaucoup de temps.

Certes, cela ne constitue pas pour autant une excuse pour ne pas enseigner, ne pas instruire, ne pas transmettre ce que je sais et comment je pense et pourquoi je le pense, à toutes les personnes qui n'ont pas eu comme moi la chance de pouvoir consacrer tout ce temps à l'étude.

Tout le monde sait, même ceux qui ne sont pas instruits, qu'apprendre est toujours un long processus. Quand bien même, si on me pousse à transmettre, à instruire, comment instruire quand ni le lieu disponible ni le temps disponible ne s'y prêtent ?

D'abord, il me faut être moi-même et me comporter en accord avec tout ce que je sais, en toutes circonstances. Je dois faire ce que je pense, je dois faire ce que je dis. Ainsi, même si on ne me rencontre que quelques instants, dans un contexte précis, on pourra inférer quelles sont mes explications et la logique qui sous-tendent mes actes. L'intellectuel se doit d'être cohérent, le philosophe se doit de vivre sa philosophie.

Ensuite, quand on m'interroge, faute de temps et d'espace il me faut diriger mon interlocuteur vers tel ou tel livre, tel ou tel auteur, tel ou tel lieu de savoir.

Mais surtout, il me faut transmettre ceci à mon interlocuteur : « Ose savoir ! » *Sapere aude*. Ne peut apprendre que celui qui veut savoir. Quitte à donner une image un peu mystérieuse de moi-même, à laisser planer un doute, une question. Ou bien quitte à avoir une attitude provocante sinon excentrique. Il me faut dans le temps le plus court *susciter une question et susciter l'envie d'en chercher la réponse*. Mais sans dire mot de cela ; cela doit se dérouler dans le non-dit, dans le tacite, dans ma façon d'être. Si je veux que mes interlocuteurs se posent des questions et apprennent, je dois personnifier la question. Je dois personnifier le doute, l'esprit critique, le libre-arbitre.

Car in fine, ou bien plutôt dès le départ, qu'est-ce que l'instruction ? Qu'est-ce que j'ai fait durant toutes ces années d'étude ? *J'ai appris à apprendre*. Raison pour laquelle j'ai pu continuer à étudier une fois quittés les bancs de l'université. Et que je continue aujourd'hui encore à apprendre.

Apprendre à apprendre. C'est, d'une certaine façon, la logique des logiques, comment bien penser. Ce n'est pas de la philosophie : chaque champ du savoir possède son propre niveau de logique des logiques. C'est le niveau ultime de l'instruction ,le quatrième niveau pour ainsi dire. Bien des étudiants terminent leur cursus sans avoir su capter ce niveau. Sans en avoir pris conscience. C'est dommage. Pour trop de gens, les études ne sont qu'un moyen d'avoir un emploi bien rémunéré.

Ce niveau d'instruction, pour y accéder il faut le vouloir. Ce n'est pas un chemin évident. Dans mon cas, après une maîtrise de biologie j'ai étudié une année l'histoire et la sociologie des sciences et des techniques. Ce fut un choix qui m'a gravement lésé sur le plan professionnel, mais qui m'a permis, huit années après la fin de mes études, de focaliser ma vie et de la mener de la façon qui me plaise le plus.

En quoi consiste ce quatrième niveau d'instruction ? Il consiste à développer une sensibilité pour, dans le monde des idées mais aussi par ruissellement dans le monde des émotions et dans le monde des actes, pour détecter les déséquilibres, les tensions, les incomplétudes, les vides, les espaces inconnus, les fragilités, ainsi que tout ce qui encadre et dans ces cadres tout ce qui est lignes de force. Quand cela est détecté, il faut combler, construire, remplir, rassembler, trier, etc. Et utiliser le pouvoir de l'imagination ! Cela se fait au moyen d'outils intellectuels, que j'ai expliqués dans d'autres textes sur le thème de l'intelligence.

Et même ce niveau d'instruction est transmissible : il « suffit » de transmettre une certain désir pour le doute, pour la question, pour l'intrigue, pour le clair-obscur, pour les incohérences, pour les inconnus. Pour les oppositions les plus vastes, pour les juxtapositions les plus paradoxales. La question est une quête...

L'instructeur parfait est pour moi tel le Dalaï Lama. Le Dalaï Lama ne montre jamais de dédain, d'arrogance, de suffisance, jamais il ne blâme, ne reproche, n'invective, ne moralise. Pourtant il enseigne à tout le monde, aux gens de peu comme aux fortunés, à ses admirateurs comme à ses ennemis. C'est évident que je ne possède pas la neutralité bienveillante du Dalaï-lama pour enseigner. Un jour peut-être… L'instruction est progrès : on est *plus* après l'instruction qu'avant. On est augmenté. Mais il faut être un bon enseignant : l'élève doit demeurer libre. Il ne faut pas conformer. Transmettre et éveiller, mais sans conformer : encore un paradoxe !

En ces temps de crise, instruire est indispensable. Chacun doit savoir et chacun doit exercer son esprit critique. Sinon la diversité du monde des idées se réduit, de plus en plus, et les gouvernements se saisissent de cette situation pour faire passer des lois liberticides avec le seul argument du « il n'y a pas d'alternative ». Les gouvernements réduisent les libertés, c'est-à-dire qu'ils indiquent de plus en plus précisément à chaque individu comment se comporter et comment penser. L'histoire nous a appris que cela fini toujours par une tyrannie.

PANDÉMIE

Textes écrits pendant le confinement
de mars à mai et d'octobre à décembre

APRÈS LE CORONAVIRUS

22 mars 2020, 6e jour de confinement

Alors que le nombre de morts quotidiens dus au virus semble amorcer une décroissance (167 avant-hier, 113 hier), alors qu'il est trop tôt pour savoir si le confinement a permis d'arrêter la diffusion du virus, je décide en toute conscience d'en chercher par moi-même les causes. De réfléchir par moi-même sur ce virus, quels que soient les sons de cloche qui proviennent des experts, des statisticiens, des politiciens et de tout un chacun.

En temps de crise, c'est certes l'union qui fait la force, mais encore faut-il que cette force soit bien dirigée. Chacun doit contribuer à la définition de cet objectif commun en amenant ses propres pensées sur la place publique.

Alors comme moi posez-vous la question : Pourquoi ce virus tue-t-il ? Je crois savoir qu'un virus est mortel à partir du moment où le corps ne synthétise pas ou pas assez d'anticorps, ces molécules qui se fixent sur les organismes étrangers qui l'ont pénétré pour les faire détruire par les lymphocytes. Ou bien le corps est immuno-déprimé, c'est-à-dire incapable de produire des lymphocytes en quantité suffisante.

Ai-je là une compréhension assez juste de la réaction immunitaire du corps face à un virus ? Je l'espère. Trop sommaire, j'en conviendrai. Mais qui me permet de demander, premièrement, pourquoi certaines personnes ne produisent pas d'anticorps et meurent du coronavirus. Pourquoi ?

Et, deuxièmement, si certaines personnes sont incapables de produire ces anticorps, leur vaccination ne sera-t-elle pas inutile ? La vaccination sert en théorie à faire produire des anticorps en injectant un virus désactivé (en injectant sa seule membrane extérieure, qui porte des marqueurs spécifiques). Mais la vaccination ne sert à rien si le système immunitaire est déficient (s'il ne régit pas, peu ou trop lentement).

Je crois qu'*on est ce qu'on mange*. Le système immunitaire doit disposer des molécules de base pour synthétiser les anticorps et le lymphocytes. Il doit aussi être rapide, pour synthétiser les anticorps avant que le virus ne se soit trop répliqué. Il existe des molécules qui le stimulent, la plus connue étant la vitamine C.

Je suis convaincu, et les études scientifiques vont en ce sens, que les fruits, les légumes, les céréales, les viandes, les produits laitiers, les jus fermentés ou frais et les laitages, quand ils sont produits de façon industrielle, contiennent trop peu de molécules nourrissantes pour le corps. Ils sont trop plein d'eau, d'amidon, de sucre, de graisse. Vaste sujet que je ne développerai pas ici, il existe plein d'études et de documentaires qui lui sont consacrés. Je voudrais ici y adjoindre une réflexion

La nourriture issue de l'agriculture industrielle est abondante à défaut d'être de qualité. Or la vie est exigeante. Elle exige la quantité et la qualité. Que l'une manque et la vie périclite. C'est ce que nous constatons aujourd'hui pour nous : la maladie, le coronavirus, occupe une place centrale dans notre société. Avant ce virus on ne parlait que cancers, alzheimer, parkinson, AVC, infarctus, autisme, bébés nés sans bras... Dans l'ouvrage de F-A Montoux, *Agriculture et horticulture*, Paris, Delagrave, 1909, il est expliqué ceci : qu'un éleveur ne peut jamais trop bien nourrir ses bêtes. Elle doivent être nourries en quantité de végétaux de qualité. Sinon, trop peu ou trop justement nourries, ou mal nourries, leur viande et leur lait est moindre en quantité et / ou en qualité, elles tombent malades et il faut payer le vétérinaire et les médicaments, enfin leur fumier est maigre et ne pourra bien enrichir les terres. Quel bon sens ! Une mauvaise alimentation a non pas un mais trois effets négatifs.

Alors, tirons de ce bon sens agricole une leçon simple : nous aussi veillons à la qualité de notre alimentation. Si nous le faisons pour nos animaux (quand nous les aimons), nous méritons de le faire pour nous-mêmes !

La vie requiert quantité et qualité. Elle est *généreuse*. L'agriculture industrielle échoue aussi à produire de bons aliments parce qu'elle est trop calculée. Elle est calculée au kilo près à l'hectare d'azote, de phosphore et de potassium. Or la vie ne se calcule pas exactement. La vie est généreusement approximative. Voyez les campagnols, les sardines, les brins d'herbe, les insectes : la vie est pullulation. Il est plus juste de penser en ces termes : la vie fait toujours pour le mieux. Donc faire de l'agriculture avec la logique comptable ne mène à rien de bien bon. Cette logique est ... mesquine.

Les politiques de santé publique sont pareillement mesquines. On estime que l'alimentation se résume à l'ingestion de glucides, de lipides, de protides et de vitamines. On ne conçoit pas, donc on n'enseigne pas, que la santé repose sur l'alimentation (toute considération d'environnement, de stress et de génétique par ailleurs). Les médecins estiment cette conception suffisante et nécessaire. Moi je pense que cette conception est un signe de fermeture d'esprit et de faiblesse intellectuelle. Et que peut-on attendre d'un médecin qui lui-même est mal nourri ? Que vaut la qualité de ses diagnostics ? Peut-on avoir confiance dans un médecin qui meurt lui-même de la maladie qu'il pense pouvoir soigner chez ses patients ?

Sans mesure de confinement, le coronavirus covid-19 aurait tué environ 1,9 millions de personnes en France (3% de mortalité). Ce chiffre est énorme, mais à l'échelle de la vie, à l'échelle de la nature, 3% de mortalité c'est négligeable. Il y a un siècle, on ne se serait pas alarmé le moins du monde pour une maladie qui tue trois malades sur cent. La mortalité était par ailleurs si élevée.

Cruel camouflet que la nature nous inflige avec ce virus : elle nous rappelle que notre glorification de la vie, notre culte de la puissance vitale, dépend toujours d'elle et non de nous. Nous, notre société, sommes même devenus plus fragiles. Un seul virus détruit notre économie sur toute la planète.

3% de mortalité : si peu en comparaison, si un brutal changement climatique venait à se produire.

Autre loi de la Nature qui est dressée devant nous tel un immense filet qui nous empêchera d'explorer notre avenir : la quantité d'êtres humains. Plus une espèce compte d'individus, plus elle devient une ressource pour les autres. Nous voilà aussi nombreux que les campagnols ? Un prédateur, un parasite ou un virus se nourriront de nos corps, comme le chat se nourrit des rongeurs. La Nature a horreur du vide. Tout excès de vitalité est transformé, est divisé, est partagé entre les autres espèces. Si une espèce prolifère, alors c'est le signal pour qu'une autre espèce s'accroisse aux dépens de la première. Notons ceci : les espèces situées en haut des chaînes trophiques comportent peu d'individus. Aucun grand prédateur ne constitue d'immenses groupes d'individus – il y a mille fois moins de tigres que de gazelles, de renards que de mulots. Or l'humain se plaît à penser qu'il est le prédateur suprême dans la nature, tout en vivant en groupes immenses. Nous sommes sept milliards ! Pouvons-nous, pourrons-nous, contre-carrer longtemps cette loi de la Nature ?

Gardons la tête froide.

« Résilience » est un concept qui aujourd'hui trouve toute sa valeur, maintenant que notre économie est effondrée. Hier seulement on moquait sans fin les écologistes qui défendaient ce concept. La réalité a donné raison aux écologistes.

La nouvelle voie pour notre société se dessine déjà. Dans mes textes je l'ai dessinée, dans ma lettre de janvier au Président je l'ai dessinée. Je sais où mène cette voie, j'en connais le but et les deux premières étapes. Sur cette voie nous ne perdrons rien. J'aimerais que nous soyons nombreux à vouloir prendre cette voie.

DE LA MÉDECINE

Avril 2020

Ce qui m'a toujours choqué en France, c'est le rapport des Français à la santé : un rapport paranoïaque.

D'un côté des Français qui bouffent, qui mangent n'importe comment et qui portent aux nues la santé et la force dans le sport et l'esthétique du corps. Qui ne s'interrogent pas sur quoi manger et comment manger.

De l'autre côté des Français qui vont, dès le moindre signe de maladie, à la pharmacie, la nouvelle église : il convient de pénétrer en ce lieu avec le regard grave, d'humer l'air si caractéristique du lieu. C'est un lieu solennel ! Le pharmacien officie tel le prêtre, qui donne le médicament qui redonne la santé, amen. Le Français bouffe du médicament, il en avale sans cesse, dès le plus jeune âge. Aussi, le Français parle sans cesse des opérations chirurgicales. Tout le monde passe sur le billard ; ceux qui n'y passent pas ont honte de leur bonne santé. Et que le Français aime raconter des histoires de maladies ! Les siennes ou celles du voisin.

D'un côté donc, le culte du corps et de la jeunesse, de l'autre côté une peur fataliste, résignée, face à la maladie, avec pour seul salut le médicament et l'opération.

Tout cela, je l'ai compris dès l'été 1992 et les étés suivants, quand ma famille et moi revenions en France pour les vacances.

Tout le temps, partout, le Français vit avec la maladie. Dans le corps ou en pensée. Si ce n'est lui c'est un proche. Il y pense tout le temps ; il en a peur tout le temps. En famille, chez les amis que nous revoyions, il était à chaque évoqué la maladie de untel, l'opération de untel.

L'adulte français est comme l'enfant fainéant qui redoute les fièvres et les douleurs d'une maladie, d'autant plus qu'il refuse de faire les gestes d'hygiène qui éviteront l'apparition de la maladie.

Je sais de quoi je parle, j'ai payé dans mon corps cette fainéantise. La peur de la maladie est teintée de honte et de lâcheté. Et elle accompagnée par l'ignorance.

Comme tout bon Français, moi aussi j'ai été malade. Dès la petite enfance, avec plein d'eczéma puis plein d'asthme. J'en ai ingurgité des litres de sirop, plus qu'un moteur diesel j'en ai pompé de la Ventoline ! Le cachet, le médicament, le granule homéopathique, la bouteille de sirop étaient mes anges gardiens, toujours présents à mon chevet. De ces années de petite enfance me reste en mémoire un sentiment de punition. J'y reviendrai.

Notre rapport à la santé est paranoïaque, je le répète. Voyez aujourd'hui la « crise du coronavirus ». Dans la presse on trouve les statistiques, les chiffres, mais jamais : pourquoi certains succombent au virus, pourquoi d'autres sont fortement malades, d'autres juste un peu malade et pourquoi d'autres sont infectés mais sans présenter de symptômes. Aucune explication à ça, sauf celle-ci : les personnes déjà affaiblies par une maladie chronique et lourde sont celles qui succombent le plus.

Cette explication, un enfant de huit ans aurait pu la donner. Elle ne nous apprend rien. Soyons honnêtes.

Les médecins français sont mauvais. Ils sont incapables de faire le lien entre la vie d'une personne et sa santé. Ils se défaussent de comprendre ce lien en affirmant que « c'est la diversité génétique ». Si vous tombez malade et pas votre voisin, le hasard de la loterie génétique est le seul responsable, dixit les médecins.

Curieusement, les effets des médicaments ne sont pas aléatoires. Ils sont linéairement prévisibles et constatés. L'aspirine ou, plus simplement la vitamine C, produisent leurs effets chez chaque être humain. L'explication par la diversité génétique est donc fausse.

Les médecins, pour une raison que j'ignore, refusent d'être responsables de la santé des Français : ils refusent de faire de la prévention et, plus fondamentalement, ils refusent de réfléchir sur les liens qui existent entre la santé et l'alimentation.

Aucun médecin ne vous demande comment vous mangez. Il se contente de soigner la partie du corps qui est déficiente. En France vous pouvez vous gaver de pain, de pâtes, de malbouffe, puis tomber malade, et le médecin ne vous dira rien. Il ne vous demandera rien. Il se borne à soigner – j'allais écrire il se *borgne*…

Conséquence : vous en venez à croire, comme lui, que tomber malade ou pas relève du hasard, donc vous devenez paranoïaque. D'un côté vous portez aux nues la santé, de l'autre vous crevez de trouille à la moindre maladie. Le nez coule ? Vite, il faut bouffer une boîte de Doliprane, une boîte de vitamine, des antibiotiques aussi, peut-être … Alzheimer, le cancer : le hasard peut me les infliger.

Cette conception de la santé est infantile. Vous êtes un enfant : l'enfant est irresponsable. On ne lui a pas encore appris à être responsable. Les médecins n'apprennent pas au bon peuple de France à être responsable de sa santé. C'est une responsabilité pédagogique qu'ils refusent !

Ça arrange très bien les chirurgiens et les laboratoires pharmaceutiques : ça fait de la médecine-pognon. Bénéfice assuré. Les benêts n'osent pas questionner le champ de compétence des médecins, car on leur a bien entré dans le crâne que la maladie est due au hasard.

Si on faisait le lien entre la santé et l'alimentation, on ne mangerait plus de sucre blanc, de farine blanche raffinée, d'huile raffinée … de pommes industrielles, etc. On mangerait différemment, selon des combinaisons alimentaires et selon les heures du jour et les saisons

La maladie ne doit rien au hasard. Dans la nature le hasard n'existe pas. La maladie résulte d'une mauvaise alimentation.

Plus largement, la mauvaise santé des Français est chronique parce que la société française n'est pas une société de la *connaissance de soi*. Notre société est individualiste, mais paradoxalement les individus ne se connaissent pas eux-mêmes. La preuve : ils sont crédules, ils sont peureux, ils sont jaloux, ils sont fainéants. Ils sont ou des moutons de Panurge, ou des égocentriques qui se prennent pour des rois. Ils sont matérialistes mais ils ne veulent rien connaître du fonctionnement de leur corps.

Cette ignorance s'accumule pour former une société d'individus superficiels, donc une société sans identité : sans valeurs, sans volonté, sans enthousiasme. Sans désir d'avenir. Sans imagination : l'avenir ne peut être qu'un présent réitéré. Il n'y a pas d'autre avenir possible pour une société dont les individus ne veulent pas se connaître eux-mêmes.

Ce bilan n'est pas glorieux pour notre pays héritier du siècle des Lumières ! Ne pas vouloir regarder réellement ce que sont la santé et la maladie a plongé le pays dans le culte du hasard et, donc, dans le fatalisme. Donc dans la déprime. Le Français n'est pas joyeux. Tandis que l'homme éclairé, lui, connaît la vie et se connaît, et rit de joie. En France, que de psychiatres, de psychologues, de psychothérapeutes. L'ignorance du corps va de pair avec l'ignorance de l'âme.

Une bonne médecine est celle qui prévient l'arrivée de la maladie. Une mauvaise médecine est celle qui laisse les gens tomber malade, car c'est bien connu, il est préférable de tomber malade que d'être en bonne santé. La bonne médecine est celle qui enseigne comment manger, quoi manger, qui enseigne comment prendre soin de ses muscles et de ses articulations. Elle connaît et enseigne le lien entre alimentation et santé, entre exercices physiques et santé. Une bonne médecine invite fortement l'individu à connaître son corps. Une bonne médecine est acteur de la santé publique, acteur actif et volontaire de la visite médicale pour tous, pour les enfants notamment une fois par an au moins. Une bonne médecine se dresse contre la mal-bouffe, les additifs alimentaires et les pesticides ; elle prend parti pour la santé, pour l'agriculture biologique. C'est une médecine qui connaît autant ce qui engendre la santé que ce qui engendre la maladie et qui permet d'en sortir. C'est une médecine globale.

Le malaise est profond. Puisque les médecins n'enseignent pas la prévention par l'alimentation et l'hygiène de vie, les Français ne voient pas d'autre alternative que de soumettre leur corps à la science pour rester en bonne santé. D'où le culte des médicaments, le culte des vaccins, le culte des chimiothérapies, le culte de la cortisone. *Le corps médical ne vous enseigne pas à devenir responsable de votre santé, afin qu'il puisse mieux vous convaincre que vous devez vous en remettre <u>entièrement</u> à lui.* Afin que la peur de la maladie vous conduise directement entre les mains du pharmacien et du chirurgien.

Et tout est lié : les médecins ne veulent pas préconiser la prévention par l'alimentation juste, parce que l'agriculture française est aussi contre l'alimentation juste. L'industrie agroalimentaire est la dernière industrie de France. Toutes les autres ont foutu le camp « grâce » à la mondialisation, dont les syndicats extrémistes sont les idiots utiles. Cette industrie produit des aliments de mauvaise qualité, mais chut !, ne le disons pas, car il y a trop d'emplois en jeu. L'agriculture industrielle française a tout fait pour réduire le nombre de variétés cultivées, et celles restantes sont celles qui contiennent les taux les plus faibles de nutriments, afin de maximiser les quantités produites par hectare (créant des récoltes constituées majoritairement d'eau, d'amidon et de glucose, c'est-à-dire des molécules les plus abondantes mais les moins nourrissantes et surtout les moins importantes pour la santé). Car la santé par l'alimentation, c'est : manger des fruits et légumes locaux, qui ont poussé dans une terre riche, des légumes de saison et variés. Variés.

Le déconfinement est prévu pour le 11 mai. Le premier ministre et le ministre de la santé ont exposé noir sur blanc qu'il n'existe aucun médicament pour lutter contre les symptômes de la maladie. Ils ont expliqué qu'un vaccin ne serait disponible qu'en 2021, donc que la vaccination n'est pas un moyen de lutte contre le coronavirus. Il ne reste donc que la prévention. Prévention qui se résume … aux fameux « gestes barrières », et c'est tout ! C'est tout ! Ils savent, les médecins qui les conseillent savent, qu'une mauvaise alimentation est un facteur aggravant des symptômes de la maladie. La mauvaise alimentation qui rend obèse, qui rend diabétique et qui bouche les artères, rend la maladie *mortelle*. Le lien de cause à effet est indiscutable – à cela s'ajoute les mauvaises conditions de vie, dont un air pollué notamment et la mauvaise hygiène de vie. Pourtant, pour l'après-confinement, ces ministre ne jugent pas utiles de lancer un grand plan d'alimentation saine ! La prévention par l'alimentation est essentielle : elle rend inoffensifs les symptômes de la maladie.

Je veux en venir à ceci, qui est très grave : qu'en ces temps de crise, le gouvernement et l'ordre des médecins refusent que la santé de la nation repose sur la *responsabilité individuelle*, la responsabilité de tout un chacun, à se nourrir sainement et prendre en main sa santé. Le gouvernement et l'ordre des médecins préfèrent ne pas évoquer du tout la prévention par l'alimentation – la campagne « cinq fruits et légumes par jour » a été supprimée dès les premiers jours du confinement ! – et l'hygiène de vie. Pourquoi ? Parce fondamentalement ce deux pouvoirs inaliénables du peuple, par le peuple pour le peuple. C'est nous, le peuple, qui avons ces pouvoirs de décider de manger sainement et de vivre sainement. Le gouvernement et l'ordre des médecins choisissent volontairement de maintenir la dépossession des Français de leur santé, ils choisissent de ne pas expliquer la santé par l'alimentation, ils choisissent de ne pas éduquer donc ils choisissent de laisser les Français dans l'inaction, donc dans la peur !

Honte à ce gouvernement ! Honte à ces médecins ! Et honte à l'agriculture française, aux lobby de l'agrochimie, qui sont également responsables du mauvais état de santé des Français et de leur ignorance volontaire de l'importance de l'alimentation.

De la même façon qu'un tribunal populaire s'est constitué pour juger l'entreprise Monsanto, pollueur et tueur mondial, il faudra demain créer un nouveau tribunal populaire pour dénoncer et juger ces élus, ces entreprises et ces syndicats agricoles et chimiques, qui gagnent leur vie en ruinant la santé du peuple. Il n'y a pas d'autre choix : notre santé ne peut plus tolérer ces parasites. Sinon c'est la dégénérescence. Sinon notre espèce va dégénérer sur le plan biologique – ce qu'espère l'industrie pharmaceutique et les industries précurseurs du transhumanisme, qui tous deux rêvent de transformer l'humain en un machine dont on peut remplacer les pièces à volonté, afin de créer un marche des puces biotroniques et des organes biotroniques.

Pour conclure, quelques règles générales pour une alimentation saine :

Pas plus de deux fois par semaine des produits laitiers. Manger des légumes, des fruits, des poissons et des viandes locales, de saison et variés. Variés, je répète. Chaque jour utiliser des épices et boire des tisanes. Saler au minimum, ne pas manger de produits contenant du sucre blanc, de la farine raffinée, des huiles raffinées, des additifs. Ne manger aucun végétal OGM ou hybride (même bio), qui a reçu des engrais de synthèse, des hormones de croissance et des pesticides. Dans les restaurants et les pâtisseries, exiger des plats faits entièrement sur place et non préparés par des sous-traitant industriels.

Résumé du mécanisme en place pour vous soumettre aux chirurgiens et à l'industrie pharmaceutique : Pas d'éducation à l'alimentation, répétition ad nauseam du hasard génétique comme seule explication des maladies, déresponsabilisation quant à notre propre santé, donc paranoïa, donc peur, répétition ad nauseam que seul le médicament, le vaccin ou la chirurgie peut soigner, donc soumission, donc dépossession de notre propre corps, donc santé de la nation remise entre les mains des industries pharmaceutiques et non dans les mains du peuple.

La maladie mortelle causée par le coronavirus est le résultat non du virus mais de décisions politiques à long terme et à court terme ! Comme toujours, l'être humain créé ses propres malheurs.

QUAND LA NATURE NOUS FAIT SOUFFRIR

27 mars 2020

Dixième jour de confinement, 20000 infectés estimation basse, 1696 morts dont 365 pour la seule journée d'hier.

La vague de l'épidémie de virus covid-19 monte ; elle nous tombe dessus, elle nous écrase.

Ce virus au fort pouvoir de contagion est une force de la Nature. Il nous fauche, seule une minorité y succombe, mais il est partout sur la planète, preuve de son immense puissance.

Tous les pays confinent leurs habitants. Les dirigeants ont l'espoir que cela stoppe la contagion. Ce n'est qu'une idée dans l'éther, le virus peut être là, avec nous, pour toujours.

Je connais les forces de la Nature. Je les vois à l'œuvre dans mon jardin. Je vois les campagnols, les piérides et les louvettes, trois ravageurs qui détruisent entièrement mes cultures si je ne lutte pas contre eux.

Quand la Nature nous fait souffrir, comment réagir ? À Tahiti j'ai appris à glisser sur les vagues avec un « bodyboard ». La vague est une force de la Nature. On peut réagir de trois façons à la vague : 1) On peut nager droit dans la mer, au départ de la plage, et se prendre toutes les vagues dans la gueule, se faire lever et rouler par elles, innombrables et incessantes, elles peuvent nous noyer et nous rejeter mort sur la plage ; 2) On peut rester assis sur le rivage et attendre la fin de la houle pour mettre le pied dans l'eau. On regarde, on laisse faire les vagues, on laisse passer, on n'intervient pas. On ne fait rien. On rentre dans l'eau quand il n'y a plus de vagues ; 3) On peut surfer sur les vagues. Quand ? Comment ? Quand on connaît la vague et qu'on sait utiliser son énergie.

Chaque force de la Nature est pour nous une opportunité d'observation, de réflexion, de compréhension, de connaissance, d'imagination, d'essais et d'action. C'est tout ça qui se passe dans notre petite tête quand nous rencontrons une force de la Nature qui a le pouvoir de nous anéantir. C'est la même chose pour le coronavirus : il peut, il va nous apprendre des choses, et ces choses nous en tirerons profit pour notre vie, pour notre bien-être. Face aux ravageurs de mon jardin, j'ai appris d'eux, j'ai réfléchi et j'ai imaginé et j'ai essayé des techniques pour obtenir des récoltes malgré leur présence. Avec, à la fin, du succès. Je ne suis pas resté sans rien faire et je ne me suis pas pris leur « vague » de pullulation sur la gueule, comme le surfeur fou qui nagerait droit sur les vagues au lieu d'étudier leur chemin et de les contourner pour arriver là où elles se forment. Ce que j'ai dû apprendre grâce à ravageurs me sert même pour améliorer les autres cultures qu'ils ne prédatent pas.

Face au coronavirus, nous ne pouvons pas ne rien faire, nous ne pouvons pas rester assis sur la plage, c'est-à-dire nous confiner et espérer reprendre demain une vie comme avant. Nous ne pouvons pas non plus nager droit vers lui, en pensant affronter directement, de plein front, cet ennemi – nous sommes en guerre, a dit le Président – avec des molécules qui pourraient le tuer. Non, cette stratégie du combat frontal est vouée à l'échec : le virus est une force de la Nature agissant désormais à l'échelle mondiale. La seule chose que nous pouvons faire maintenant est d'essayer de le comprendre, de comprendre sur quel faisceau d'*élan vital* de la nature il se développe. Cela va nous révéler des choses sur notre état de santé et, plus fondamentalement, cela va nous imposer de renouveler notre conception de la santé. On ne pensait pas une pandémie possible. Mais elle se produit. Face à cette vérité, quels sont nos savoirs que nous devons revisiter ?

Ces choses-là concernant notre santé actuelle, que le virus nous révèle, voudrons-nous les accepter ? Cette nouvelle conception de la santé qui nous permettra bientôt de comprendre ce virus et de le laisser passer sur nous sans qu'il nous détruise, voudrons-nous l'accepter ? Personnellement, je pronostique du refus et du déni. Le vieux monde n'entrera pas sans hurler dans les ténèbres.

Que voulons-nous ? Quand nous saurons, que voudrons-nous ? C'est la question cruciale quand on se trouve face à une force de la Nature, vague, ravageur du jardin ou virus. Que voulons-nous ? Cette question est si importante ! Nous avons le droit, en tant qu'être humain, de vouloir utiliser l'énergie de chacune des forces de la Nature. Mais nous ne pouvons pas vouloir foncer tête baissée comme le taureau, pour signifier « hors de mon chemin ! » C'est l'échec assuré, c'est notre ruine assurée, comme ces maisons du rivage englouties par les flots de la mer qui monte sans cesse pour cause de changement climatique. C'est le désespoir assuré, comme celui de ces parents d'enfants autistes ou mal-formés, à cause des résidus de pesticides dans l'alimentation. Résultats fatales d'une guerre que les chimistes et les gouvernements ont voulue frontale, directe, brutale, contre les ravageurs des cultures. Se tenir droit debout contre la Nature ne mène à rien. Les vagues enlèvent les digues les plus hautes.

Que voulons-nous ? Quel futur après le virus voulons-nous ? Nous n'aurons le droit de vouloir que lorsque nous aurons *le courage de l'adaptation et de la créativité.* Adaptons-nous et soyons créatifs : c'est la voie du milieu, c'est l'enseignement central de la philosophie de la Nature. Ne choisissons pas la voie de la facilité, du rien faire, du « comme avant ». Ne choisissons pas non plus la voie de la force brute, de la technique destructrice, qui ferait de nous tous les cobayes des firmes pharmaceutiques et des numéros contrôlés par les opérateurs téléphoniques et d'internet qui nous suivraient dans nos moindres mouvements et écrits, suivis par un réseau espion 5G. Choisissons la voie qui n'existe pas encore, et que nous allons créer.

C'est la seule voie pour l'humanité. C'est la voie de l'Homme qui mérite sa place dans le Cosmos. Après le virus, si nous choisissons cette voie, de nouveaux horizons s'ouvriront à l'humanité. La nécessaire et nouvelle conception de la santé que nous impose le virus n'est qu'un début. Acceptons-là. Demain, avec ce que le changement climatique va nous apprendre, elle nous mènera à une nouvelle conception de la vie.

GÉNÉRATION COVID

L'héritage du présent
1er avril 2020, 15e jour de confinement sanitaire

Juste avant que n'émerge le coronavirus en France, tous les écologistes se posaient la question de la prise en main du changement climatique. Comment réduire les émissions de gaz carbonique ? Les militants écologistes, encartés ou non, faisaient depuis quelques années déjà des démonstrations d'initiatives locales : se déplacer en produisant moins de CO_2, cuisiner en produisant moins de CO_2, construire des maisons en produisant moins de CO_2, etc. Il s'agissait de prouver que vivre en produisant moins de gaz carbonique n'impliquait de renoncer ni à notre confort ni à notre style de vie. Le mouvement des « colibris » avaient acquis une certaine reconnaissance nationale, même si les solutions créées localement, d'un point de vue quantitatif, ne permettaient pas encore de baisses significatives de la production de CO_2. Les scientifiques du groupement international d'étude du climat pronostiquaient une hausse significative de la température de la Terre à l'horizon 2050. Les écologistes, comme tous ceux qui ne se sentaient pas concernés par cette cause, admettaient du bout des lèvres que les générations futures allaient devoir payer le prix de notre inaction.

Sauf que le coronavirus est arrivé en France, et que l'idée d'héritage aux générations futures a été brisée net. Ce n'est pas en 2050 que les effets de notre inaction se font sentir : c'est maintenant ! Notre héritage, nous le léguons dès aujourd'hui.

Nous avons négligé notre environnement, nous l'avons dégradé sans discontinuer depuis les années 1960, à l'échelle planétaire. Le prix en est aujourd'hui une pandémie : une épidémie planétaire, causée par un virus qui, faute de pouvoir résider dans son milieu naturel que l'on a ravagé, s'est répandu dans un autre milieu. C'est-à-dire dans nous, dans notre corps, dans nos poumons.

Aujourd'hui, alors que le dernier comptage quotidien des morts dus au virus atteint les cinq-cents en France, bien des gens ne font pas encore le lien entre la dégradation de l'environnement et la propagation de ce virus. C'est pourtant simple : quand on détruit les forêts, les rivières, les agro-écosystèmes traditionnels, quand on épand sur ce qui reste de terre des pesticides et des molécules affectant les systèmes hormonaux, toutes les petites bêtes migrent vers des endroits plus favorables à la vie. C'est-à-dire chez nous, dans nos maisons et dans nos corps. Saupoudrez plein de produit anti-fourmi dans votre jardin : vous verrez les fourmis affluer en masse vers votre maison, vers votre lit, votre salon, à la recherche d'un endroit où survivre. Rajoutons que ces espèces qui viennent nous envahir ne sont pas n'importe lesquelles. Ce sont les plus résistantes, ce sont celles qui ont résisté aux mauvais traitements qu'on a infligé à notre environnement. Ce sont des espèces *généralistes*, qui se nourrissent de tout ou presque tout, et qui ont un fort taux de reproduction. Eh oui ! Ce n'est pas la gentille petite abeille solitaire qui va venir chercher un logis dans notre demeure, c'est la terrible fourmi rouge ou bien la fourmi électrique.

Mais arrêtons là ces considérations sur le manque d'éducation populaire à l'environnement et revenons à la notion d'héritage.

En ce moment, une classe d'âge de notre population est particulièrement sensible au confinement et à l'annonce quotidienne des morts : ce sont les enfants de six à douze ans. À cet âge, ils peuvent prendre conscience de ce qui se passe autour d'eux. Ils peuvent ressentir l'angoisse et la peur des adultes. Mais ils ne peuvent pas comprendre cette atmosphère. C'est encore trop compliqué pour eux. Les adolescents de douze ans et plus ont déjà les mots pour s'exprimer et, trait typique de cet âge, leurs émotions font taire les craintes et les remontrances des adultes. L'adolescent, par définition, ne veut pas s'inscrire dans le monde des adultes. Il pense à ses boutons d'acné, à ses copains, à ses jeux d'ordinateur, à ses loisirs.

Les enfants de six à douze ans, eux, s'endorment chaque nuit depuis le début du confinement dans un monde qui est en train de verser dans l'abîme. Leur futur à eux, disons leur proto-notion de futur, est sombre voire est possiblement inexistante. Ils ressentent que demain ils peuvent mourir. *Voilà le monde que nous leur donnons en héritage dès aujourd'hui : « demain tu peux mourir du virus ».*

C'est *l'héritage du présent*. Nous adultes avions crû très naïvement que les effets de nos erreurs ne seraient réels que dans une voire deux générations. Non, c'est aujourd'hui que nous récoltons le fruit de notre inaction, et que nous donnons ce fruit à manger à nos enfants.

Sympa, n'est-ce pas ?

Ces enfants sont la *génération Covid*. L'angoisse des heures que nous vivons, qu'ils ressentent, s'imprime en ce moment profondément dans la trame la plus basse de leur intellect – au même titre qu'un climat familial difficile s'inscrit dans l'enfant, dans son champ le plus basique des émotions et des idées. Ces heures sombres que nous vivons serons pour eux, une fois adolescents et adultes, une pierre angulaire de leur vie intellectuelle et émotionnelle.

Pouvons-nous les aider ?

Non, il n'y a rien que nous puissions faire. Nous avons déjà fait le mal. Nous avons mis en place un système économique mondial basé sur la dévalorisation et la destruction de la nature. Basé sur le seul argent. Un système qui entretient la misère et l'indigence, sur toute la planète. Nous avons cru que les seuls effets seraient climatiques et à long terme. Nous avons voulu croire que ce seraient les seuls effets.

Si demain, quand l'épidémie sera terminée, nous décidons de renaturer notre mode de vie, les effets de cette décision ne se verront que dans une vingtaine d'années. Ou pas, car le chaos écologique ne fait que démarrer.

Même si les efforts que nous pourrons faire auront des effets incertains, si nous ne les faisons pas nous serons punis en plus par nos enfants. Nous serons durement punis par la génération covid. Dans cinq ans d'ici, si nous reprenons notre mode de vie comme avant, la génération covid commencera à faire notre jugement : le jugement que nous ne voulons pas changer, que nous ne voulons pas comprendre les lois de la nature. Greta Thunberg en sera la leader. Cette génération perdra toute foi en nous et elle établira elle-même ses règles. De la même manière que les jeunes agriculteurs des années 1950 avaient dit à leurs aînés que leurs savoirs et leurs façons de faire étaient mauvaises et qu'il fallait faire table rase du passé agricole. De notre actuelle mode de vie il sera fait table rase.

Comprenons bien ceci : les choix que nous prenons maintenant, il faut les prendre avec une infinie sagesse, car nous en sentirons les conséquences. Comprenons bien ceci ! Les décideurs des années 1950 et 1960 n'envisageaient pas le futur. Ils ne voulaient même pas réfléchir aux conséquences des processus de destruction massive de la nature qu'ils mettaient en route et inscrivaient dans les gènes de notre économie. Alors que dès les années 1960, Rachel Carson et les premiers agriculteurs biologiques montraient les premiers effets délétères du nouveau mode de vie consumériste. Deux générations avant moi ont vécu dans la sérénité, ne se faisant aucun souci. Ma génération a pris conscience des destructions massives de la nature, en a expliqué scientifiquement les causes et les conséquences, mais n'a pas agi.

Nous adultes d'aujourd'hui n'avons pas d'autre choix que d'arrêter la destruction de la nature. Si demain nous reprenons au même rythme qu'avant la destruction de sa biodiversité et de son espace vital, la nature va sous d'autres formes s'étaler sur nous. Elle va retomber sur nous comme une houle féroce. Nouveaux virus, nouvelles bactéries, nouveaux parasites, nouveaux allergènes, etc. Chaque pan de notre biologie (physiologie, sérologie, génétique) va subir les assauts d'une nature en quête d'espace vital. Plus nous réduirons son espace vital, plus le pouvoir de mutation de la nature pourra s'exprimer contre nous.

Nous disposons aujourd'hui de l'intelligence, de la volonté et des moyens matériels pour renaturer notre mode de vie. Cela sans même abdiquer les grands rêves de l'humanité, à savoir créer un monde sans pauvreté, sans misère, sans guerre, sans maladie, et entamer l'exploration de l'espace à l'échelle galactique. Tout cela nous le pouvons.

Le prix à payer est de briser notre économie. Oui, il faut la *briser, la scinder* : *il faut démonétariser le respect de la nature et la santé*. Il n'y a pas d'autre choix. Le respect de la nature et la santé ne peuvent plus être mesurés par l'argent. Nous devons nous séparer de cette mauvaise habitude de tout mesurer à l'aune de l'argent. Cette nouvelle économie duale, en partie monétarisée en partie démonétarisée, sera la suite de l'héritage que nous devons léguer à la génération Covid. Nous ne pouvons pas leur léguer uniquement ce terreau morbide dont l'horizon est la maladie, qui fait de chacune de leurs nuits actuelles des nuits de cauchemar. Des nuits déshumanisées.

Il faut que toutes les volontés s'activent pour penser et mettre en place cette nouvelle économie. Oui, c'est un effort inédit qui doit être fait. Oui, c'est nouveau ! Mais pouvons-nous croire que tout ira bien si une fois la crise sanitaire passée nous ne changeons rien à notre mode de vie ? Si nous estimons que nous ne saurions faire un effort plus grand que l'actuel effort de confinement ? Est-ce là la limite de notre courage ?

Alors que chacun se mette à réfléchir, à écrire, à faire des schémas, pour créer dès maintenant sur le papier cette nouvelle économie. Personne ne possède la solution, la clef de voûte de cette nouvelle économie. Mais si tous ensemble nous y réfléchissons et que nous réunissons toutes nos idées, de cette réunion émergera la nouvelle économie. Utilisons les plateformes existantes (alternatiba, colibri, etc.) pour réunir les idées.

Voilà pour ce que nous pouvons et ce que nous devons faire. Pour terminer, je veux mettre en garde contre un réflexe, le réflexe de penser pour les autres. Nous devons nous garder de penser à la place de la génération Covid. J'imagine entendre déjà des voix s'élever pour dire : « ils devront éviter de tomber dans la dictature, ils devront préserver les droits de l'homme et du citoyen, ils devront éviter la dictature écologique, ils devront maintenir la libre circulation des biens et des personnes, ils devront ceci, ils devront cela... ». Car s'ils font table rase, leur énergie pourra être guidée et manipulée par de mauvaises personnes. Si on cède à ce réflexe de penser pour eux, ce sera de la lâcheté. Ce sera une esquive pour ne pas prendre en main notre propre sort, dès maintenant. Nous devons penser pour nous-même ce que nous pouvons faire maintenant. Et ce sera de l'hypocrisie de penser à leur place, car nous qui avons engendré la pandémie actuelle et le changement climatique, nous n'avons aucune légitimité pour dire à la génération Covid comment respecter la nature. Nous occidentaux avons pendant des siècles dit aux autres peuples quoi penser et quoi faire. On voit le résultat ! *Nous avons d'ores et déjà perdu notre autorité morale.*

Gardons-nous bien de penser à la place des jeunes de demain et faisons ce que nous avons à faire.

C'est notre devoir d'humanistes.

PENSONS TOUS

Mai 2020

Le coronavirus n'est pas mort. Il circule encore, et s'il ne circule plus dans un pays, il continue dans un autre. En tant qu'individu et en tant que nation, nous nous sentons vulnérables face à ce virus.

J'ai expliqué dans un précédent texte comment nous pouvons améliorer notre alimentation pour avoir de meilleures défenses immunitaires. Cela nous donne déjà une certaine confiance en nous, qui supplée aux mesures légales de lutte contre le virus (interdiction de la libre circulation, interdiction des rassemblement et « distanciation sociale »), mesures dont même le conseil scientifique reconnaît les limites. Le simple fait de mieux se nourrir nous rend moins vulnérables, donc nous enlève une partie de la peur qui nous paralyse.

Éviter que ce virus nous tue, que trop de personnes en meurent, passe par l'effort individuel de se nourrir sainement, mais pas que. Si, tous, nous décidons d'une nourriture saine, les effets du virus seront réduits au niveau de l'individu comme au niveau de la nation. Cela j'en suis certain — cela nous devons en être certain ! Oui, je sais que cela demande un effort important de réflexion immédiate, car nous sommes une nation qui n'est pas éduquée à la santé par l'alimentation.

Mettons en commun nos efforts alimentaires. Nous serons mieux protégés que par ces quelques mesures gouvernementales, dont la mise en pratique dans les écoles, entre autre, engendre une incroyable bouffonnerie ; ceux qui s'y plient seront demain prêts à danser sur les mains si le Président le leur demande.

Mais ce n'est pas assez que de se nourrir tous sainement, disais-je. Nous devons faire encore un effort : celui de mettre en commun nos réflexions, nos pensée, quant à la nature de cette maladie. Chacun de nous a un métier, et dans ce métier nous connaissons tout ce qui peut aller de travers. Nous savons comment un problème peut naître, s'amplifier, se répercuter. Et nous savons quoi faire pour prévenir le problème et le corriger. Nous possédons tous ce genre d'expérience, nous possédons tous des façons de penser propres à notre métier, à notre passion, pour identifier et résoudre les problèmes. Ces façons de penser, il faut sans hésiter, dès maintenant, les utiliser pour analyser la maladie covid-19.

Avec l'effort alimentaire collectif, il faut faire un effort intellectuel collectif. Pensons tous. Chacun doit se nourrir sainement et chacun doit réfléchir. Le gouvernement ne voit et ne pense la maladie qu'à travers les « lunettes médicales » du conseil scientifique. Ce n'est qu'une façon de penser la maladie, qui se résume à : transmission du virus — symptômes — distanciation sociale et à l'avenir, peut-être, vaccin. Or cette maladie peut être analysée, regardée, pensée et in fine gérée de biens d'autres façons. La santé par l'alimentation est une de ces autres façons ; elle est essentielle mais voyez le gouvernement qui juge inutile de la faire connaître. Qui a refusé que soit relancée la campagne médiatique « cinq fruits et légumes par jour ». Le gouvernement ne considère même pas l'alimentation comme une piste sérieuse pour mieux affronter le virus.

Il est très important que tout le monde réfléchisse, avec les façons de penser propre à son domaine de compétence (nos métiers, nos passions), à la maladie. Pourquoi ? Parce que *le gouvernement n'a pas le monopole ni de l'action ni de la pensée.* Le gouvernement, avec les mesures qu'il a édictées, en ce moment agit et pense à notre place. Et si nous n'agissons pas, et si nous ne pensons pas, de fait nous lui laissons le champ libre. Un champ libre où il installera de futures mesures de restriction des libertés. En plus de celles qu'il a déjà implantées. Ce champ de la pensée ne doit pas rester libre. Il faut l'occuper, il faut le remplir, avec nos propres pensées, avec nos propres réflexions sur la maladie. Ainsi, le gouvernement sera obligé de justifier ses décisions au regard des nombreuses autres façons de penser la maladie. Sa vision de la maladie ne s'imposera plus comme une évidence. Comme une « there is no alternative ».

Je n'ai pas confiance en ce gouvernement. En refusant officiellement d'inviter la population à améliorer sa santé par l'alimentation, il refuse d'accorder à chacun d'entre nous la part de responsabilité qui lui revient. Chacun de nous est responsable de sa santé : voilà ce que le gouvernement ne veut pas que nous pensions. Il ne veut pas que nous utilisions notre esprit critique et notre libre arbitre. Ce refus, tacite, implicite, est indigne de notre nation. Notre nation, notre nation des droits de l'Homme, a justement appris au cours des siècles que s'est en laissant chacun user d'esprit critique et de libre arbitre que les plus graves problèmes se résolvent. La diversité des actions et des façons de penser est la voie pour rendre la maladie inoffensive. L'action unique et la pensée unique mènent à la guerre — et ce n'est pas un hasard si le Président a dès le début de l'épidémie pensé et parlé en termes militaires : il signifiait par ces termes que l'attitude du gouvernement serait autoritaire, sinon autoritariste, et refuserait tout autre façon de penser que la sienne.

Mais comme j'invite tout un chacun à réfléchir à la maladie à la lumière de sa propre expérience, je dois maintenant donner l'exemple !

Je suis jardinier, et quand je pense aux maladies dans mon jardin, je vois les faits suivants. La maladie correspond à un organisme qui se développe aux dépens d'un autre organisme. Par exemple, une chenille aux dépens d'une plante. Ou des pucerons. Ce sont des ravageurs. Dans mon jardin il y a des ravageurs qui parfois occasionnent d'énormes dégâts. Limaces, chenilles, pucerons, bruches, acariens tisserands, campagnols, peuvent détruire totalement une culture. Pourquoi ? Et ceci : il y a d'autres insectes et petites bêtes dans mon jardin qui mangent aussi mes cultures, mais juste un peu, en faisant des dégâts minimes que les cultures supportent très bien. Considérons les choux. Si plantés avant la mi-mai, ils sont entièrement dévorés par les limaces. Si plantés après la mi-mai, ils sont entièrement dévorés par les chenilles du papillon piéride. La perte est totale. Je dois donc couvrir les choux d'un filet dont les mailles ne laissent pas passer les limaces et les papillons (qui pondent sur les feuilles). Je dois donc installer une barrière physique entre la culture et son ravageur. Considérons les plants de tomate. En avril et mai ils attrapent souvent des pucerons. Je dois parfois les écraser à la main, en auscultant chaque feuille l'une après l'autre. Et en général à la mi-mai, la pullulation des pucerons stoppe, coccinelles et chrysope venant s'en nourrir. Et c'est à cette date que j'ouvre mes tunnels de culture : les plants de tomate se retrouvent alors en permanence dans un courant d'air, ce qui semble nuire aux pucerons. Ailleurs dans mon jardin, je constate parfois des plantes qui se couvrent de moisissures ou qui se font plus grignoter que d'autres par les insectes et les limaces. Ce sont des plantes chétives, plus jaunes que vertes. C'est le signe qu'à ces endroits ma terre n'est pas assez riche. Et dans les premières années de mon jardin, j'ai mis des cultures dans des endroits qui ne leur convenaient pas : trop sombre, trop humide, trop sec, trop venté. Ces cultures étaient ravagées par les prédateurs.

Voilà pour la maladie au jardin. Elle prend la forme d'un ravageur. Il y a donc trois situations : le ravageur doit être entravé par une barrière physique sinon le dégât est total ; le ravageur pullule si les conditions lui sont favorables et régresse si elles ne le sont plus ; le ravageur fait des dégâts mineurs très supportables par les plantes.

Puis-je imaginer une analogie valable pour la maladie covid-19 ? Ce virus peut-il tuer tout le monde, comme la chenille de piéride qui, sans filet de protection, dévore tous les choux, sans exception ? Non, ce virus ne fait pas ça. On sait qu'il infecte des personnes sans pour autant les rendre malades, que certaines personnes vont avoir des symptômes faibles, que certaines vont devoir rester au lit 10 jours. Seul 3 % des personnes infectées sont susceptibles de mourir à cause du virus[9]. J'en déduis que ce qui le rend dangereux, ce sont les conditions de vie. Pour les plantes c'est : une serre pas assez ventilée, une terre pas assez riche, un emplacement inadéquat. Pour nous les humains c'est : une mauvaise alimentation, une vie sédentaire, un air de mauvaise qualité. Et comme pour les plantes : une trop forte concentration d'individus. Le virus ébola est lui plus semblable à la chenille qui ravage tout sur son passage. Dans ce cas, il faut une barrière physique de séparation, c'est à dire qu'on isole systématiquement les malades. Avec le coronavirus, beaucoup de personnes infectées n'ont pas de symptôme, donc il est impossible de les identifier, donc de les isoler, donc il est impossible d'empêcher que par elles le virus ne circule dans toute la population.

On sait que plus un virus est contagieux, moins il est dangereux. Les virus très « puissants » tuent leurs hôtes, et meurent

---

9 En novembre 2020, on sait que le taux de mortalité des personnes admises à l'hôpital est de 5 pour 1000.

eux-mêmes. Ceux qui ne tuent pas leurs hôtes sont ceux qui survivent : le virus de la grippe et du rhume par exemple.

Bref, le coronavirus est un indicateur de mauvaises conditions de vie. Ce que le gouvernement refuse d'admettre, tout comme il refuse de soulever cette réalité, cet énorme problème de santé publique : que dans notre nation, les malades du cœur, les diabétiques et les cancéreux forment une population de 18 millions d'individus. 18 millions d'individus pour qui le virus est potentiellement mortel. C'est écrit dans l'avis du conseil scientifique du 20 avril : « population à risque ». La logique voudrait donc que le gouvernement prenne toutes les mesures possibles pour que ces malades reçoivent la meilleure alimentation possible, pour qu'ils ne vivent plus dans des villes à forte densité de population, pour qu'ils respirent un air propre. Il faut sans attendre améliorer les conditions de vie. Sinon le virus va continuer à se multiplier et se répandre comme les pucerons sur les tomates dans la serre mal ventilée.

Or ce gouvernement, comme je l'ai expliqué, est enfermé dans une pensée unique. Il ne fait pas le lien entre la qualité de l'air et la santé des habitants. On l'a vu : il n'a pas fait évacuer les habitants de Rouen quand l'usine Lubrisol a explosé et s'est transformée en fumées toxiques. *En règle général, nos élus n'ont jamais jugé importantes les conditions de vie.* Hormis les écologistes, qui se sont fait moquer et ridiculiser depuis les années 1960. José Bové s'est fait haïr par la majorité de la population parce qu'il dénonçait la mal-bouffe. Vingt-cinq ans plus tard, les Français mangeaient encore plus mal. En 2019 les aliments industriels n'ont jamais été produits en si grande quantité et leur qualité n'a jamais été aussi basse. Maintenant, en 2020, la preuve est apportée par le virus qu'il ne faut pas négliger notre alimentation et nos conditions de vie. Va-t-on continuer à moquer et à ignorer les écologistes ? Le gouvernement va-t-il continuer à favoriser législativement et fiscalement toutes les entreprises qui dégradent nos condition de vie ? Peut-il sortir de sa pensée unique ? Va-t-il maintenir les gens dans la peur, en leur refusant d'agir par eux-mêmes et en leur refusant de penser par eux-mêmes ? En ne leur reconnaissant pas ces droits, en les maintenant dans l'irresponsabilité ? Voyez tous ces maires et ces directeurs de grandes entreprises qui, sans attendre, ont exigé du gouvernement qu'il endosse toute la responsabilité de la gestion de la crise. Moi je ne voudrais pas avoir un tel maire, et je ne voudrais pas être client de ces entreprises. La pensée unique, militaire, du gouvernement, va de pair avec la culture de l'irresponsabilité propre à l'administration française. Ça fait depuis longtemps qu'il en est ainsi … Mais, j'en suis certain, ce gouvernement et l'administration ne représentent pas les aspirations des Français. Les Français veulent sortir de cette crise « par le haut », non pas en suivant comme des enfants apeurés les consignes de ce gouvernement à la pensée unique, mais en utilisant pleinement l'esprit critique et le libre-arbitre. Cet héritage des Lumières demande à être utilisé maintenant. Et je cite à nouveau Henri Kyssinger : « dans les démocratie, la vérité émerge du choc des idées ».

PS
Le langage militaire du Président est univoque : les décisions nationales de « lutte » contre le virus sont prises lors des conseils de défense. Ce langage justifie la privation des libertés et, c'est une évidence qu'on ne veut pas voir, justifie de faire des sacrifices[10].

---

10 Lors du second reconfinement, nous aurons constaté que des sacrifices économiques de pans entiers de l'économie ont bel et bien été décidés, dans un silence quasi-généralisé de la population.

QUI NE DIT MOT

Novembre 2020

« Qui ne dit mot consent »

Je constate aujourd'hui que tous les Français approuvent le confinement, approuvent de ne plus avoir de vie sociale, approuvent de ne plus avoir de loisir, approuvent de ruiner l'économie.

Car sur aucune fenêtre de maison, sur aucune vitrine de magasin, sur aucune vitre de voiture je ne vois de pancarte contestataire.

Vous avez encore cette liberté-là, mais vous n'en faites même pas usage. Vous pouvez encore faire preuve de ce courage, mais vous ne le faites pas.

Je dis *vous* car je ne me considère plus Français ; je revendique de n'être qu'à moitié français. Depuis mon retour en France en 2012, j'ai cherché ce qui fait la noblesse de ce pays des droits de l'Homme. J'avais bien du mal à trouver ; maintenant je constate qu'il n'y avait rien à trouver, en effet.

Contrairement aux USA, au Japon, à la Corée, etc, la France est un *vieux* pays. Vieux en ce sens que je n'y vois pas d'élan vital. Je n'y vois pas de futur qu'on dessine, qu'on esquisse, qu'on teste. Je n'y vois pas de fierté, et j'y vois encore moins de joie de vivre.

J'ai beau écrire des livres, des articles, j'ai beau proposer des actions en politique et en agriculture, j'ai beau expliquer, j'ai beau dessiner le futur : de retour sur mes propositions je ne reçois aucun. Le silence accueille toujours mes écrits.

Et ces jours-ci de reconfinement, oui, la France est bien devenue un pays du silence. Même le « président » agit en silence, prend les décisions dans le huis clos du « conseil de défense ». Avec qui prend-il ses décisions, dans quels buts, avec quelles méthodes intellectuelles de gouvernance, avec quelles logiques ? Il n'y a pas de réponse à ces questions, il n'y a que le silence comme réponse.

Qu'il est bon cet esclave qui ne fait même pas de bruit quand on l'humilie, quand on l'entrave, quand on le brutalise. La France est un bon pays d'esclaves silencieux.

AGRICULTURE

LA CHARGE

Octobre 2019

La campagne est triste, la campagne est moche. Elle est battue par les vents que ne freinent plus les haies misérables, quand elles existent encore. Il pleut et les ruisseaux et rivières se transforment en veines de boue : la pluie emporte la terre des champs où aucune culture ne pousse en hiver. La campagne pue, la campagne schlingue. Les champs reçoivent des milliers de tonnes de lisier liquide et fumant en provenance de centaines de porcheries. Ça empeste pendant des jours. La campagne est terriblement bruyante. Ce n'est que va-et-vient incessants de tracteurs monstrueux, qui traversent les bourgs sans ralentir, sans prendre garde aux piétons, avec des remorques chargées de quarante tonnes de foin ou de maïs à ensiler. La campagne, enfin, est pareille au lit du mort : dans ses cultures on y trouve des pesticides, dans sa terre on y trouve des pesticides, dans ses rivières on y trouve des pesticides, dans ses nappes phréatiques on y trouve des pesticides et dans son air on y trouve des brouillards de pesticides.

Oui, les raisons sont nombreuses pour ne pas aimer la campagne. Et à ces raisons on trouve une seule raison pour les expliquer : l'agriculteur. L'agriculteur est un pollueur. Cette campagne moche, triste et morbide est sa réalisation. Honte à lui.

Pourtant, en y regardant de plus près, la raison des raisons de cette campagne morte, morbide, moribonde, mortifère, n'est pas l'agriculteur. En y regardant de plus près, on voit qu'il n'y a pas d'agriculteur. Agri-culteur : étymologiqument, celui qui cultive la céréale nourricière. Mais est-il vraiment cette personne ? Non. Il a fait des études et il est « technicien supérieur ». Il a un BTS, un brevet de technicien supérieur. Or un technicien, par définition, est un homme de l'industrie. Plus exactement, il est celui qui installe et qui règle les machines. Celui qui utilise les machines est l'ouvrier. L'ouvrier agricole. L'ouvrier ne pense pas, il fait ce qu'on lui dit. Mais qui lui dit quoi faire ? L'INRA, d'abord, qui dans ses études l'a dénommé « exécutant » et UTH : unité de travail humain. Le sociologue l'appelle « agent de la ruralité ». La presse locale, porte-voix du syndicat agricole majoritaire, le désigne comme « entrepreneur ». Un chef d'entreprise. Car l'agriculteur doit être chef d'entreprise. C'est le souhait affiché du ministère de l'agriculture et de toutes les chambres d'agriculture. D'ailleurs, cet homme entreprenant et productif est aussi nommé « fournisseur de matière première » sur les places financières et ses terres constituent un « placement à long terme » pour les spéculateurs. Le département et la région l'appellent « acteur rural de premier plan ». Le fisc et les assurances sociales le dénomment « *exploitant* agricole ». Plus précisément, il n'est plus agriculteur mais pommiculteur, éleveur de vaches à lait ou un éleveur de vache à viande, un céréalier, un légumier, un éleveur porcin. Quand il y a polémique sur l'utilisation des pesticides, le grand syndicat évoqué prend la voix de son maître et fait de ces hommes des « soigneurs des plantes », qui administrent des médicaments aux plantes afin de « nourrir le monde ».

En regardant mieux, on voit donc qu'il n'y a rien qui s'appelle agriculteur ou encore cultivateur. Cet homme-là n'est rien, car s'il était quelque chose, il disposerait de son propre nom.

À défaut d'avoir un nom, un nom qu'il se donnerait lui-même, a-t-il des actions qui lui sont propres ? S'il n'a pas de nom à lui, fait-il au moins ce qu'il a envie de faire ? Regardons mieux. Ces gros tracteurs sont ceux qu'on lui a dit d'acheter. Ces plants hybrides ou OGM sont ceux que l'INRA et les coopératives lui disent d'acheter. Vend-il ses récoltes au prix qu'il veut ? Non, on lui achète au prix décidé par les coopératives, par la grande distribution et par les spéculateurs de la bourse aux produits agricoles de Chicago. Ses investissements sont ceux que sa banque lui a dit de faire. Ses bénéfices sont les subventions que l'Europe lui verse. Décide-t-il de qui se nourrira de ses produits ? Non, ses produits seront exportés, parce que les commerçants sont subventionnés pour exporter — dans les pays pauvres, ce qui bloque la création de filières agricoles locales, autre débat. Ses engrais, ses pesticides ? Les élus locaux corrompus lui disent lesquels acheter, tel le sénateur de notre département Philippe Bas, dont le nom figure dans la « liste » des soutiens de Bayer-Mosanto (voir le scandale des « monsanto papers »). Les terres qu'il possède ? Les élus locaux, corrompus aussi par les promoteurs immobiliers et accordant faveurs et contre-faveurs, lui disent lesquels il pourra acheter, via l'organisme fantoche de la SAFER et lesquels il peut revendre pour s'enrichir facilement. Et sa voiture qu'il achète ? Comme tout chef d'entreprise, il n'aspire qu'à acheter une merco.

Voyez donc cet homme qui n'a pas de nom et qui ne fait rien de lui-même. Qui n'a aucun pouvoir de décision. Quelle autre campagne peut-il construire qu'une campagne de merde ? Cet homme bas-de-plafond dit, parfois, qu'il se révolte. Le syndicat des jeunes agriculteurs déverse moult bennes de fumier et brûle moult pneus devant les préfectures. Il revendique la force vitale de la profession. Il revendique son droit à l'avenir tout en « préservant le modèle agricole ». Il vitupère, il fait du bruit, il se fait voir et entendre. Ce syndicat défend-il le droit de ces hommes à décider de leur propre nom ? Que nenni. Ce syndicat s'agite pour que cet homme soit désormais un « gestionnaire par sate-litte et 5G » de ses cultures, pour une agriculture de précision. Et il s'agite pour que machines et tracteurs deviennent auto-nomes. Pour qu'elles puissent elles-mêmes mesurer, calculer et pulvériser à chaque parcelle les engrais et les pesticides néces-saires, grâce à des capteurs et des ordinateurs embarqués reliés aux yeux des satellites. Et pour que labour, semis et récoltes se fassent aussi de façon autonome. Sans que la présence d'un homme dans une cabine de tracteur soit nécessaire. Bref : ce syndicat des jeunes agriculteurs défend le droit de ces hommes à être remplacés par des machines. Et que font ces hommes ? Dans la campagne de France et dans les campagnes de tous les pays modernes ? Ils acquiescent. Ils sourient : « c'est le pro-grès » disent-ils. C'est pour assurer l'avenir de la profession.

Peut-on être plus idiot que ces hommes ? Je ne le pense pas.

Il n'existe plus le paysan, qui *faisait le pays* mû par l'amour des plantes et de la terre. Il n'y a plus que ces hommes, qui revendiquent leur nationalisme, qui brandissent leur fusil de chasse, qui ne veulent pas d'étrangers chez eux, mais qui veulent quand même exporter leurs céréales, leur viande et leur lait dans le monde entier. Ces hommes-là sont des cons finis. Il n'y a plus de pays, il n'y a que de la connerie.

Rajoutons encore : Cet homme-là qu'on appelle agriculteur, a-t-il un espace à lui ? Marque-t-il de sa présence les terres qu'il possède ? S'il n'a ni nom ni action propre, il doit bien avoir au moins un territoire à lui ? Et bien non. Vous l'avez certainement remarqué si vous vivez à la campagne : l'agriculteur est rarement dans ses champs. S'il a des prairies, vous ne l'y verrez qu'une fois par an ! Un « céréalier » cultive à lui tout seul cent hectares de terre. Son tracteur travaille et roule aussi vite que possible, et lui-même n'en descend jamais. Il ne touche jamais la terre : ce sont des techniciens chimistes qui en font des « prélèvements » pour l'analyser en laboratoire, et diagnostiquer qu'il manque telle ou telle molécule. Heureux l'homme qui a un peu de terre au fond de la main ! L'agriculteur d'aujourd'hui se réjouit de ne pas toucher la terre. Dit autrement, il y a plus d'empreintes de cosmonautes sur la Lune que d'empreintes d'agriculteurs sur Terre.

PS mars 2020. L'arrachage des haies se poursuit, celles qui restent ne sont plus valorisées. Les champs continuent de s'agrandir ; les chemins de campagne sont des plaies boueuses et battues par les vents. L'érosion de cet hiver pluvieux a été bien visible. Pas un cours d'eau qui ne soit gorgé d'argiles et de limons ! Les agriculteurs se plaignent qu'on ne les aime plus. Ils pleurent à « l'agribashing ». Les pauvres petits. Eux qui disent vivre mieux que leurs parents, mieux gagner leur vie. Et qui diesent que si les bobos qui viennent vivre à la campagne n'aiment pas les odeurs de la campagne, ils n'ont qu'à retourner en ville. Ces deux remarques sont nulles. D'abord, la profession agricole a organisé en son sein la mort des plus faibles. Ceux qui restent sont ceux qui ont fait le plus de mal à leurs voisins. Ensuite, une agriculture qui pue, qui pollue et qui enlaidit le paysage est une mauvaise agriculture. Voyez la campagne autour de ces grosses fermes qui existent encore : plus de haies, plus de bois, plus de grands arbres, des ruisseaux et des étangs saturés d'argiles et de limons, du vent qui souffle en permanence, la puanteur des ensilages, la puanteur des fumiers, en été un air saturé de poussières, enfin l'absence d'animaux dans les prairies. Est-ce là l'héritage d'un millénaire d'agriculture en France ?

Un enfant ne pourrait pas penser que là vit un agriculteur qui aime la terre, les plantes et les bêtes. Là, c'est la mort qu'on cultive. C'est sinon la maladie.

Quel agriculteur ose dire qu'il « nourrit le monde » quand il fait tout pour travailler la terre le plus vite possible, pour semer le plus vite possible, pour sarcler le plus vite possible, pour épandre les pestiscides le plus vite possible, pour récolter le plus vite possible, pour stocker le plus vite possible ? Celui qui ose dire ça en cultivant de la sorte est un menteur, est un empoisonneur, car c'est évidence : quand on fait tout le plus vite possible, on néglige nécessairement la qualité. Par définition. Je le répète : par définition. Vitesse (et production) maximales ne sont pas compatibles avec qualité. Tout ce que vous mangez qui provient de ce genre d'agriculture est pauvre en éléments nourissants.

Cela changera quand les citoyens exigeront un label d'artificialité. Pour chaque produit agricole le niveau d'artificialité doit être indiqué. Aujourd'hui on ne le fait pas, donc cela permet aux mauvais agriculteurs de vendre leurs pommes, leur viande, leurs légumes avec la même désignation que ceux produits par des agriculteurs qui aiment la terre et les plantes. Or ces produits sont différents ! Différents ! Une fraise hors-sol n'est pas une fraise de plein champ sur paillis. Ce n'est pas le même produit.

Exactement comme les jeunes agriculteurs des années 1950 et 1960 ont vilipendé leurs aînés, les agriculteurs productivistes d'aujourd'hui qui pleurnichent face à l'agribashing seront demain vilipendés par les plus jeunes. Ils ont pratiqué le dégagisme dans les années 1950-1960, alors, juste retour des choses, ils seront eux-mêmes dégagés. Bien mal acquis ne profite jamais…

L'EPHEXIS EN NOVEMBRE

Novembre 2019

Voilà que les salades d'automne, les scaroles, grossissent fort bien. Elles « tournent » comme on dit : les feuilles centrales s'enroulent et montent, formant ainsi un « cœur » de plus en plus compact de feuilles tendres. Ah que nous serons joyeux, ah que nous serons heureux, quand bientôt nous les mangerons ! Quelle énergie claire et rassurante elles distilleront dans nos corps, quand nous les digérerons en somnolant au coin du feu tel maître Spagyrus[11]. Toutefois, les caprices du temps de l'automne ne les ont pas épargnées. Regardez ces coeurs penchés : les tempêtes les ont forcés à se courber, à pousser inclinés. Allons donc voir de plus près cela, pour constater comment la nature sait s'adapter à ses propres impérities. Mais ? Horreur !

Touchant délicatement ces cœurs de salade pour sentir s'ils sont bien pleins et bien fermes malgré leur inclinaison, voilà qu'ils tombent et se déroulent feuille après feuille sur le sol. Là où aurait dû se trouver le court trognon de la salade, sous le cœur, nous contemplons le vide ! Une galerie de campagnol ! Et cette autre salade au cœur penché, est-elle aussi … ? Hélas oui : dévorée de l'intérieur. Ah les gredins ! Ah la vermine ! Je fulmine ! Taïaut ! C'est la guerre, totale ! Et sans attendre une

---

11 Cf. *Les Secrets de Montfort*, BoD, 2017

seule seconde, je ramène des pièges à vermine, j'y mets les appâts, je les arme et je pose par-dessus un pot. Je me frotte les mains, je ris en moi : ils ont osé, oui, ils ont détruit le fruit de mon travail. Mais ils payeront de leur vie.

Voyez : le peu que la nature me donne, elle me le reprend. Rien, elle ne veut rien me laisser. Ah, je fulmine.

Mais, en fin de compte, à quoi bon fulminer ? Je me calme. Je fais un pas en arrière, pour prendre du recul. Je redeviens le docile élève de la raison. Comme je l'ai vécu de nombreuses fois, et comme je l'ai expliqué dans mon livre *Ephéxis*, les émotions envers la nature sont inutiles. Mal ou bien, rien ne sert de la juger, rien de sert de vouloir la punir, il faut suspendre notre jugement. Un campagnol ne fait rien d'autre que creuser des galeries et dévorer les racines, une salade ne fait rien d'autre que pousser lentement. La rencontre des deux est par nature à l'avantage du campagnol. La fulmination du maraîcher est impuissante à changer ces lois !

C'est bien rageant, pourtant, de constater que sans action de notre part pour protéger les cultures des ravageurs, ceux-ci dévorent tout et nous nous retrouvons le ventre vide et sans le sou. Que dire, sinon que la nature n'a cure de notre impératif social de génération d'un chiffre d'affaires. La nature est telle qu'elle est ; *notre misère vient de la société qui veut vivre comme si la nature n'existait pas*. Voilà ce qu'on comprend quand on a retrouvé son calme et qu'on a fait deux pas en arrière.

Faisons encore un pas en arrière, un troisième. Ces cœurs perdus sont l'occasion d'apprendre une nouvelle leçon du jardin. Qu'est-ce que la nature ? Comment vit-on dans la nature ? On ne vit pas, on *survit*. La nature n'a jamais donné à ses enfants que le strict nécessaire pour leur survie. Que les amoureux de la nature méditent bien cela : plus on veut être proche de la nature, plus la nature nous dépouille. Elle ne nous laissera que l'indispensable, et pour obtenir ce minimum vital nous devrons encore faire des efforts. « Rien de trop » : cette maxime des philosophes est aussi celle de la nature.

Donc, amoureux de la nature, vous comprenez maintenant que jardiner, que cultiver, ne pourront jamais être des activités totalement naturelles. Pour que nous puissions faire d'abondantes récoltes, il nous faut utiliser toute une palette de techniques. Et au regard de la leçon du jour, que font ces techniques ? Elles entravent la nature. Toute technique entrave la nature. Les techniques font se croiser les trajectoires de vie, trajectoires de vie de chaque espèce d'insecte, d'animal, de plantes, de façon à ce que l'une croise l'autre à angle droit et la stoppe. Qu'elle lui fasse comme un croche-pied, comme un croc en jambe. Ainsi pouvons-nous cultiver l'espèce de notre choix et en récolter les fruits. Plus exactement : *de la nature ainsi entravée, nous pouvons jouir des énergies qu'elle n'a plus le loisir de conformer à sa guise.* Nous voilà devenus pour un instant l'entité conformatrice de l'énergie naturelle.

Pour un instant seulement, car la nature est prompte à se relever et à reprendre ce qui lui revient.

Aurai-je des scaroles à vendre ? Mes pièges seront-ils efficaces ? Ou n'aurai-je rien et mes efforts auront été vains ? Il est impossible de le prédire ; la nature toujours nous soumet quand elle le veut. Que mes scaroles cultivées de façon agroécologique et avec amour soient bouffées par la vermine indifférente, n'est-ce pas le prix que je doive payer pour vivre dans une société qui rêve de s'affranchir de la nature ? Le campagnol ne bouffe pas qu'une scarole : il bouffe un morceau de notre société adipeuse trop riche de tout. Notre société qui dégouline de tout ce qu'elle n'arrive plus à ingurgiter. Le jour où les ravages de la vermine ne nous gênerons plus, c'est quand nous aurons abandonné tout notre superflu. Et le petit peu qu'il nous restera, le campagnol nous le mangera. Alors nous serons humains.

… Oui je dramatise un peu trop ! Mais j'ai ainsi porté la réflexion à son terme. Et ça fait du bien aux neurones de porter une réflexion à son terme.

Pour mieux vous familiariser avec l'éphéxis, lisez mon livre *L'éphéxis au jardin*. L'éphéxis ne rend pas indifférent, et ne signifie pas qu'on n'éprouve pas d'émotions au jardin. Au contraire, une fois l'éphéxis vécue, des moments authentiques et extraordinaires de bonheur vous attendront au jardin. Vous découvrirez lesquels en lisant mon livre *Le bonheur au jardin*. Par la suite, vous ne vivrez plus votre jardin de la même façon.

PS : Addendum humoristique

Ce matin, oh joie !, je découvre un petit campagnol mort, attrapé dans le piège. Le petit corps est horriblement mutilé. Suis-je cruel ? Suis-je trop social ? Car c'est la société qui exige de moi que je paie des charges sociales. Des impôts et des taxes en tous genres. Si je ne tue pas les animaux qui ravagent les cultures, je ne peux point vendre, donc point faire de bénéfice, donc point être un citoyen libre et debout. Ma main qui arme le piège tueur est en fait la main invisible du marché. Et après tout, si une puissance supérieure existait, ne nous châtierait-elle pas d'avoir consommé ce qui lui était destiné ? Tout comme nous, nous châtions le campagnol quand il a mangé ce qui nous revenait de droit. Et si les Dieux existaient et si nous mangions cette nourriture des Dieux, aurions-nous ainsi obtenu le pouvoir des Dieux ? Quand le campagnol dévore la scarole, cela fait-il de lui un Homme ? Mais n'est-ce pas nous qui mangeons comme des campagnols ? Or voilà la vérité : que le campagnol, nous humains et les Dieux nous mangeons tous la même scarole !

Nous n'avons alors qu'un seul objectif à atteindre, qui est l'objectif porté haut et fort par le parti socialiste français : le « vivre ensemble ». Campagnols, humains et Dieux, nous devons vivre ensemble. Toute discrimination est interdite. Il n'y a qu'un seul banquet, où toutes les convives sont fraternellement réunies. Amen.

DES ARBRES ET DES VALEURS

Novembre 2019

La première partie de la présente réflexion est constituée du texte de la conférence que j'ai donnée en octobre 2019 à Isigny-sur-Mer dans le cadre de la fête de l'arbre. Je lui avais donné pour titre : *Amour et désamour des arbres. Pourquoi aimons-nous et n'aimons-nous pas les arbres ?* La deuxième partie consistera en une réflexion sur le « lien social » que ces journées du terroir et de la ruralité sont censées créer, et pourquoi elles n'y parviennent pas. Enfin, à partir de ces analyses je proposerai une explication à l'absence quasi-totale de public à cette conférence. En est-ce le titre ou en est-ce le thème qui a rebuté le public ?

Amour et désamour des arbres

Introduction
Mesdames messieurs bonjour,
Je vous propose, le mot est grand peut-être, une *conférence* sur les arbres du point de vue de l'écrivain. Je ne vais pas aller du tout dans les aspects biologiques et techniques des arbres. Quand j'écris des fictions, je travaille beaucoup les motivations des personnages. Donc ici je veux vous présenter quelques réflexions sur les arbres et nos motivations envers eux. Motiver,

c'est mettre en mouvement. On peut aller vers les arbres, être attirés par eux. Pourquoi ? On peut s'éloigner des arbres, ne pas vouloir leur présence. Pourquoi ?

Je vous propose de démarrer par la lecture de deux extraits de mon livre « Saint-lô futur ». L'histoire se déroule en 2050, après la révolution climatique. L'humanité est obligée de vivre sous terre, tous les arbres ont disparu à cause des sécheresses, des feux et des masses d'air brûlantes qui balaient le globe.

Premier extrait :

« L'organisation moderne reposait sur la vie nocturne et sur la vie souterraine. Les journées étaient trop caniculaires pour permettre aucune activité extérieure. Des masses d'air à plus de cinquante degrés circulaient autour du globe, grandes comme des pays entiers. Les vents étaient devenus des souffles brûlants et chargés de poussières ou bien de sables. On avait d'abord essayé de vivre la nuit, tout simplement. Mais rapidement, on comprit que cela ne suffirait pas. Désormais, toute honte bue, l'humanité vivait autant que possible sous terre et dans des bâtiments thermoprotégés. Les arbres et toute autre forme de végétation avait disparu de la surface de la terre, soit en desséchant, soit par le feu. L'année 2022, l'année du feu ! Léa l'avait appris à l'école. Les incendies immenses, sur toute la planète, un ciel noir... Aujourd'hui les troncs nus et secs de quelques arbres étaient encore visibles par endroit, dans ce qui avait été, jadis, des jardins publics. Ils étaient protégés dans une bulle de bio-verre thermorégulé, pour que leur bois sec ne s'enflamme pas spontanément. Il ne fallait pas qu'on perde le souvenir de ce qu'étaient les arbres. D'ailleurs, arrivée au deuxième étage de la tour Eiffel, Léa avisa une affiche du muséum d'histoire naturelle. L'exposition actuelle était dédiée aux jardins. Était entre autre reconstruit sur neuf mètres carrés une partie de l'ancien jardin du muséum, grâce aux graines que les scientifiques avaient gardées. Cette reconstruction avait lieu dans Infraparis bien sûr, au troisième niveau inférieur. À -100 mètres de profondeur. »

Second extrait :

« Léa et son interviewer avaient fini de parcourir le corridor en spirale et étaient arrivés au seuil de l'atrium. Une porte en verre s'ouvrit, et ils mirent pied sous un dôme translucide. Ce que Léa découvrit était stupéfiant ! Elle n'en croyait pas ses yeux. En plus de l'herbe il y avait là non pas un mais trois vrais arbres ! Avec leur tronc, leurs branches et leurs feuilles. Des feuilles, vertes et tendres ! Que c'était beau ! Léa s'avança ; le sol était toujours d'herbe. D'un regard, JMA lui fit comprendre qu'elle pouvait se déchausser et marcher nu pied dans l'herbe tendre. Léa dut se retenir pour ne pas pleurer. Sous ses pieds svelfes elle ressentait toute la douceur de ces milliers de petites feuilles d'herbe. Elle fit quelques pas, jusqu'à l'endroit où émergeaient les racines des arbres. Là, elle posa ses mains sur la naissance du tronc et les fit remonter lentement jusqu'à la première branche. Elle prit délicatement une feuille entre ses deux mains. Globalink, parmi les mensonges et les demi-vérités, transmettait au moins *une* vérité : le contact avec la Nature procure aux humains une sensation d'euphorie. De sérénité. De joie, une joie à la fois profonde et explosive. Léa avait les yeux humides. L'herbe, les arbres et leurs feuilles, et en dessous une terre vivante et chaude, qui semblait vouloir lui parler à travers ses pieds nus. Et tout cela était filmé et diffusé en direct partout sur Terre. »

Je vous propose maintenant un texte écrit en 2014 et publié dans mon livre *Nagesi*.

Mais où sont passés les arbres ?

Ici il ne sera pas question des arbres des haies, dont on sait qu'ils ont bel et bien disparus au cours des remembrements subventionnés à 99 % des années 1950 – 1970[12]. Ces arbres continuent de disparaître aujourd'hui par les remembrements que font eux-mêmes les agriculteurs pour agrandir leurs parcelles, afin d'y cultiver des céréales à la place des pâturages. Le sort de ces arbres fait l'objet de nombreux ouvrages, donc je ne m'y attarderai pas. Dans le présent texte ce sont les arbres des villages de campagne qui vont être l'objet de notre attention.

Il y a peu, je me promenais dans Carentan et Saint-Hilaire Petitville. Ce n'était pas uniquement une promenade de santé, pour « se bouger » comme on dit. Je venais de terminer la rédaction d'un cours, qui m'avait demandé plusieurs heures de travail. C'était donc avec l'esprit libre, apaisé, satisfait du travail bien fait, que je mettais mes chaussures de marche. Dans ce genre de situation, quand le travail est accompli, quand les soucis de la vie quotidienne sont réglés et que le stress s'est envolé, la réalité apparaît alors de façon plus neutre. Je n'ai plus d'attentes envers elle et elle n'en a plus envers moi. Je n'attends rien, je suis juste là, ici et maintenant. Je peux renouer avec la réalité : pour moi, renouer avec la réalité consiste à observer les objets, les routes, les arbres, les voitures, etc. bref toutes les choses qui m'entourent, sans automatiquement les nommer. Je les vois, simplement. Au contraire, quand je suis dans le flot des événements quotidiens ou de la vie professionnelle, mon cerveau réagit instantanément à chaque stimulation par un déluge de pensées. Mais au moment de démarrer cette promenade, donc, mon esprit n'était plus agité, et il ne réagissait plus nerveusement à la moindre des stimulation. Je sentais qu'il pouvait laisser les idées aller et venir, je sentais que mon esprit laisserait à mes yeux le temps de voir et à mes oreilles le temps d'entendre.

---

12 *Basse Normandie – Plan régional d'aménagement et de développement*, Journal officiel de la république n°1266, 1965.

Je quittais donc la maison et j'allais marchant dans le monde, avec un sourire malicieux sur le visage. C'était un sourire qui était le signe d'un espoir secret. En effet, j'allais marcher dans ces paysages et dans ces lieux communs que connaissent tous les habitants de Carentan et Saint-Hilaire Petitville. Et j'avais l'espoir secret, j'avais l'intuition, que j'allais voir des choses que la majorité des gens ne remarquent pas. Par là j'entends ces choses soit minuscules et modestes, soit si grandes et si évidentes qu'elles ne retiennent pas l'attention. Bref, je me sentais prêt à voir ce qu'on ne voit pas d'habitude.

Après un quart-d'heure de marche, du centre de Carentan vers l'extérieur du village, cela se produisit. Je pus contempler un phénomène discret, évident, qui passe inaperçu, mais de grande taille. Très grand. Ou plutôt je contemplais son absence. Et je n'y avais jamais fait attention auparavant ! Il me revint alors à l'esprit que j'avais vu la même chose quelques jours auparavant à l'entrée d'Isigny sur Mer, par la route de Carentan. Ce phénomène, cette absence, ne résultait peut-être pas du hasard. Mais quelle absence ?

Les maisons implantées le long de cette route à l'entrée d'Isigny sur Mer, les maisons le long de la route à l'entrée de Saint-Hilaire-Petitville, celles le long de la route d'entrée dans ce même village quand on vient de Brévands, et enfin celles le long de la route de Périers pour entrer dans Carentan. Toutes ces maisons un point commun. Dans les jardins qui les séparent de la route, il n'y a aucun arbre remarquable. Tout juste quelques arbustes. C'en est choquant. J'ai vu ces maisons chaque semaine, mais cela ne m'avait jamais marqué.

Ce jour-là, en prenant conscience de cette absence, je ressentais une dérangeante impression de nudité. Et puis, ma paix mentale s'était envolée. Une à une, comme les bulles de champagne, les pensées émergeaient à la surface de ma conscience.

Pourquoi cette absence d'arbres ? Qui ? Comment ? Quand ? Et je me suis posé ces questions :

Ces centaines d'habitants des maisons où on ne voit aucun arbre, n'aiment-ils donc pas les arbres ? Peuvent-ils sans inconvénient pour leur bien-être, pour leur équilibre psychique, se passer totalement des arbres ? De la vue d'un arbre par la fenêtre ? Ou, plus terre à terre, ont-ils brûlés les arbres dans leur cheminée, à cause du prix élevé du gaz ou du pétrole ?

Souvent, dans la vie, c'est dans notre passé que se trouvent les réponses aux questions toutes fraîches. Et dans le cas présent, une réponse à ces questions m'avait déjà été donnée deux ans auparavant. Un matin, ma mère ouvrait les volets de la maison familiale et une passante lui avait dit : « Il faut faire couper l'arbre de votre voisin, parce qu'*il donne de l'ombre.* » Et elle montrait du doigt le pin remarquable du voisin, de l'autre côté de la route. En effet, ce pin s'élève à une vingtaine de mètres de hauteur et il est remarquable pour la simple raison que des arbres de cette hauteur sont tout à fait rares au centre d'un village.

Voilà, dans toute sa simplicité, dans toute sa *nudité* dirai-je, une première explication à l'absence d'arbres dans les jardins : l'arbre donne de l'ombre. *Donc* il faut l'abattre. Raisonnement simple, implacable. Plus d'arbre, plus d'ombre. Mais un arbre n'est pas qu'un projeteur d'ombre. En marchant, je me demandais : Que penser de ces personnes qui ne voient dans les arbres que leur ombre ? L'ombre, donc le froid dans la maison, donc la mort ? Est-ce caractéristique des personnes âgées, comme cette passante, que d'avoir peur de l'ombre au crépuscule de leur vie ? Et donc elles veulent tout couper autour d'elles pour se retrouver dans un bain de lumière perpétuelle ? Pardonnez-moi la naïveté de ces questions, mais je ne peux pas m'empêcher de les poser. Peut-être aurai-je changé d'avis dans trente ans et que je voudrais, à mon tour, voire abattre les arbres.

Je n'arrêtais pas ma promenade pour autant, et je continuais à marcher le long de ces jardins sans arbres. C'est alors que je rencontrais fortuitement une connaissance. Je lui fis part de mon observation et d'une autre explication possible. Je lui dis : « Tu sais, je pense que ces gens qui habitent là, coupent leurs arbres, ou n'en veulent pas, car ils n'aiment pas ce qui peut vivre plus longtemps qu'eux. Ils se sentent bien quand ils sont entourés de végétaux qu'ils peuvent contrôler, qu'ils vont voir vivre et mourir plusieurs fois. Qu'ils vont pouvoir tailler facilement, replanter, déplacer. Cela doit les rassurer. Par contre un arbre qui leur survivra doit leur procurer un sentiment d'impuissance. Un sentiment de petitesse. L'arbre doit leur rappeler la modestie de la condition humaine. »

En fait, à cet instant-là, nous nous trouvions à proximité des deux seuls arbres remarquables à trois-cents mètres à la ronde. Leurs silhouettes verticales tranchaient nettement avec la platitude des parkings noirs, et récemment agrandis, du centre commercial sur lequel débouchait royalement cette route sans arbres. Finalement, ces deux arbres survivants étaient la preuve qu'il y avait là encore un habitant qui aimait ou tout le moins tolérait les arbres – en écrivant ces lignes quelques jours plus tard, je me suis dit qu'il faudrait aller sonner chez cet(te) habitant(e), afin de lui demander son âge…

Bien-sûr, l'individu est indissociable de la société et de ses paradigmes. C'est-à-dire des façons de penser et de faire qui sont communes et qu'on ne questionne pas. Je voudrais citer Michel Onfray. Dans son livre *Cosmos*, il rapporte ces mots de Spinoza « l'Homme se croit libre parce qu'il ignore les causes qui le détermine. » Mais moi, j'adore partir à la recherche de ces causes… Donc, je ne peux pas m'empêcher de faire le lien entre ces arbres abattus ou inexistants, et notre société avide de contrôle. Pour bien contrôler, il faut voir loin, il faut de la visibilité. La Beauce, ses plaines immenses, est une région très bien contrôlée par exemple. Les champs sont immenses, les arbres rares. Le bocage, lui, entrave la vue comme les actes (on ne voit pas loin, et ces routes pleines de tournant ralentissent la circulation). Cette entrave à la vision doit être inconsciemment présente chez les habitants de ces gros villages de campagne, qui étaient entourés il y a quelques décennies encore d'un très dense réseau bocager. L'Homme moderne est par définition l'homme qui voit loin à travers le temps et l'espace. Troisième explication donc : un jardin sans arbre est un signe des temps, un jardin sans arbre est le signe d'un avenir maîtrisé.

J'habite dans les mêmes villages que ces gens, toute ma famille est originaire du bocage bas-normand, mais c'est curieux, le bocage ne m'apparaît pas comme un obstacle, et par voie de conséquence les arbres non plus. Au contraire, je trouve que là où le bocage existe encore, il protège de la turpitude et des rapides de notre société un brin malade. Dans le réseau des haies, on n'y voit pas à des kilomètres à la ronde, et donc on peut être *surpris :* surpris de rencontrer un animal sauvage ou bien de saisir un moment fugace quand par exemple des rayons de lumière éclairent une timide plante de sous-bois. C'est peut-être parce que j'ai vécu en Allemagne, où tout est si bien organisé, même la campagne avec ses chemins qui valent des routes, que tout en devient prévisible et ennuyeux. Ou parce que le bocage fait contrepoids à mon esprit inquisiteur. Bref, le mystère n'est jamais loin d'un arbre…

Enfin, quatrième explication, pour expliquer ce ras-le-bol des arbres qui donnent de l'ombre, on peut invoquer le coût de leur entretien, tout simplement. Les gens ne sont pas bien riches, l'élagage coûte cher. Et un gros arbre dans un petit jardin, ce n'est pas forcément pratique, j'en conviens. Bref on trouve toujours une raison pour abattre un arbre ou pour ne pas en planter un.

Depuis cette promenade, quelques années ont passé, j'ai acheté une maison avec un terrain et des haies, des haies en triste état bien-sûr. J'ai planté sur les cent-cinquante mètres linéaires de talus un bel arbre tous les dix mètres : des frênes que je taillerai en têtard, comme les anciens, et des cerisiers, châtaigniers, noyers, chênes. Aucun n'est trop près de la maison, pour ne pas l'endommager de quelque façon que ce soit, et ils donneront de l'ombre sous laquelle j'aimerai m'asseoir lors des chaudes journées d'été. Et en hiver, les arbres n'ont plus de feuilles, ils laissent passer la lumière du soleil.

Alors que faire pour qu'on n'ait plus aucune excuse pour ne pas planter d'arbre ? Je crois qu'il faudrait demander à l'INRA de faire un arbre modifié génétiquement pour que les feuilles laissent passer la lumière, pour que l'arbre puissent devenir grand mais soit toujours taillable au sécateur manuel, et qui vivent juste un été ou deux.

Depuis 2014

Depuis 2014, j'ai constaté (on me l'a dit, je l'ai vu) d'autres raisons au désamour des arbres :
- ils mettent des feuilles sur la terrasse, il faut balayer et nettoyer ;
- ils mettent des feuilles dans les gouttières ;
- ils mettent des feuilles dans la mare !
- ils gênent la machine qui cure les fossés ;
- lors des tempêtes leurs branches peuvent faire tomber les lignes électriques et téléphoniques ;
- il faut porter les branches coupées à la déchèterie ;
- ils changent de forme, alors il faut les tailler tous le temps pour qu'ils gardent leur forme. C'est du travail.

Résumons : un arbre ça donne de l'ombre, ça empêche de voir loin, ça nous rappelle que nous ne vivons pas longtemps, ça nous oblige à travailler, ça nous coûte de l'argent, ça abîme nos constructions, ça gêne le passage, ça change de forme. Et tout ça, en plus, ça prend du temps !

Alors pourquoi aimer les arbres ?

Eh bien, il existe des personnes qui aiment malgré tout les arbres. Si si. Elles trouvent que les arbres sont beaux, par leurs couleurs, leurs fleurs, leurs formes, leur taille. Leur hauteur et leur étendue. Par la texture de leur écorce. Elles trouvent que les arbres sont vénérables, car ils traversent le temps. Elles trouvent les arbres solides et rassurants, car ils traversent les tempêtes et les blessures. Elles trouvent les arbres joyeux, car elles voient les oiseaux qui vont y nicher et y chanter, les chouettes qui vont s'y percher, les chauve-souris qui vont chasser tout autour la nuit. Elles trouvent que l'arbre est une maison pour la vie. Elles trouvent que leur ombre est tout à fait agréable pour s'y abriter en plein été. Elles trouvent que leurs branches freinent le vent et protègent le jardin. Elles trouvent que les arbres sont calmes et qu'ils nous apprennent à être calmes. Elles trouvent que tous ces bienfaits sont plus importants que leurs inconvénients.

C'est la question du verre à moitié vide ou à moitié plein : ne veut-on voir que les inconvénients des arbres, ou leurs bienfaits ?

Je dois penser à une grand-mère, à qui je rends de temps en temps visite pour lui amener des légumes. Elle était horrifiée en apprenant à la télévision que des enfants étaient morts dans la cour d'une école. Un arbre était tombé sur ces pauvres enfants à cause de fortes rafales de vent. La vieille dame ne cessait de répéter qu'il y avait pas de raison de mettre des arbres dans les cours des écoles, et qu'il fallait tous les abattre. Ses paroles m'ont attristé. Et je ne comprenais pas ses paroles. Une vieille dame de la campagne, 90 ans, qui a grandi entourée d'arbres. Pourquoi aurait-elle peur à ce point des arbres ? Pourquoi n'hésiterait-elle pas une seconde à les faire abattre ? Il m'a fallu plusieurs jours pour comprendre son raisonnement. Cette vieille dame avait connu la guerre. Et comme toutes les personnes de sa génération, le mot d'ordre est « protéger la vie coûte que coûte ».

Moi je fais pencher la balance du côté des bienfaits.

Mais je crois que le mieux qu'on puisse faire envers les arbres, c'est de ne pas les mettre dans la balance du tout. De ne pas les comptabiliser du tout comme on compte les recettes et les dépenses. Il faut s'abstenir de penser ainsi.

Je crois que les arbres sont les seigneurs de la vie. Les arbres ont colonisé la Terre. Nous leurs devons nos sols fertiles et nos combustibles. Ils ont accompagné la naissance de notre espèce depuis six millions d'années. Ils sont notre environnement, et sans eux, notre environnement n'est pas vivable. Environnement physique, concret. Les arbres sont des régulateurs du climat. Par leurs feuilles, ils régulent l'oxygène dans l'air, mais aussi l'humidité de l'air. Sans arbre pas d'air humide, pas d'amorce de pluie. Les racines des arbres conduisent l'eau de pluie jusqu'aux nappes phréatiques : pas d'arbres, pas de rechargement des nappes et donc sécheresse accrue. Notre environnement se compose d'herbes, d'arbustes, de fourrés, d'arbres, de plaines, de rivières et de ruisseaux, de monts et de montagnes. Dans les plaines de monoculture sans arbre, c'est une fournaise en été, c'est un glacier en hiver. On ne peut pas y vivre. De même que les forêts sylvicoles, où on fait de la monoculture d'arbre, sont des endroits invivables, froids, humides, sombres, acides. Quand nous ruinons notre environnement, logiquement nous ruinons aussi notre climat. Recréons notre environnement et nous recréons notre climat tempéré, vivable, agréable, avec juste ce qu'il faut de pluie, de chaleur, de soleil et de froid.

Enfin, les arbres sont aussi notre environnement psychique. Un arbre naturel a des formes improbables, que l'imagination a du mal à saisir. Ces formes sont infinies, elles varient d'un arbre à l'autre. Nos yeux sont faits pour évoluer dans cette infinité de diversité des formes. Quand nos yeux ne voient que des formes simples, prévisibles, droites ou rondes, c'est le cerveau qui trinque. C'est l'imagination qui n'est plus stimulée et qui fout le camp. *L'oeil et le cerveau ont autant besoin de contempler l'infinie complexité du ciel étoilé que la complexité déroutante des formes des arbres !*

J'ai longtemps habité en ville. Et j'ai longtemps pensé aux enfants qui grandissent dans ces villes : jamais de leur vie ils ne voient un arbre qui a une forme naturelle. Ils voient des arbres, certes, mais ils voient avant tout la forme que les services municipaux leur ont donnée. Ce sont toujours des arbres taillés.

Quand je suis revenu habiter à la campagne, à Carentan, j'ai pris plaisir à faire du vélo sur la voie verte (une ancienne ligne de chemin de fer désaffectée). Entre Carentan et Baupte, il y avait un bosquet d'arbres. Ce bosquet faisait environ 50 mètres de long par 20 de profondeur, le long de la voie. Sous les branches, c'était sombre et humide. On n'y voyait presque rien. Le sol était toujours gorgé d'eau. Bref, ça faisait un peu peur. Ce bosquet m'avait marqué, car un tel endroit un peu effrayant, c'est rare. Ça stimule l'imagination. Puis un jour, le bosquet fût rasé. La raison ? Il s'agissait pour le département d'élargir la vue. Eh oui : élargir la vue, le long de la voie verte. J'ai été triste quand j'ai vu ces arbres disparaître. Et j'ai pensé aux enfants qui jamais n'auront la chance d'avoir peur en passant devant ce sous-bois sombre. On leur a volé leur pouvoir d'imagination.

L'arbre n'est pas juste un être vivant, qui pousse lentement et qui occupe de la place. C'est une boîte à imagination, et plus vous coupez les arbres autour de vous, moins vous donnez de nourriture à l'imagination, et surtout à l'imagination des enfants. Un monde sans arbre, c'est des enfants sans imagination. Quand les enfants ignorent l'étendue de l'imagination, ils ne peuvent pas comprendre le sens de mots tels que modestie, tempérance, restriction, suffisance. D'un point de vue logique, tous les mots qui porte le sens de la restriction ne peuvent se bien comprendre par leur contraire, c'est-à-dire les mots qui portent le sens de l'ouverture et de l'infini. Aussi, se confronter à l'immense, à l'infini, au très complexe, c'est mieux comprendre les mots tels que subtilité, détail, petite différence. Les enfants doivent voir tous les jours des arbres aux formes naturelles, improbables et complexes, pour que leurs yeux, et donc leur cerveau, soit correctement stimulé et qu'il se construise sainement.

Merci de votre écoute.

Les valeurs et les arbres

Les expressions « faire du lien » ou « du lien social » sont à la mode depuis le règne de François Hollande. Les fêtes du terroir ou les journées du terroir sont présentées par les journalistes et par les bonnes âmes comme des opportunités de créer des liens avec d'autres personnes ou de renouer des liens. « Fête de l'arbre », « Mange ta soupe », « Fête de l'eau » : les dénominations sont joyeuses. Il y a parfois quelques conférences ou causeries organisés à ces occasions, mais qu'y voit-on d'abord et toujours ? On y voit des tentes et des barnums avec des commerçants, des artisans, des producteurs, des restaurateurs. L'élément central de la fête est-il donc bien celui indiqué sur l'affiche ? Pas vraiment : ces fêtes sont avant tout l'occasion de faire du lien *économique*. Le lien social … C'était flagrant pour la fête de l'arbre. Il n'y a eu aucune célébration des arbres. On n'a planté aucun arbre, on n'a ni chanté ni dansé sous et autour des arbres, avec leurs branches, feuilles et fruits on n'a fait nulle décoration, on n'a fait nulle cabane dans les arbres ! On n'a pas rendu à chaque espèce d'arbre les hommages qu'elle mérite au regard de sa place dans la société et au regard, tout simplement, de l'importance cruciale de tous les arbres pour la vie sur Terre !

On a fait du lien de pièces et de billets, on a fait le lien du pognon. Faire du lien social implique de partager des valeurs sociales. Et le pognon n'en est pas une. Le pognon n'est qu'un moyen ; idiots sont ceux qui le vénèrent. Mais je sais bien que pour nous tous, le pognon est important et désirable. Le pognon est sexy. Il est viril. Au contraire, les valeurs sociales sont immatérielles : ce sont des émotions et des motivations. *L'amour, l'esprit de groupe, l'esprit d'aventure, l'esprit d'exploration, le respect de la Nature, la confiance, la responsabilité, la présence amicale, la famille, la bienveillance envers les jeunes, le respect et la découverte de ceux qui nous sont différents, l'esprit d'innovation, le repos au coin du feu, etc. Ce sont autour de ces valeurs sociales que peuvent se créer les liens sociaux.* Toutes ces valeurs sociales sont incompatibles avec l'argent : on ne peut pas les acheter, les coter en bourse, faire des intérêts ou gagner des dividendes avec. Hélas, bien trop de gens ne comprennent pas que les commerçants, les banquiers, les assureurs, mais aussi les administrations, monnaient ces valeurs. L'homme blanc de ce début de XXIe siècle ne pense qu'à gagner du fric, puis à dépenser du fric.

Pourquoi agit-il ainsi ? Car on lui a mis bien profond dans la tête que le fric permet tout. Il permet de partir en vacances comme de s'acheter un protège-slip comme de soigner son cancer. Il permet d'acheter une machine qui va vous économiser du temps de travail. Quand vous avez de l'argent la vie est facile et vous avez plein d'amis. Et quand on gagne du temps, vous connaissez le slogan favori des industriels, des bouchers, des boulangers, etc. : « Gagnez du temps, gagnez de l'argent ! ». On nous a mis dans la tête que le fric est le vecteur de la liberté complète. Fric = liberté. Alors que les valeurs sociales… c'est plus compliqué. Elles nous obligent. Elles requièrent du temps de présence et de l'effort. Elles requièrent d'être avec d'autres personnes, dont il faut supporter les défauts. Il faut écouter l'autre, le respecter, agir en harmonie avec lui. Il faut faire l'effort de le comprendre. Le *lien* social nous lie chacun de nous à une valeur et nous lie entre nous : le lien est contact, échange, don et contre-don, réciprocité, compensation de l'un par l'autre, entraînement de l'un par l'autre, stimulation, proximité. L'argent ne permet rien de tout cela. L'argent amène la machine qui remplace l'autre personne et nous permet de rester seul : c'est bien plus facile ! On ne risque pas de recevoir des critiques ou des opinions sur ce que l'on fait ou ne fait pas. Le *lien* social, par définition, relie une personne à une autre. Donc on ne peut pas faire tout ce qu'on veut quand on se lie socialement.

L'homme moderne, la femme moderne, ne supportent pas deux remarques à son égard : qu'on questionne son rapport à l'argent et qu'on questionne ses actions et inactions. L'humain moderne répugne tout à fait à être jugé sur ces aspects-là de sa vie. Il ne reconnaît le droit à rien ni personne d'être jugé sur ça. Ni personne ni administration ni entreprise ni État. L'humain moderne voit là les deux bastions irréductibles de sa liberté ; il peut donner aux entreprises et aux banquiers tous les autres aspects de sa vie, mais pas ceux-là.

J'en viens à ceci : que l'immense commodité procurée par l'usage de l'argent nous a fait oublier l'usage de nos valeurs sociales. Leur usage (la façon de les pratiquer) et même leur existence. Ainsi du respect que tout être humain doit à la Nature qui lui a offert la vie ; ainsi donc des arbres. Ou du respect envers les personnes âgées. Ou du respect envers les nombreuses années de travail qui confèrent un grand savoir-faire. Ou de la vie commune. Etc. On n'en a cure de tout ça. On n'a cure de la nature. On préfère vivre dans les baraques devant les écrans d'ordinateur. Enchaîné au smartphone.

Lors de la fête de l'arbre, ça n'a manqué à personne qu'on ne célèbre pas l'arbre. Qu'on ne lui dédie pas une chanson, une danse ou même des dessins d'enfants. Mais un vendeur de tronçonneuses et autres machines de coupe a pu faire moult démonstrations sur des arbres vivants... Tous les vendeurs et tous les chalands étaient des gens de la campagne. Personne n'a remarqué que cette fête était une simple occasion de faire du pognon. À part moi peut-être !

Pas de lien social autour de l'arbre. Pas de valeur sociale arbre. Le Français n'est plus un peuple qui vit avec la Nature. C'est fini.

J'en viens aux conférences données à l'occasion de cette « fête » de l'arbre : une sur les abeilles et la mienne sur l'amour et le désamour des arbres. La salle était pleine pour les abeilles, vide pour les arbres. Le petit insecte butineur est un symbole fort de la destruction de la nature. Le pauvre, il n'en finit pas de mourir. On détruit son milieu de vie. On vire tous les arbres mellifères notamment.

Mais pourquoi vire-t-on les arbres ? Pourquoi n'aime-t-on pas les arbres ? Alors là, ces questions n'intéressaient plus personne ! Vide la salle pour ma conférence ! À part deux pelés et un tondu... Or comment peut-on d'un côté s'émouvoir du déclin des abeilles et de l'autre côté ignorer la destruction des arbres qui les arbritent et les nourrissent ? Comment peut-on, en 2019, ne pas faire le lien entre les abeillles et les arbres ? Est-ce la faute à une mauvaise instruction ? Ou est-ce un désordre psychique ?

Car le Français souffre de graves désordres psychiques. Oh docteur que je suis malade ! J'ai le cancer, j'ai la déprime, je suis gros, je suis diabétique, j'ai les reins foutus, j'ai de l'arthrose ! Donnez-moi plein de médicaments pour me soigner ! Mais comment mangez-vous ? Comment vivez-vous ? demande le naturopathe. Et aucun patient ne lui répond. Car c'était l'heure de la série télévisée « Game of thrones » et tous les malades, grâce aux médicaments, avaient pu rentrer chez eux à temps pour la regarder. Le mode de vie prime sur la santé ; la santé doit être subordonnée au mode de vie. Donc ca santé est elle aussi une valeur morte. Bref, dans cette société du pognon ne reste plus que le culte de l'apparence, qui est de toujours ressembler à un adolescente ; pour les femmes, et à Emmanuel Macron, pour les hommes.

Le Français exprime de la même façon son désordre psychique pour les abeilles : oh qu'il est triste de les voir mourir ! Elles si gentilles qui font bzz bzzz et qui font du miel. Mais savoir pourquoi elles meurent ? Non, cela n'est pas intéressant. C'est compliqué l'écologie. Ça prend du temps. L'émotion est toujours plus immédiate que l'instruction, donc on préfère la première à la seconde. Personne ne veut savoir que la cause de tous ces désordres se trouve dans nos comportements quotidiens. Rappelez-vous : il est inadmissible de questionner ces comportements. Parce que l'argent … Non ! Chut, taisez-vous, c'est interdit ! Ça pourrait faire gagner moins d'argent.

J'admets que la contenu de ma conférence n'était pas parfait. Trop intellectuel peut-être. Trop psychologique. Trop vrai : la vérité est aussi une valeur qu'on préfère fuir. Nous vivons une époque où il n'y a plus aucune morale, c'est-à-dire aucune règle de comportement qu'on estime édifiante pour chaque âge de la vie et pour chaque occasion de vie sociale. N'oublions pas non plus ce fait, que les capacités intellectuelles régressent. Un adulte de trente ans aujourd'hui a la maturité d'un adulte de vingt ans de 1990.

Une autre valeur se perd, qui explique l'ignorance du Français pour les choses de la Nature : l'ouverture d'esprit. Ce sera l'objet d'un prochain texte.

Pour conclure, je puis rajouter que si ma conférence n'a intéressé personne, c'est aussi sans doute à cause de son titre. Le titre que je lui ai donné devait la faire « sonner » trop culturelle, trop intellectuelle ou trop poétique. À la campagne, c'est un fait qu'on n'aime pas les parleurs et les penseurs. Plus généralement, les manuels se font une fierté de tout ignorer de la théorie, du poète, de l'esthète, du rêveur. Et inversement les intellos se font une fierté de ne pas côtoyer les manuels — juste pour leur donner des ordres. Je reviendrai aussi sur ça dans un prochain texte.

Annexe

Voici quelques éléments dont je n'ai pas eu le temps de parler lors de la conférence.

L'arbre comme symbole. Ses racines s'enfoncent en terre, ses branches s'élèvent vers le ciel : que ne voudrions-nous pas faire pareil ! (Merci à ma tante pour m'avoir rappelé cette évidente analogie). Le bois comme symbole. Texte publié dans mon livre *Le creuset* :

Le bois. Y'a du bois au jardin ! Le bois est vert, tendre, ou bien il est sec et dur et solide. Ou encore il est vermoulu, bouffé, rogné, effrité, il part en miette. Souplesse de la jeunesse, solidité de la maturité. Le bois nous accompagne à tous les âges de notre vie. Tel gamine ressemble à une pousse d'osier, tel adolescent ressemble à un jeune frêne, tel homme ressemble à un hêtre au tronc impeccable, tel vieillard ou vieille femme ressemble à ce noyer au coin du champ, fendu, rabougri, tordu, tassé, figé, mais encore solide. Sur le haut de sa tête (de son houppier), les petites branches restent souples et nombreuses, comme les idées et le savoir-faire. Il faut lire La vie secrète des arbres de Peter Wohlleben (directeur d'une réserve forestière en Allemagne).

Le bois qui meurt devient terreau ; rien ne se perd, rien ne se crée, tout se transforme. Avec le bois, l'être humain a toujours fait de tout : maison, outils, armes, bateaux, cercueils. Cercueils, tiens, c'est vrai que mes pensées dérivent dans ce sens, ces jours-ci. Un de mes clients de Saint Jean de Daye est décédé, paix à son âme. Maintenant qu'il est là-haut, si ça se trouve, il se marre bien ! De la hauteur où il est, il voit où toutes nos erreurs vont nous conduire, quand nous, nous ne voyons pas plus loin que le bout de notre nez.

Enfin bon, mes connaissances sur l'après-vie étant limitée, j'en reviens au symbole. Le bois, le bois qui sert à fabriquer le cercueil. On met la personne dans le cercueil et on met le cercueil en terre. Ça me rappelle une noix. Le cercueil est comme la coquille d'une noix. Le cercueil serait comme une graine, qu'on met en terre pour que la vie reparte, au printemps suivant. Les graines sont souvent entourées d'une enveloppe plus ou moins épaisse de lignine, c'est-à-dire de bois. Pas de vie sans bois ! Le renouveau de la vie passe par le bois.

Même au jardin le bois est vie. Les arbres des haies et des fruitiers prodiguent une ombre bienfaisante en été. On travaille la terre avec des outils aux manches de bois. Le bois est partout ! Plus il y en a, plus il y a de vie, moins il y en a, moins il y a de vie. Le bois est donc un symbole des écologistes par excellence ! Au lieu de le brûler ou de le broyer, quand je nettoie mes haies, je le laisse au pied de la haie, tout simplement. Il se décompose, il donne le gîte et le couvert à tout un tas de petites bêtes qui ont le droit de vivre. Ça fait un liseré marron entre l'herbe de la prairie et les arbres de la haie. C'est une « interface » entre écosystèmes, pour le dire en termes plus sérieux.

Les haies continuent de disparaître, c'est officiel. Le département encourage à les replanter, offre les petits arbres, prête les machines, mais rien n'y fait. Il n'y a plus assez de monde pour s'occuper correctement des haies, et on veut des parcelles toujours plus grandes. La Manche ressemblera bientôt à la presqu'île d'Usedom, à la frontière entre l'Allemagne et la Pologne.

Là les champs immenses sont battus par les vents froids et secs de l'Est. C'est véritablement désagréable de se promener là. Les cultures sont la seule vie qui existe encore.

Les arbres sont les piliers du temple intérieur de l'être humain. Le bois vivant est une partie de notre humanité. Voulons-nous la conserver ? Je lève mon verre à mes frênes !

L'IMAGINAIRE AGRICOLE

Décembre 2019

« Les mêmes causes produisent les mêmes effets »

Dans *L'agriculteur normand* n°2583 du 28/11/2019, j'ai lu avec intérêt l'article consacré à Guillaume Haelewyn, un maraîcher installé en 2017 dans le Calvados. L'article présente la particularité du maraîcher : il n'effectue pas de travail du sol. Il utilise un ensemble de techniques regroupées et désormais connues sous le nom de « maraîchage sol vivant » (MSV).

Le non-travail du sol doit encore faire ses preuves en agriculture, bio ou conventionnelle : ce sont des techniques peu utilisées. L'article met donc en avant les avantages de ces techniques d'autant plus qu'elles sont agronomiquement et économiquement efficaces. Le maraîcher génère 31000€ d'excédent brut d'exploitation, ce qui lui permet de se rémunérer et d'embaucher un salarié dès la première année.

Je vais critiquer cet article sous deux angles. Le premier est celui de la productivité. Le maraîcher amène chaque année 80 tonnes de fumier sur ses 1,5 hectares de terre. Il recouvre tout de fumier, ce qui permet une forte production en même temps que de recouvrir les mauvaises herbes. Il n'a donc pas besoin de désherber. Le fumier étant déjà totalement ou en partie décomposé (composté), faire les semis nécessite juste d'écarter le fumier et de poser les graines sur la terre puis de les recouvrir d'un peu de fumier.

Les quantités de fumier utilisées sont si importantes au mètre carré qu'il est impossible de généraliser le MSV, d'une part. D'autre part, avec un tel enrichissement du sol, la production au mètre carré ne peut être que maximale. Il n'y a là rien de nouveau : c'est ce que faisaient les maraîchers du passé, quand tous les transports se faisaient à cheval. Il y avait tellement de fumier de cheval gratuit et disponible qu'ils faisaient même des « couches chaudes ». Sur un hectare de maraîchage travaillaient trois personnes à l'année plus deux saisonniers. Quelle entreprise pourrait ne pas avoir un rendement agronomique et économique florissant, quand sa matière première est gratuite et abondante ? Bref, le MSV enfonce une porte ouverte.

Mon second angle d'attaque est celui de l'imaginaire. Dans l'article, il est question de rendement et rien d'autre. Voici les termes techniques qu'il contient : MSV, techniques culturales simplifiées, excédent brut d'exploitation, tracteur 110ch, godet désilleur, tunnels, pépinière, irrigation, bâches, filets, voiles, semoir direct, retrouver 2t/ha de vers de terre, broyat de déchets verts, fumier, engrais vert, 25t de matière sèche par an et par ha, ration du sol, modèle de la forêt avec une litière permanente et une plante qui pousse dessus, occultation, salissement, rotation, 20 cm d'ensilage vert, planches propres, filets anti-insecte, vente direct, amap, plateforme coopérative en open source, GIEE groupement d'intérêt économique et environnemental, Dephy Ecophyto, modèles économiques viables pour les paysans, journée technique annuelle de formation.

L'article et le MSV promettent donc une nouvelle forme de maraîchage qui rompt avec les pratiques conventionnelles. Pour autant, *il n'y a pas de rupture idéologique car l'agriculture continue à être inventée et jugée via un seul critère : la performance technique.* Quid de la terre et des plantes ? Certes, le MSV renonce aux pesticides, aux engrais chimiques et pense aux vers de terre, au contraire du maraîchage conventionnel. Mais ce n'est rien de neuf : c'est juste le retour au maraîchage traditionnel.

Et ce maraîchage traditionnel, comme l'agriculture traditionnelle, est vide d'imaginaire concernant la terre et les plantes. Lisez les manuels d'agriculture du 19e siècle pour vous en convaincre. Ce n'est que technique et rendement. Or c'est justement parce que l'agriculture se *réduit* à ces seules considérations qu'elle n'est plus un métier attractif. Le christianisme a détruit toutes les croyances qui existaient quant aux plantes et à la terre qui nous nourrissent, les traitant d'hérétiques, de païennes, de magie noire. Et quand l'agriculture chimique s'est généralisée, la terre et les plantes furent réduites à des « briques de matière », à du « matériau », à une ressource qu'il faut exploiter.

Rendez-vous compte que dans l'imaginaire agricole présent, il n'existe aucune conception littéraire, poétique, mythique, symbolique de la terre et des plantes (ni de l'eau ni des arbres d'ailleurs). Nous n'avons pas de mots pour penser et nommer les plantes et la terre autres que scientifiques, techniques et économiques — sauf pour les cultures d'agrément auxquelles on accorde une valeur esthétique ou olfactive. Dit autrement : l'agriculture ne fait pas rêver. Le christianisme en a fait une souffrance nécessaire pour « vivre comme le Christ », la révolution verte des années 1950 en a fait une machine.

Ironie du hasard, à la page suivante de *l'agriculteur normand*, un article fait état de la difficulté à trouver et garder des salariés agricoles. Extraits : « On a du mal à trouver des salariés, alors on les bichonne. » « Le salarié agricole, il faut vraiment aller le chercher » disent les agriculteurs. J'ai aussi entendu qu'en Normandie les chambres d'agriculture et la FNSEA avaient manœuvré pour que l'association pour la défense des droits des employés agricoles ferme ses portes…

L'exode rural des années 1950-1960 est aussi du au fait que les employés agricoles étaient très mal payés. Beaucoup furent heureux de partir à la ville et de travailler à l'usine parce que le salaire leur était versé chaque mois.

Une agriculture qui se dit nouvelle doit nécessairement renouveler notre imaginaire des plantes et de la terre. L'agroécologie permet ce renouvellement, comme je le montre notamment dans mes livres *L'ephexis au jardin* et *Le bonheur au jardin*. Cet imaginaire, c'est un salaire, c'est une récompense. Ça fait rêver, ça donne envie. L'agroécologie est technique elle aussi, bien sûr, mais pas seulement.

Les mêmes causes produisent les mêmes effets : privée d'imaginaire, l'agriculture biologique quelle que soit sa forme (MSV, AB intensive, micro-ferme, permaculture, agroforesterie, agroécologie) *ne va pas donner envie aux jeunes générations*. Elle va, dans dix ans j'estime, connaître le même désamour que l'agriculture chimique. Elle va redevenir un métier pour ceux qui ne peuvent rien faire d'autre, un métier sans reconnaissance sociale.

C'est une erreur de réduire tout à la technique, et cette erreur, l'agriculture biologique tout comme la politique écologiste l'ont commise. Depuis leur création dans les années 1960, les conservateurs agricoles et politiques leur reprochaient à l'AB et à l'écologie politique d'être moralisatrices. Pour se faire reconnaître et pour convaincre, l'écologisme politique et l'AB ont donc fait le pari de l'objectivité et du concret. En arrêtant de vanter les jolies petites fleurs dans les champs et les oiseaux mignons qui chantent dans les haies, en présentant des arguments rationnels, concrets, scientifiques, l'écologisme et l'AB ont acquis leur reconnaissance. Le grand publique a reconnu leur utilité. C'est une avancée notable, c'est une bonne chose ! Mais ce qui est technique, ce qui est utilitaire, relève du moyen et non de la fin. En mettant trop en avant la justification scientifique (écologique, climatique, agronomique), l'AB utilise les mêmes critères que l'agriculture chimique industrielle. Conclusion : l'AB devient une machine à faire du pognon. Conclusion : l'écologie politique se borne à répéter qu'il faut protéger la Nature, sans oser (et sans pouvoir) promettre quoi que ce soit en terme d'épanouissement humain. Ni l'une ni l'autre n'ont le courage ou la volonté ou le pouvoir de faire rêver. Elles sont utilitaristes. Grave erreur de penser : elles sont donc un moyen, un outil, mais au service de quoi ? Un moyen sans sa fin.

N'étant que des moyens, elles vont être soumises aux aléas. Elles vont perdre le contrôle d'elles-mêmes : elles vont êtres compromises, récupérées, utilisées comme arguments par les escrocs, elles vont dégénérer. Oui, c'est déjà ce qui se passe…

À agriculture nouvelle, imaginaire nouveau, donc Homme nouveau. Il faut deux jambes pour avancer : une jambe technique et une jambe qui rêve. Ce n'est pas « l'utile et l'agréable » qu'il faut, c'est l'utile et l'imaginable.

ALCHIMIE AGRICOLE

Décembre 2019

Imaginez une carrière. Du cœur de la montagne on extrait des roches et des minéraux, parce qu'ils ont une certaine valeur. Chaque jour, on extrait ces roches. Chaque semaine, chaque mois, chaque année, année après année, on les extrait. Puis un jour, on ne les extrait plus : le filon de roches est épuisé. Il n'y en a plus. C'est terminé, on ferme la carrière.

Avec un peu de chance, des géologues trouvent un nouveau filon, ailleurs, et prestement on se rend là pour y creuser une nouvelle carrière et extraire les roches précieuses. Quand tout le filon a été extrait, on ferme la carrière, on cherche un nouveau filon, on creuse une nouvelle carrière, etc.

C'est une banale entreprise ; l'humanité creuse et extrait des roches précieuses depuis la nuit des temps, sur tous les continents. Les carrières abandonnées par épuisement du filon sont innombrables. C'est très banal, on en voit partout. Maintenant, si j'affirme qu'il existe une carrière inépuisable, allez-vous me croire ? Ce n'est pas une carrière dont le filon serait si immense qu'il semblerait inépuisable. Non, le filon de cette carrière est de taille moyenne, ni immense ni petit. On peut en extraire tout le minerai et, quand on y revient, le filon est plein à nouveau. Comme au premier jour de la carrière. Impossible ! me direz-vous. Je dois préciser qu'on ne peut entrer dans cette carrière que quatre fois par an. À chaque fois, on peut extraire toute la roche. Et quand on y revient trois mois après, on trouve le filon plein. On peut tout extraire à nouveau. Voilà ce qu'on peut faire quatre fois par an.

Si une telle carrière existait, alors nul doute que son propriétaire deviendrait extrêmement riche. Il serait peut-être l'homme le plus riche du monde. Mais cette carrière n'existe pas. C'est un rêve, me direz-vous, et heureusement que ce n'est qu'un rêve, car si c'était réel, ce serait un énorme bouleversement pour toute notre économie. Pour toute notre organisation sociale. Parce que cette carrière serait une source inépuisable de richesse. À la rigueur, s'il n'y en avait qu'une seule, pourquoi pas ? Mais en vérité, s'il y en avait plusieurs ? S'il y en avait des milliers ? S'il y en avait partout ? Impossible ! Cela contredirait les lois de la physique. Toutes ces roches qu'on extrairait sans fin, elles finiraient par recouvrir intégralement la planète. Et rien ne se crée à partir de rien. Ce genre de carrière, c'est du rêve !

Eh bien non ! Ce genre de carrière existe vraiment. J'en ai même une dans mon jardin. À vrai dire, je n'ai pas besoin de creuser dans la terre. C'est une carrière de surface. Et ce ne sont pas tout à fait des roches que je ramasse : ce sont des feuilles. Ah la belle histoire ! Évidemment, des feuilles qui poussent tout le temps, c'est du flan. Ça n'a aucune valeur, ça n'a rien de nouveau.

Pourtant si ! Cette feuille, c'est la feuille de consoude. Une grande feuille charnue. Je coupe toute la plante quatre fois par an. En deux-trois mois elle a entièrement repoussé, à partir de sa racine forte et profonde. Je ne lui apporte aucun engrais, aucun compost, aucun mulch, rien. Il n'y a pas que la consoude qu'on puisse couper ainsi sans l'épuiser : le rhumex pousse de même. J'ai sur le pas de ma porte un pied de consoude, qui pousse dans la plus mauvaise terre qui soit. Depuis six ans, je le coupe 3-4 fois par an, et il repousse toujours. Il est même de plus en plus vigoureux. La consoude produit tellement de feuilles par pied qu'on peut en faire un usage agricole : ses feuilles sont une « matière première inépuisable » pour la réalisation de compost, de mulch et de purin. Le seul travail à effectuer est de récolter 3-4 fois par an. En comparaison, une prairie agroécologique pour produire du foin exige plus de travail, car en plus du fauchage il faut la tondre deux fois (à la fin août et début mars).

On ne dispose pas d'un terme approprié pour nommer ce genre de plantes *inépuisables et valorisables* en agriculture. Le terme de « vivace » n'inclut pas ces deux aspects distinctifs.

La consoude devrait être considérée comme une plante satanique par les scientifiques de l'agriculture conventionnelle. Car depuis le début du vingtième siècle, on enseigne que toute plante qui pousse épuise son sol quand on exporte ses fruits. Le blé par exemple : après la récolte il y a dans le sol moins de minéraux qu'avant. Ces minéraux sont maintenant dans les grains ; on ne laisse pas tomber ces grains sur le sol, on les emmène dans les silos pour les transformer en farine. Ils finissent comme constituants de notre corps. Si on cultive plusieurs années de suite du blé, la récolte devient de plus en plus maigre. D'où la nécessité d'amener chaque année du fumier ou des engrais, riches en minéraux pour compenser les exportations par les récoltes. C'est la règle bien connue d'équilibre des minéraux, qui a conduit à ce dicton bien connu : « la plante nourrit l'homme et l'homme nourrit la terre ». L'agriculteur qui ne nourrit pas sa terre avec du fumier ou des engrais ou du compost est irresponsable.

La consoude, force est de le constater, n'obéit pas à cette règle. Ses feuilles sont réputées être relativement riches en phosphore. C'est normal, car elles poussent avec vigueur. Les cellules des feuilles se multiplient à grande vitesse. Tous ces processus exigent une grande énergie sous forme d'une molécule nommée ATP, dont le phosphore est un constituant essentiel. Il y a plein d'ATP dans ces feuilles. Si on les récolte trois fois (les années trop sèches) ou quatre fois (les bonnes années) par an, selon la règle du transit des minéraux du sol vers la plante, le sol autour d'un pied de consoude devrait se vider de son phosphore en quelques années. Et la plante devrait donc dépérir. Or, je le constate, cela ne se produit pas. Les plus vieux pieds de consoudes sont au contraire les plus vigoureux et les plus productifs.

Mais les engrais verts, me demanderez-vous ? N'enrichissent-ils pas la terre ? On les fait pousser, on les fauche, on les laisse se décomposer sur place. Les agronomes vous répondront que les engrais verts ne font que rendre mobilisables les minéraux du sol — car dans le sol il y une part des minéraux qui est directement assimilable par les cultures, et une autre part non. La première est soluble, aspirable par les racines, l'autre est sous forme solide, attachée aux sables ou aux argiles. Certaines terres peuvent être riches en minéraux, mais ils ne sont pas assimilables par les cultures. Les engrais verts vont rendre ces minéraux assimilables. Mais in fine, même les engrais verts ne peuvent pas passer outre la règle d'équilibre des minéraux. Si le sol est épuisé en azote, et surtout en phosphore et en potassium, les engrais verts (la moutarde blanche, la phacélie, l'avoine par exemple) eux-mêmes ne vont pas pousser.

La consoude ? Pourquoi pousse-t-elle sans cesse ? Ce serait absolument merveilleux si nos cultures pouvaient comme elle croître sans épuiser le sol.

La croissance perpétuelle de la consoude est pour moi un mystère. Soit il nous faut admettre que la règle de l'équilibre des minéraux n'est pas valable pour toutes les plantes, soit il nous faut admettre que les minéraux se déplacent dans le sol. Ils seraient donc amenés à la consoude. Pas par le jardinier, mais par qui ? Les vers de terre, les bactéries ? Voilà une intéressante piste de réflexion. Ou bien, on pourrait imaginer que … les minéraux se créent dans le sol. Plus précisément, les racines auraient ce pouvoir de créer ces minéraux. Ces atomes. Les racines pourraient transformer le silicium, le carbone, l'aluminium, le calcium (qui sont les principaux atomes constituant les sols) en atomes de phosphore, de potassium et d'azote. Ce serait … de l'alchimie !

Horreur, non, c'est impossible ! Lavoisier sortirait de sa tombe pour revenir nous faire la leçon : rien ne se perd, rien ne se crée, tout se transforme. Mais pas au niveau atomique. Il est impossible de créer des atomes. Il faut être une étoile pour créer des atomes. Les atomes qui nous constituent ont été forgés dans les étoiles, il y a des milliards d'années de ça, et depuis ils sont inchangés. C'est uniquement leurs ajustements les uns par rapports aux autres qui changent. Par exemple, les atomes de carbone qui sont dans la mine d'un crayon de papier sont exactement les mêmes que ceux dans un diamant. Ou dans la pomme que vous mangez au petit déjeuner. Ou ceux présents dans la comète de Haley. Aucune plante n'a le pouvoir de créer des atomes ! Des molécules oui, qui sont des assemblages d'atomes, mais pas les atomes eux-mêmes.

Je ne sais pas ! Les racines de consoude sont-elles des alchimistes du sol ? Il faudrait faire des tests. Il faudrait mettre un petit bout de racine de consoude, bien nettoyé, dans un terreau de silice pure, l'arroser d'eau pure, ne contenant aucun minéraux, et observer la plante. En théorie, la consoude ne devrait pas pousser. Ce test a été fait avec toutes les plantes agricoles : elles ne poussent pas. Si on n'ajoute pas de minéraux dans l'eau, elles poussent sur la base des seuls minéraux contenus dans la graine. Quand ceux-ci sont consommés, c'est-à-dire qu'ils ont migré pour former les feuilles et les tiges, les plants arrêtent de pousser et meurent. C'est une loi de la physique : logique, prévisible, inaltérable, inévitable.

Ou bien ?

La deuxième piste de réflexion est peut-être plus réaliste : les vers de terre amèneraient les minéraux à la plante de consoude. Ou à toutes les autres plantes similaires. Mais s'ils les amènent, c'est qu'ils les prélèvent ailleurs dans le sol. Le sol, à cet endroit, doit logiquement s'épuiser en minéraux … Mais a-t-on déjà observé de telles convergences de vers de terre ? En ce qui me concerne, je ne constate pas plus de turicules de vers de terre autour des plants de consoude qu'autour d'autres plants (les turicules sont les excréments des vers de terre, qui sont concentrés en minéraux). Ou bien sont-ce mes chats qui, chaque nuit, vont uriner autour des plants de consoude, enrichissant ainsi le sol en phosphore ? Je ne pense pas.

Peut-on vraiment épuiser un sol ? En extraire tous les minéraux indispensables à la croissance des plantes. Les sols sont en général épais. Les minéraux sont là, mais plus en profondeur. Ce sont les plantes aux racines fortes et profondes, dans mon jardin la consoude, le rhumex et le panais, qui vont les y chercher à -40, -50 cm de profondeur, dans la couche d'argile quasiment pure qui démarre à cette profondeur. Et ce sont bien sûr les arbres. L'arbre qu'on exclut trop facilement et trop souvent des terres agricoles. Et dans l'idéal, il faudrait ramener tous les excréments humains, compostés, dans les terres agricoles …

Alchimie ou pas, imaginons, imaginons …

INTROSPECTION

ÉCRIRE DANS LE VIDE

Février 2020

C'est presque un rituel, pour moi : se demander une fois l'an pourquoi est-ce que je fais ce que je fais. Le pourquoi 2020 du jardinage agroécologique fera l'objet d'un texte ultérieur, quand l'objectif aura dans ma tête et dans mon cœur été affirmé et confirmé de nouveau. Ici il sera question de mon activité d'écrivain.

2019 a vu mes ventes de livres augmenter : j'ai atteint les 200 ventes. Ma meilleure année ! De mes 17 livres, seuls trois se vendent « bien » : les deux cours d'agroécologie et le livre pour la production professionnelle d'insectes. Les autres tous ensemble constituent environ 10% des ventes. Bref, tout ce que j'ai écrit depuis 2017 ne se vend quasiment pas.

Dois-je donc continuer à écrire ? Mon enthousiasme à écrire a cédé le pas, je l'admets, car la joie que j'éprouve à écrire n'est pas partagée, je le sais maintenant. Les livres que j'ai le plus aimé écrire, qui sont les plus habités par le désir de transmettre la curiosité pour les plantes et la terre, de transmettre tout ce que j'ai pu apprendre, ainsi que la curiosité pour les méandres de l'intellect, sont mes livres qui se vendent le moins. Curieux schisme intérieur que celui-ci : que le meilleur d'une personne soit ce qu'on désire le moins d'elle. Dans ces livres je donne le meilleur de moi-même, mais ça n'intéresse personne. L'humanité est ainsi faite, apparement. On ne peut pas communiquer ce qui nous est le plus cher.

Le jardin intérieur qu'on porte tous en nous semble devoir rester un jardin secret ; on ne vous désire pas pour ce que vous êtes au plus profonde de vous-mêmes, mais pour votre capacité à satisfaire les autres. Ainsi est faite notre société de consommation et de loisir ... Notre société factice : car les livres qui se vendent bien, les best-seller notamment, sont ceux qui, d'abord, répondent aux désirs des lecteurs. Avez-vous déjà réfléchi à cette question : que serait une société si chacun des individus qui la composent ne s'adressait aux autres que pour satisfaire leurs désirs ? Serait-ce une société hautement emphatique ou hautement hypocrite ? Comme si dans la vie il n'y avait que des désirs ... Non, la vie n'est pas faite que de désirs, alors pourquoi faire de la satisfaction des désirs le premier impératif social ?

Mais revenons au sujet : pourquoi écrire ? On écrit parce que *les mots servent à fixer le passé et à aller au-delà des mots*. Les mots servent à faire le point et à aller de l'avant, que ce soit quand on fait de l'introspection ou quand on considère les autres personnes et la société. C'est pour moi une évidence : le mot (l'écriture) est un *outil d'exploration*. Un mot, une pensée, une phrase, un livre, une bibliothèque, ne constituent jamais une conclusion. Ils ne désignent jamais que des étapes sur le chemin de la vie.

La vie est évolution, tout bouge. Trump, internet, 5G, coronavirus, élections municipales, etc : dans ce monde qui tousse, qui tressaute et qui s'élance, l'importance des mots, de l'écrit, devrait être une évidence. Les mots précèdent les pas. Or il n'en est rien. Ce ne sont que les apparences qui changent, les pensées demeurent intactes. Depuis la maison où je vis, je le vois bien ! Changement climatique ou pas, la société continue dans son mouvement. L'être humain ne se change pas. D'où ma question renouvelée sur mes raisons d'écrire. Si l'humain n'évolue pas, quel besoin a t-il de cet outils qu'est l'écriture ?

Ce texte-ci, et tous les autres que je mets sur mon site internet et sur « Facebook », ne sont pas lus, je le sais. Le compteur de visites de mon site décolle rarement du zéro. Le mois dernier, neuf visites en tout et pour tout ! J'écris parce que je crois que mes réflexions et mes idées peuvent contribuer au progrès humaniste de la société. Mais certains signes ne laissent pas de doute quant à l'abêtissement généralisé en cours. Par exemple je vais voir mon assureur pour lui dire que je veux résilier un contrat. Il refuse de valider ma demande : il l'accepte uniquement si je la fais par écrit et envoyée en recommandé. Le cachet de la poste fait foi, ma présence en chair et en os n'a pas de valeur. L'assureur refuse d'accepter ma décision en ma présence. Comment peut-on en arriver à ce niveau de déshumanisation ? Autre exemple, à la poste cet écriteau : « Tout retrait d'argent supérieur à 1500€ devra être notifié 48h à l'avance et la destination des fonds devra être précisée ». Cela signifie que vous ne disposez plus d'un libre accès à votre argent et que vous n'avez plus de vie privée quant à l'usage de votre argent. Où va-t-on ? Ne sont-ce pas là deux signes de la disparition de la confiance ? La *confiance*, cette valeur humaine… Je crois qu'on va vers une société où l'individu ne sait plus agir envers un autre individu que via des contrats. Donc vers une société où le droit régi tout. Cela nous vient des États-Unis, auxquels nous sommes monétairement, militairement et culturellement soumis. Leurs cultes du droit et de l'argent régissent notre pays désormais

Encore un exemple de déshumanisation : la pratique du « name and shame » en provenance des pays anglo-saxons, et approuvée par Emmanuel Macron et Marlène Schiappa. C'est un court-circuit à l'esprit critique et au libre arbitre, certains s'arrogeant le droit de dénoncer au nom de la vertu et du peuple.

C'est d'un enfantin … On peut y voir aussi un signe précurseur d'une dictature.

Dans une telle société régie par le droit, les changements se font par coup de procès devant les tribunaux : la démocratie n'existe pas.

Cette société est pour moi un autre monde. Une autre planète. Je n'arrive pas à en devenir l'habitant. Aucun de mes écrits ne peut y trouver un accueil favorable, parce que j'écris de façon *désintéressée*. Parce que j'écris à propos de ces mystères que sont le rapport à la Nature et la vie intérieure de l'individu. Via mes écrits je veux faire sentir au lecteur le goût de la vie dépouillée de toute volonté, de toute arrière-pensée, or cette société est un volcan bouillonnant de désirs en toutes sortes, accompagnés du « tout-contrat » et du « tout-argent ». Il faut satisfaire les désirs, les désirs des clients, des employeurs, des chômeurs, des malades, des minorités, …

Avant même mes écrits, moi-même je ne suis pas bien accueilli dans cette société. Les trois femmes que j'ai rencontrées dans ma vie, qui étaient bien insérées dans la société, en échange de leur amour et de leur confiance m'ont toutes demandé d'abandonner une partie de moi-même. Pas carriériste, trop questionneur, pas assez religieux, m'ont-elles reproché. La vie est un animal sauvage ; qui veut l'aborder en protecteur de la nature ou en promoteur immobilier ou en promeneur du dimanche ou avec quelque code social que ce soit, ne parviendra jamais à la rencontrer, à la connaître, à l'aimer pour ce qu'elle est. Il faut aller vers elle sans désir, sans espoir, sans attente. Sans volonté. Impossible credo pour la société actuelle … Le chemin pour rencontrer la Nature est trop souvent compris à tort, je suppose, comme un exercice de renoncement à notre personnalité et à nos émotions. Ce n'est pas du tout le cas, c'est juste prendre un état d'esprit particulier. Mais vu l'absence d'intérêt que suscitent mes meilleurs livres, j'ai maintenant compris que *les détails de cet état d'esprit propre à la connaissance de la nature n'intéressent personne.*

Alors à quoi bon les relater ?

J'ai écrit quelques nouvelles et un roman, qui sont tout aussi peu lus. Et l'idée d'écrire seulement pour divertir les gens ne m'enthousiasme pas. Notre société de loisirs croule déjà sous les offres de divertissement. Je n'achèverai pas le thriller que j'ai commencé, dont l'intrigue se déroule dans la vallée de la Vire entre Saint Jean de Daye et Carentan, et qui a pour protagonistes une médecin devenue naturopathe, un maraîcher baba cool, un gendarme bourru, un vieil alchimiste et un médecin de grande renommée qui officie dans les maisons de retraites locales. Un thriller sur fond de pèlerinage oublié aux sources sacrées de la vie, dans un contexte d'engouement aveugle pour l'agriculture biologique. Le roman local n'intéresse personne. On peut aller au magasin le plus proche constater que ces livres prennent la poussière et qu'ils finiront au pilon.

Trop de livres, tout le monde veut être écrivain — c'est un signe, l'époque est à l'égoïsme, chacun se croit important. Tout le monde veut dire, veut raconter, veut convaincre, veut enseigner, veut émouvoir. sur Facebook, tout le monde est prophète ! Mais plutôt que le livre dont la vocation est de remplir la tête des gens, il faudrait créer le livre qui écouterait les gens. Le livre qui serait le réceptacle des gens ! Le livre écrit par le lecteur pour l'écrivain ! Au point où on en est, il faudrait inverser la définition du livre.

Certes, les livres ont pour vocation de transmettre des vérités. Par exemple, les récits des explorateurs permettent aux sédentaires de prendre conscience du monde qui les entoure. L'explorateur, en plus des étapes de son périple, relate aussi et explique cet état d'esprit particulier qui résulte de la découverte de territoires et de peuples inconnus. C'est ce que j'appelle la « *conscience du voyageur* » : un changement s'opère progressivement dans la tête et le cœur du voyageur à force de parcourir le monde. C'est une forme de sensibilité, et que je possède car j'ai grandi dans plusieurs pays successivement. L'explorateur peut expliquer longuement et avec amour cette conscience du voyageur. Mais il fera là des pages qui ennuieront le sédentaire. C'est une conscience intransmissible. Elle est importante et puissante ; en ce qui me concerne sans elle je ne pourrais pas déployer mon imagination littéraire. Je ne pourrais pas faire passer « le sens de l'ailleurs, le sens du différent » au lecteur. Le « dépaysement radical ».

Il y a donc ces choses que l'écriture ne peut pas transmettre. L'écrivain du temps présent est égoïste. Ça lui ferait du bien de méditer sur les limites de son art !

TRANSCENDANCE

L'HOMME DE VITRUVE

Janvier 2020

L'homme de Vitruve est un dessin de Leonardo da Vinci. Le maestro a représenté un homme étendant ses bras et ses jambes de deux façons : une fois ses mains et ses pieds sont inscrits dans un cercle, une autre fois ils sont inscrits dans un carré, carré qui est lui-même inscrit dans un cercle. La signification généralement admise de ce dessin est, je crois, en lien avec les proportions du corps humain. Le maestro veut peut-être nous transmettre cette idée que les proportions du corps sont déterminées : elles obéissent à la logique circulaire et à la logique quadratique. Les proportions ne sont pas fixées au hasard. Elles obéissent aux lois mathématiques du cercle et du carré. Le centre du cercle et et le centre du carré sont un seul et même point : le nombril.

Le dessin peut être interprété symboliquement : l'homme est inscrit dans le carré, carré symbole de la matière, de la terre et de la raison. Il est aussi inscrit dans le cercle, cercle symbole du cosmos, de la spiritualité, de Dieu. Et le carré est inscrit dans le cercle : l'homme est soumis à la raison qui est soumise au cosmos.

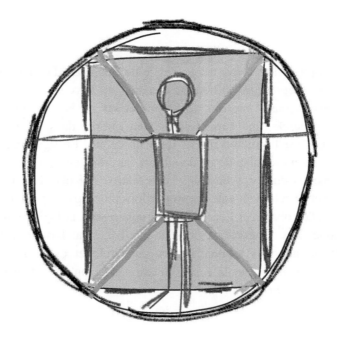

Ce dessin du maestro interpelle tout un chacun, je crois. Qui peut y demeurer indifférent ? On ressent que ce dessin n'est pas qu'une construction logique. Il n'est pas qu'une recherche de la logique des proportions ; il y a quelque chose dans ce dessin qui amène à l'idée de géométrie sacrée … Quant à moi, en plus des deux interprétations que je viens d'en donner, ce dessin me reste présent à la mémoire surtout parce que je l'ai relié intuitivement à cette maxime : « l'homme est la mesure de toutes choses ».

« L'homme est la mesure de toutes choses ». De nos jours, cette maxime n'est pas moralement acceptable. Elle signifie que l'homme est au centre de tout : au centre de la famille, du village, de la société, du pays, de la Terre, du système solaire, du Cosmos. On le voit dans le dessin du maître : l'humain est au centre du cercle comme du carré. C'est une position égocentrique. L'homme se croit au centre de tout, donc il croit être l'élément le plus important de tout l'univers. Il croit que tout converge vers lui. D'où le prétexte pour tout soumettre à son bon vouloir : les animaux, les plantes, les minéraux, les lois de la physique et de la biologie. Cette entreprise égocentrique nous a amené à ce que nous vivons aujourd'hui : une situation angoissante parce qu'une grande partie de la biosphère de notre planète est détruite. Feux massifs, extinction massive d'espèces, épuisement massif des minéraux de valeur, etc. C'est une entreprise tragique ; quand les bons capitaines de cette entreprise de soumission disaient qu'il fallait « gérer en bon père de famille » les ressources de la planète, les mauvais (et les plus nombreux, génération après génération) n'avaient qu'une seule visée : vivre dans toujours plus d'opulence, de luxe, de débauche, d'orgie technique. Sans même se soucier de la génération suivante. Cet homme égocentrique, depuis Homère, vit pour et par un triple culte : le culte de la puissance technique (armes, armures, navires), le culte des richesses (pierres précieuses, objets en or, parures) et la culte de la supériorité (hiérarchies, maîtres, esclaves, guerres, dominations). Lisez ou relisez L'Odyssée. Cet homme qui est la mesure de toute chose rapporte tout à lui. C'est un égoïste suprême. Son destin est amorcé depuis sa naissance, qui est de mourir écrasé sous les montagnes que forment ses déchets et ses objets techniques et précieux, le ventre vide après avoir détruit toutes les plantes et tous les animaux qui le nourrissaient. L'homme qui se veut la mesure de toutes choses veut que ses désirs soient ses droits et que la réalité s'y conforme. Aujourd'hui, au regard de l'ampleur de la destruction écologique, partout sur terre, il n'est plus moralement acceptable d'en appeler à cette homme mesure de toutes choses. Les élus qui le font, le président américain en premier lieu, appartiennent à cette lignée de mauvais capitaines qui pensent qu'ils n'ont pas besoin de la terre ferme pour vivre. Ils ne veulent voir que leur grand navire voguant fièrement et indéfiniment sur les flots... Ils ne veulent voir que ce qu'ils désirent ...

Ces tristes capitaines égoïstes nous ont donc conduit à la regrettable situation écologique actuelle, où nous constatons que les écosystèmes et les espèces disparaissent à tour de bras. Logiquement, le spectre de la famine refait peu à peu surface dans les esprits. D'où l'insistance croissante des lobbys agricoles d'affirmer que l'agriculture a pour noble mission de nourrir le monde. Mais plus elle affirme être performante, plus la famine devient une certitude, et au moment où les lobbys affirmeront atteindre des sommets de productions, la famine sera à notre porte. Revenons à nos moutons.

Nous constatons les dégradations écologiques, nous savons qu'elles vont nous mener à la famine si elles se poursuivent. Mais nous ne faisons pas grand-chose pour y remédier. Nos organisations sociales et nos têtes sont prisonnières du triple culte de la puissance technique, des richesses et du pouvoir. Pour nous départir de ce culte, c'est paradoxal mais il nous faut à nouveau regarder l'homme de Vitruve. Regardez-le à nouveau. Y voyez-vous la solution à notre grave problème écologique ? Regardez bien. Moi je la vois.

L'homme est au centre du carré. L'homme est au centre du cercle. Avec ses mains et ses pieds, il s'étend dans tout le carré, il s'étend dans tout le cercle. Il est la mesure de toutes choses. Il prend le carré dans ses mains, il prend le cercle dans ses mains. Avec sa tête il réfléchit (le carré) et il imagine (le cercle). Avec ses mains, il … ressent. Il fait contact (il ne fait pas que créer et construire). Alors, voyez-vous la solution au problème écologique ?

La solution est dans la mesure et dans le centre. À force d'obéir aux désirs des capitaines égoïstes, nous avons petit à petit abandonné notre humanité. Surtout, nous avons abandonné notre sensibilité. Nous l'avons troquée contre la puissance de l'outil, contre le capteur de l'instrument de mesure, contre la théorie scientifique, contre … le rendement horaire, la productivité. Il nous faut maintenant renouer avec notre sensibilité. Regardez le dessin du maestro : ne nous montre-t-il pas qu'avec nos simples mains et notre tête, avec nos pieds même, nous pouvons toucher tout le cosmos ? Le toucher et, surtout, y être sensible.

C'est peut-être là un acte de foi, de croire que nous pouvons capter, que nous pouvons ressentir, tout ce qui compose le cosmos. Peut-être. Ce qui est certain, c'est que nous devons redevenir directement sensible à nos écosystèmes terriens. Nous devons redevenir sensible aux plantes, aux animaux, à la terre, mais aussi à l'eau, à l'air et au ciel. Cette sensibilité est inscrite dans nos gènes. La science et la technique nous révèlent certains aspects de la nature, certes. Ces aspects sont réels. Toutefois, j'insiste sur le fait que ce sont les industriels, les banquiers, les spéculateurs et les commerçants qui aujourd'hui imposent aux rares personnes qui vivent et travaillent avec la nature, de considérer que seuls certains de ces aspects sont importants. Quand dans les années 1960 la science a confirmé les théories écologiques du sol, des plantes et des animaux, ces personnes fanatiques du triple culte ont bien fait comprendre aux agriculteurs que ces aspects écologiques n'étaient pas importants et devaient être ignorés. Tout autant soumis au triple culte, les établissements d'éducation et de recherche agricole ont arrêté de les enseigner et de les étudier. Il a donc été empêché d'étudier et de poursuivre les développements des connaissances agricoles empiriques qui relevaient de l'écologie, telles qu'on les trouve dans, par exemple, dans *Agriculture et horticulture*. D'après les programmes officiels du 27 juillet 1909, par F-A Montoux, Paris, Librairie Ch. Delagrave. Notez l'année : 1909. On y trouve expliqués dans le détail le pourquoi et le comment des engrais verts. Or l'utilisation des engrais verts est une technique que les agriculteurs bio ont remise à l'honneur à partir des années 1990-2000. Bref, 90 ans de perdus ... On trouve aussi d'importantes et précises connaissances empiriques dans le *Cours complet d'agriculture, théorique, pratique, économique et de médecine rurale et vétérinaire*, par une Société d'Agriculteurs et rédigé par Mr. l'abbé François Rozier, Paris, rue et hôtel Serpente,1781. Vous lisez :1781 !

Ne croyons pas que la science et la technique justifient de ne plus utiliser notre sensibilité naturelle d'humain envers son environnement.

Après avoir lu ces ouvrages agricoles anciens, mon opinion est que notre compréhension actuelle de l'écologie du sol et des plantes n'est pas plus élaborée qu'en 1909 ou, pour certains aspects notamment l'importance de l'air, qu'en 1781. Notre connaissance actuelle est mieux organisée et mieux contenue de par les concepts scientifiques très rationnels que nous utilisons, mais notre compréhension à des fins agricoles est somme toute peu développée. C'est ce que Claude et Lydia Bourguignon disent clairement dans le documentaire *Des solutions locales pour un désordre global*. Voyez aussi mon cours théorique d'agroécologie : les théories écologiques connues et utilisables en agriculture se comptent sur les doigts d'une main.

Avec l'ouvrage de François Rozier, revenons à Leonardo da Vinci et à notre pouvoir de sensibilité. Déjà, après avoir lu presque tous les livres actuels d'agriculture biologique, d'agroécologie (fort peu nombreux) et de permaculture, en lisant Montoux j'ai découvert une plus grande acuité d'observation et de description. Toutefois, l'explication chimique prenait déjà une place importante dans les explications de Montoux. Chez Rozier, la finesse des descriptions, liée à la finesse des sensibilités par la vue, le toucher et l'odorat m'a impressionnée. Et c'est normal : à cette époque la science agricole n'avait pas encore d'instruments de mesure. Tout le savoir reposait et provenait de ce que nos cinq sens pouvaient capter. Da Vinci et Rozier nous indiquent que nous pouvons utiliser nos sens pour percevoir tous les aspects du cosmos ! Dans mes livres *L'Éphexis au jardin*, *Le bonheur au jardin* et dans plusieurs textes de mes recueils, je fais le récit de ce que je suis parvenu à percevoir des plantes, du sol, de l'air à l'aide de mes sens. Mes sens qui s'aiguisent, depuis cinq années que je suis chaque jour ou presque dans mon jardin.

Cette perception directe s'affine et se diversifie plus on passe de temps au contact de la nature. C'est de cette perception directe que l'agriculture a besoin aujourd'hui. L'homme doit revenir ainsi au centre de sa vie — parce que cette place a été prise par la chimie et par les machines, et que cela ne doit pas être. Cela ne doit plus être. Nous sommes le centre et la finalité de notre vie, et non la chimie ou les machines ; c'est une évidence que nous avons oubliée. L'homme doit étendre ses mains et ses pieds dans le carré et dans le cercle, à la façon d'un arbre qui étend ses branches et ses racines. Nous sous-estimons l'étendue de ce que nos sens peuvent nous apprendre ; la science et la technique nous font penser que nos sens ne peuvent rien nous apprendre d'important, et les fanatiques du triple culte font tout pour qu'on oublie nos cinq sens. La compréhension du monde via nos cinq sens ne leur est pas profitable. Rien ne nous oblige à demeurer soumis à ce culte.

Ce que Rozier écrit sur l'importance de l'air pour les cultures était une connaissance empirique. Les agriculteurs l'avaient ressenti et constaté au cours des siècles précédents. Aujourd'hui, une telle sensibilité est quasiment inimaginable. En ce qui me concerne, j'ai eu, après cinq années dans mon jardin, l'intuition que l'air du jardin n'est pas optimale pour mes cultures. Cinq années à humer l'air … Pour qui ne jardine pas, c'est comme demander à un aveugle de naissance de ressentir les couleurs. On n'imagine plus la sensibilité du corps humain.

Je ne dis pas que la perception directe rende inutile la connaissance de la chimie du sol et des plantes. Non. Les deux formes d'appréhension du sol et des plantes doivent être combinées. Ce serait de l'idiotie ou de la fainéantise que de décréter utiliser l'une mais surtout pas l'autre.

Il y a quelques jours, je regardais en « replay » un documentaire sur la Nouvelle-Calédonie, émission *Échappées belles*, saison 14, France 5, avril 2020. J'ai vécu en Nouvelle-Calédonie de mes huit à douze ans. Sur l'île d'Ouvéa, Tiga la présentatrice de l'émission interrogeait Antoine Omeï, guide de Hnimeck, kanak responsable de la préservation d'une nursery naturelle de requins. Tiga :

« — C'est vraiment magique cet amour que tu as pour ton environnement, pour les animaux. Pour la nature que tu respectes. C'est quelque chose que tu as appris ou c'est inné, comme ça, chez les Kanaks ?

— On a appris, mais c'est inné aussi, c'est dans le sang, c'est-à-dire qu'on est né avec ça. Le vent, c'est les éléments qui parlent. Tous les jours il nous parle, mais il faut des fois qu'on s'arrête, qu'on essaie de tendre l'oreille, de bien écouter c'est quoi le message qu'il nous envoie. C'est les yeux qui regardent et c'est les oreilles qui écoutent. »

Voilà des mots dont la valeur est identique d'un bout à l'autre de la Terre ! Du Pôle Nord au Pôle Sud, de l'Europe au Pacifique. L'homme de Vitruve est un Kanak. J'espère qu'il sera aussi, dans quelques décennies, un Normand ou un Breton ou un Beauceron.

Certains pensent qu'il s'agit là de croyances simplistes, arriérées, du temps d'avant les religions monothéistes. Certains ne veulent rien savoir de cette perception directe, nos amis industriels, banquiers et commerçants notamment. Le triple culte propagé par ces fanatiques, par ces adeptes de la secte du libéralisme économique, est aujourd'hui vraiment bien ancré dans toutes les têtes. Ainsi, lorsque la correspondante du journal local *La Manche Libre* me contactait il y a une semaine pour faire un article sur mon jardin agroécologique, spontanément, et comme tout le monde, en premier lieu elle me demandait si j'en vis bien. Si c'est productif. Que puis-je encore répondre à cette question qui émane d'une société où tout se mesure à l'aune de l'argent et au rendement par heure de travail ? Claude et Lydia Bourguignon, dans le documentaire cité, expliquait la culture mexicaine agroécologique dénommée « Milpa ». On cultive des courges, du maïs et des haricots en même temps, et elle est la plus productive au mètre carré. Mais on ne peut mécaniser ni les semis ni les récoltes. La réponse au risque qui nous préoccupe de destruction écologique massive en prélude à la famine est donc très claire : dans notre situation où l'on voit les terres arables diminuer sans cesse, transformées en zones pavillonnaires, en zones industriels ou en désert, seule l'agroécologie pourra nourrir tous les habitants de la Terre. Seule une agriculture avec une forte productivité au mètre carré peut nous tirer d'affaires. Pas les champs de blé conventionnels qui produisent seulement cinquante quintaux à l'hectare, en plus de ruiner la fertilité du sol.

Pour pouvoir développer pleinement l'agroécologie, en ignorant avec sérénité toutes les cris d'orfraie des banquiers et compagnie, il faut redonner sa place centrale à notre sensibilité.

Réveillons l'homme de Vitruve qui sommeille en nous.

LES HOMMES DE LA NUIT

9 avril 2020, 24ᵉ jour de confinement

En ces tristes jours d'emprisonnement, une fois la nuit venue j'aime à regarder le ciel. C'est pleine lune en ce moment. Il y a une petite couche de nuages qui fait de ce ciel de crise sanitaire un paysage extraordinaire : les nuages ressemblent à la terre d'un champ, travaillée en grosses mottes. Entre les mottes — les nuages — c'est comme si l'on pouvait voir les profondeurs de la terre. Et quand les nuages s'écartent, la Lune émerge entourée d'un halo tubulaire de gris, de jaune et de bleu, qui semble descendre jusqu'à nous sur Terre. Comme si tout le ciel et son grand sac d'étoiles voulait descendre en passant d'abord à travers et par la Lune. La Lune, notre garde-frontière. Quand les nuages bougent et interrompent le halo, la Lune ressemble alors à un reflet dans une flaque d'eau entre deux mottes.

La nuit, quand le soleil cesse de nous imposer sa force, sa logique, sa lumière de raison stricte, la Lune nous prend par la main et nous guide sur d'autres chemins, des chemins où le ciel et la terre se rencontrent, des chemins où l'imagination et l'espoir ne se voient plus d'autres limites que les étoiles. On se met à rêver. Les films de science-fiction deviennent notre passé et les sagesses de nos ancêtres deviennent nos objectifs présents et futurs.

Et pourtant, la nuit fait peur. Il y a de la beauté dans la nuit mais elle fait peur. La nuit, il est plus facile pour nos yeux d'humains de voir ce qui peuple le ciel que de voir ce qui est à nos pieds. Que de voir ce qui nous entoure. On voit loin, mais on ne voit pas de près. Contempler la beauté du ciel ne nous rassure jamais complètement, car nous demeurons en bas, plongés dans les ombres. Si ce n'est pas un bruit inquiétant qui provient d'un fourré ou des herbes hautes, qui alarme nos oreilles, causé peut-être par un rat ou par un chat, ce sont les angoisses et les horreurs de la société qui se glissent subrepticement en nous et alarment notre cœur. Respirons une dernière fois l'air de la nuit. Emplissons nos poumons. Il est temps de retourner à la maison et de dormir.

Il n'y a pas d'évidences durant la nuit. Il n'y a pas de raison pure. C'est le temps des rêves, des intuitions, des incertitudes et des peurs. Pourtant la nuit est la phase complémentaire du jour. La nuit et le jour sont les deux faces d'une même vie. Nous devrions accorder plus d'importance et de considération à la nuit dans nos vies. Nous serions alors de toutes autres personnes. Équilibrées.

La société moderne est toute entière régie par le Soleil, par ce qu'il symbolise : la puissance, la force, le pouvoir, le vouloir, la clarté, la décision, la raison, la vitalité, la jeunesse éternelle. Mais il existe des personnes pour qui la Lune et la nuit ont autant d'importance. Pour qui ce dont la Lune et la nuit sont les symboles — intuitions, rêves, doutes, peur, mais aussi enlacement, fusion, inversion et esprits — ont autant d'importance que les symboles solaires ? Ce sont des hommes et des femmes qui n'ont pas peur d'aller dans la nuit. On les appelle chamans, medecine-men, hommes et femmes de connaissance, dépositaires des religions et savoirs traditionnels, premiers, primitifs, primordiaux et originels de l'humanité.

En ces temps de crise sanitaire, d'épidémie mondiale, quand la mort rôde dans les rues, dans les magasins, dans les hôpitaux, au creux de la main, qu'est-ce que ces hommes et femmes qui ont parcouru la nuit peuvent nous apprendre ? À nous qui avons trop glorifié le Soleil.

En ce qui me concerne, le confinement a incité ma mère à lire un livre, qu'elle m'a ensuite passé et que j'ai lu : Patrice van Eersel, Alain Grosrey, *Le Cercle des Anciens. Des hommes-médecine du monde entier autour du Dalaï-lama Lama*. Albin Michel, 1998.

Mes dernières lectures sur les sociétés traditionnelles remontaient à 2010 (Sabine Rabourdin, *Les sociétés traditionnelles au secours des sociétés modernes*, Delachaux-Niestlé, 2005) et 2012 (Jean-Patrick Costa, *L'Homme-Nature ou l'alliance avec l'univers*, Alphée, 2011).

Qu'ai-je trouvé dans *Le cercle des anciens* qui puisse être utile pour traverser la crise sanitaire actuelle, pour survivre au virus au cas où il se saisirait de moi et enfin pour préparer un monde meilleur pour demain, dans mes réflexions, dans mon cœur, dans mon jardin ? J'y ai trouvé quelque chose, oui, je vous le confirme. Est-ce une plante médicinale ? une façon de cultiver ? un rituel à accomplir ? des lieux, des esprits ou des personnes à vénérer ? voire une forme d'organisation sociale ? un procédé intellectuel ou une pratique méditative ? vous demandez-vous. Évidemment, le message des anciens comporte des encouragements à respecter la Nature, à chercher l'harmonie. Cela, de mes anciennes lectures je m'en rappelais bien et je l'ai retrouvé dans ce dernier livre. En fait je n'ai rien découvert de nouveau dans ce dernier livre. Mais un passage précis, fait des explications données par un chaman de Touva, berceau du chamanisme de Sibérie et de Mongolie, a résonné en moi. Ce chaman du nom de Fallyk Kantchyyr-Ool m'a rappelé une chose que je savais, à laquelle je donnais un autre nom de par mon histoire de vie et mon cheminement intellectuel, et qui est une des raisons pour lesquelles je suis revenu vivre ici en Normandie. Ces derniers temps, cet objectif de vie m'apparaissait futile, inutile, accessoire voire impossible. Je commençais à l'oublier. Le chaman a dit que cela existe vraiment, que cela continue d'exister. La lumière se ralluma en moi : Mon objectif ne serait donc peut-être pas vain. Le doute persiste, mais le chaman m'a donné un encouragement pour que je continue à avancer sur mon chemin.

Mais je ne dirais pas de quoi il s'agit exactement. C'est quelque chose de spirituel qu'il me faut cultiver et qui portera, un jour peut-être, ses fruits. Alors j'en parlerai dans un texte.

Les religions premières que ces chamans représentent aujourd'hui sont très anciennes. Les gravures datant de - 60000 ans trouvées en Australie laissent penser que c'est à cette époque que les religions premières sont nées. Ces religions comportent des prophéties, ce qui pour nous occidentaux rationnels « ne fait pas sérieux ». Les prophéties n'ont rien de scientifique, de mesurable, de testable. Elles ne sont pas objectives, elles sont toujours soumises à interprétation donc nous les jugeons subjectives donc pas sérieuses donc sans valeur. Nous trouvons ces religions premières moins « sérieuses » que les grandes religions, parce que les grandes religions n'accordent elles-mêmes plus une foi littérale dans les prophéties que contiennent leurs textes sacrés. Même l'Islam.

Mais faisons preuve d'intelligence. Prenons du recul. L'échelle de temps des religions premières n'est pas celle de notre société moderne. Elle n'est pas l'année ni le siècle. Elle est de *toute la durée de l'humanité* ! Eh oui. La réalisation des prophéties des religions premières s'inscrit dans le temps de l'humanité. Dans le temps de l'espèce humaine depuis son apparition et jusqu'à sa disparition. Poser une date pour ces prophéties ne fait pas de sens.

Par exemple, la chamane grand-mother Sarah Smith, iroquoise, dit que viendra un temps où il faudra écouter les hommes qui ont le soleil derrière les yeux et qui parlent d'une voix figée. Reconnaît-on là des scientifiques ? Elle dit aussi que « le temps viendra où nous serons réunis sans pouvoir reconnaître le visage de celui ou celle qui sera en face de nous. Nous serons étrangers les uns aux autres. C'est très triste ! La mère ne reconnaît pas sa fille, la fille ne reconnaît pas son père et ce père ne reconnaît pas son fils, nous ne reconnaissons pas nos grand-parents et les grand-parents ne reconnaissent pas leurs enfants. » Faut-il comprendre là dans ces mots de 1998 l'annonce du port généralisé du masque pour lutter contre le virus qui nous opprime aujourd'hui ? C'est tentant, n'est-ce pas ? À chacun sa conviction.

Ceci pour dire que ce qu'on retire personnellement d'un contact avec une religion primordiale, que ce soit par une lecture, par un documentaire télévisé ou par une rencontre d'homme à homme, est quelque chose qui va aussi s'inscrire dans le temps long, à l'échelle de notre vie. Ça ne s'inscrit pas dans le rythme effréné au jour le jour de notre société moderne. Ce qui ne veut pas dire que cet apport est sans effet pour le temps présent. Cet apport est de l'ordre de la direction. Il y a les directions que la société moderne nous pousse à prendre et il y a … les autres directions. Qui prennent sens dans le temps long, *pour aligner le sens de notre vie avec le sens de l'existence de l'humanité dans le cosmos.* C'est sur ces directions que nous orientent les religions primordiales. Sortir la nuit pour regarder le ciel, la Lune, les étoiles et les nuages, c'est intuitivement chercher à connaître ces grandes directions. Quand un virus mortel menace de se saisir de toute l'humanité, même si nous sommes responsables de l'émergence et de la dissémination de ce virus, il n'est pas contre-indiqué de chercher le sens de notre vie et le sens de l'existence de l'humanité dans le cosmos.

Post-scriptum

Le livre date de 1998. Il propose tous les changements que nous pouvons entreprendre pour arrêter de détruire la nature. Or après les attentats terroristes de 2001 et après la crise financière de 2008, la destruction de la nature s'est poursuivie en s'amplifiant drastiquement. En ce moment même à Saint Jean de Daye, on détruit trois hectares de champs pour en faire un lotissement. Depuis 2012 c'est le troisième lotissement en construction. Les élus n'arrêtent jamais, ils ne savent faire que ça. Et partout en France il en va ainsi. Les guerres en Syrie et en Irak, le terrorisme, ont totalement occulté l'importance de la nature. Ces crises ont-elles donc poussé l'humanité à détruire toujours plus la nature ? L'humain apeuré et choqué a-t-il comme réflexe de détruire toujours plus autour de lui ? La peur et l'incertitude du lendemain nous poussent-elles à faire table rase autour de nous ? Faut-il craindre un redoublement des destructions de la nature quand la crise sanitaire que nous traversons sera passée ? Oui, je le crains.Et plus on détruit, plus les crises que nous traversons sont fortes, car à chaque fois nous avons moins de ressources que la précédente. Voilà bien une étape cruciale à franchir pour l'humanité : se départir de ce réflexe destructeur. Sinon, créant nous-mêmes des crises toujours plus dramatiques, nous finirons par tout détruire dans une rage aveugle. Et demeurant les seuls êtres vivants sur Terre, c'est toute la Force de la Nature qui s'abattra sur nous.

Dans la nuit, entre la Lune et les étoiles, retrouvons le destin qui nous a été assigné.

VIE ET MORT

Mai 2020

Il y a des moments où il semble que tous les malheurs nous tombent dessus en même temps : dans une unique heure, dans une unique journée, dans un unique mois et parfois cela dure le temps de toute une année.

Ce mois de mai est pour moi l'un de ces moments pénibles. J'apprends qu'un membre très cher de ma famille est atteint de la maladie de Parkinson. Ma culture de tomates est menacée par une pullulation de pucerons. Et je me blesse lamentablement au genou, alors qu'en ce moment mon jardin réclame huit heures de travail quotidien.

À cours de temps au jardin pour me ménager du temps à passer auprès du malade, voilà qu'hier le vent m'emporte alors que je suis en train de déplacer une porte de serre. Sous l'effet d'une bourrasque, la porte que je portais sous le bras tourne autour de moi, se colle dans mon dos et me projette violemment au sol. Je m'y écrase le genou, la porte s'envole par dessus ma tête. Bilan : entorse du genou et attelle obligatoire. Lamentable accident de travail. Mais ce n'est qu'une blessure, qui guérira. La maladie de Parkinson, elle, est sans retour à la santé d'avant.

On peut dire que j'ai eu de la chance. J'aurais pu avoir des ligaments déchirés, une fracture, un coup à la tête. Depuis l'an dernier, le vent est mauvais, fort, sec, claquant. Cela faisait plusieurs jours que je voulais prendre le temps de ranger convenablement cette porte à l'abri du vent ; j'avais aussi prévu initialement de ne pas travailler cet après-midi là. Et mon genou me faisait déjà un peu mal, trop sollicité par le travail physique au jardin, s'accroupir et se relever d'innombrables fois. Si j'avais rangé la porte sans attendre, si j'ai pris du repos, si j'avais mieux pris soin de mon genou … S'il n'y avait pas eu cette maudite rafale de vent …

Quand il y a trop de « si », à un moment l'inévitable se produit, et ne peut plus que songer avec amertume au jour d'avant, à l'heure d'avant, à la minute d'avant, même quelques secondes avant, quand notre corps était encore en pleine santé. On voudrait revenir à cette petite seconde juste un peu avant que tout bascule, afin de faire les choses juste un peu différemment. Mais c'est impossible, bien sûr.

À qui la faute ? À moi ou à la Nature ? À la porte, cette fichue porte ! Ah que je me sens petit, car notre condition d'humain est si petite : nous n'avons même pas le pouvoir de trouver LA cause de nos maux. On la cherche et on trouve une cause qu'on pense première, puis la cause de cette cause, puis la cause de la cause de la cause. Et telles conditions, qui ont succédé à telles conditions, qui ont succédé à telles autres conditions, etc. Pour tout ce qui nous arrive de « mal », on ne peut jamais en trouver la cause première, définitive, unique. *Cette joie de savoir ne nous est pas destinée à nous petits et fragiles humains.* Notez que pour les évènements heureux, il n'en va pas ainsi. On sait avec précision d'où ils nous viennent. C'est ce qu'il nous est accordé de savoir (c'est ce que nous accorde l'univers).

Nous portons totalement la responsabilité de faire le bien, mais quand nous faisons du mal, nous n'en portons qu'une responsabilité partielle, car nous ne pouvons pas connaître toutes les causes et toutes les conditions du mal. Cette ignorance « préserve notre âme », car si nous pouvions connaître donc maîtriser toutes les causes des actions négatives, la vie humaine serait toute autre. C'est parce que nous ne pouvons pas connaître toutes les racines du mal, mais toutes celles du bien, que la société peut espérer et tendre vers le progrès. Cette *asymétrie de la connaissance du bien et du mal* fait que la vie humaine est intrinsèquement une vie d'évolution, une vie de progrès. Mais revenons à mon coup de vent, qui a changé ma vie en un claquement de doigt.

On voudrait demander : La Vie est-elle « injuste » envers nous quand elle nous accable ? Et juste quand elle nous comble ? Mais on sent bien que la question de la justice de la Vie, ou de la justice de la Nature, n'est pas réaliste. Cette question, c'est comme vouloir mettre une perruque sur la tête d'un chauve, parce qu'on apprécie de voir les beaux cheveux, mais sans savoir si le chauve est là ou pas. On ne saurait savoir parfaitement ce qu'est la Vie, ou la Nature. Je vous parle par expérience, car cela fait vingt-deux ans que je côtoie la Nature et m'interroge à son sujet. Toute question de justice, tout comme de droit et de devoir des actes de la Nature envers nous, est illusoire et improductive. La Nature n'a pas de compte à rendre. Toutefois, on ne peut pas s'empêcher de poser la question, on ne peut pas s'empêcher d'exiger ceci ou cela de la nature. Donc cette question, à défaut de pouvoir révéler quoi que ce soit sur la nature, révèle quelque chose de nous. Pourquoi avons-nous un désir spontané, un désir réflexe, de justice ? ... Que chacun cherche ses propres réponses.

Ce matin, genou attelé, je suis allé faire de légers travaux indispensables au jardin. Une fois accomplis, je regardais mon chat Hercules. Il avait, de façon très nonchalante, attendu puis attrapé un jeune campagnol et « jouait » avec lui avant de le consommer. Scène quotidienne de la vie au jardin, mais que je considérais d'une façon nouvelle. Avez-vous remarqué comme on croit avoir tout compris de certains évènements, à force de les voir régulièrement, quand vient un jour où, les conditions de notre vie ayant changé, on les comprend d'une toute nouvelle façon ? Les façons de voir la vie sont innombrables — c'est là une des rares certitudes auxquelles nous avons accès, en tant que petits humains.

Donc, Hercules joue avec le petit rongeur et je me dis que la mort est le prix de la vie. La mort est une certitude et la mort fait partie de la vie. La mort est nécessaire à la vie. On se fait manger par d'autres : mort pour nous, vie pour eux. On tue des plantes et des animaux pour se nourrir. C'est une réflexion banale, que vous vous êtes sûrement déjà faite et qu'on peut lire et entendre un peu partout. Cependant, ce matin je n'étais pas satisfait de cette réflexion. La leçon philosophique qu'elle contient sur la vie et la mort me satisfaisait encore, mais plus sa formulation. « La mort est nécessaire à la vie » : c'est une formulation correcte, mais je crois qu'on peut mieux faire ! Le jeune homme de vingt-ans que j'étais se satisfaisait pleinement de cette formulation ; L'homme de quarante ans que je suis, au genou abîmé et dont un très cher membre de la famille est affligé de Parkinson, veut en savoir plus ce matin. Et j'en sais plus.

J'insiste sur ceci : sur le sentiment mélangé de vide et d'insatisfaction que j'ai ressenti lorsque Hercules a saisi le rongeur. Ce n'était vraiment pas grand chose comme sentiment. Juste un … souffle, un murmure sur ma conscience. « Il manque quelque chose ». Si peu. Voilà ce que j'ai ressenti. Mais je suis toujours en recherche de ce qui différencie le bien du très bien, alors j'ai saisi au vol ce sentiment. Et je fus immédiatement persuadé qu'une autre formulation pouvait révéler … une quintessence philosophique, reposant derrière la leçon philosophique évidente. « La mort est nécessaire à la vie » : on voit là un couple, une dualité. Elle implique en fait un double couple : mort - fin et vie - naissance. Comment dépasser ces quatre éléments, sans en minorer aucun et révéler une quintessence ?

Il faut réduire le 4 au 1, c'est-à-dire exprimer la leçon philosophique uniquement avec le mot mort ou avec le mot vie. La mort devient alors « la vie qui détruit la vie ». « La mort est nécessaire à la vie » devient : la vie qui détruit la vie est nécessaire à la vie. Soit deux nouvelles formulations : pour que vie il y ait, il faut que la vie se détruise elle-même. Ou : la vie détruit la vie, pour que la vie se perpétue.

La quintessence est révélée : le monde n'est plus un jeu de pouvoir entre la mort et la vie. La mort est évincée du plateau de jeu, il ne reste que la vie. L'unité. La vie qui se nourrit d'elle-même, qui est cannibale, qui est suicidaire. Alors que nous concevions la vie comme l'emblème de la reproduction et de la multiplication, il nous faut maintenant la concevoir aussi comme l'emblème de l'autodestruction. La mort n'est en fait rien d'autre que la vie. La dualité de la leçon philosophique évidente est effacée : ce n'était qu'une façon de voir les choses. Me suivez-vous ?

À vingt ans j'ai appris, compris et intériorisé que le couple vie & mort est indissociable. À quarante ans je comprends désormais qu'il n'y a que la vie.

D'où une nouvelle question : Une vie qui ne se détruirait pas elle-même en serait-elle une ? La capacité à vivre serait aussi la capacité à terminer la vie ? Peut-être que dans le passé de notre planète a existé une forme de vie qui était entièrement reproductrice et multiplicatrice. Une forme de vie qui n'avait pas cette capacité à se terminer elle-même. Dit autrement : elle était sans programmation génétique de l'apoptose. Cette forme de vie a-t-elle colonisé entièrement la planète ? Mais elle n'existe plus aujourd'hui. Une telle forme de vie que rien n'arrêterait dans son élan vital consommerait tout. Ce serait un véritable monstre.

Alors est-elle morte par épuisement des ressources planétaires ? Sommes-nous constitués des minéraux qu'elle aurait assimilé en les séparant du substrat minéral ? Et en mourant, en se décomposant, elle aurait rendu disponibles ces minéraux pour une nouvelle forme de vie (les archébactéries, qui ont engendré les procaryotes puis les eucaryotes et in fine nous) ? On peut aussi imaginer qu'elle soit morte par annihilation complémentaire ou fusion avec, non pas une autre forme de vie, mais une forme de mort. Cette mort serait une entité active, non pas comme le silence l'est au bruit, mais comme l'eau l'est au feu. Une entité qui ferait tout le contraire de la vie : supprimer toute descendance, bloquer la reproduction – oui je pousse un peu loin l'imagination, mais est-ce que les lois physiques de notre univers interdiraient l'existence d'une telle entité ? Imaginons que ces deux entités primordiales Vie et Mort auraient fusionné, avec pour résultat la vie que l'on connaît actuellement, les archébactéries puis nous, qui portons en nous notre propre fin afin de pouvoir exister.

La vie qui doit se détruire pour pouvoir vivre : au-delà du jeu de mot, au-delà du concept intellectuel qu'on peut comprendre, en réalité cela semble bien paradoxal. Illogique même. Mais l'est-ce vraiment ? On ne connaît aucune autre forme de vie que la nôtre, basée sur le carbone, pour pouvoir comparer. Mais l'humanité en rencontrera peut-être dans quelques années, en explorant l'espace.

En attendant ce très glorieux moment, après cette pandémie de coronavirus dont nous sortons à peine, il nous faut faire le maximum d'efforts pour vivre en respectant la nature. Car ce n'est que dans une nature préservée que les jeunes générations, demain, pourront y discerner des modalités de la vie que nous ne voyons pas aujourd'hui, qui seront du même niveau voire au-delà de la quintessence philosophique que je viens d'exposer. Ce progrès dans la compréhension de la vie se fera. Ce n'est pas parce que les générations actuelles estiment qu'elles n'ont plus rien à apprendre de la nature qu'elles peuvent se permettre de la détruire. C'est horriblement égoïste ; c'est la vie qui se détruit elle-même pour vivre. En même temps, la vision de cette destruction procure aux jeunes générations un impératif de vie plus grand encore. La destruction les motive. C'est très paradoxal.

Mais il n'y a pas que la vie et la mort ; il n'y a pas que la vie qui se crée et la vie qui se détruit. Il existe un entre-deux, un état intermédiaire : la blessure, la maladie. Partiellement détruit, le corps ne répond plus totalement à notre volonté. La leçon philosophique de cet état intermédiaire est que rien ne nous appartient, pas même notre propre corps. Blessures et maladies, que nous éprouvons tous plusieurs fois au cours de notre vie, préparent notre âme, l'accoutument, à l'inévitable moment où nous devrons rendre notre corps à la nature. Tel l'athlète qui éduque, qui dresse, qui conforme son corps à des objectifs qui n'ont rien de naturel (finir premier de la course), tel le jardinier qui délimite, qui dresse, qui cultive sa terre, qui la conforme à des objectifs non naturels, in fine il faut rendre à la nature ce qui lui appartient. On se dit, je me dis, « après moi la nature reprendra ses droits ». Le jardin redeviendra sauvage. Cela semble logique, sauf que la nature n'a jamais cédé ses droits. Elle était là avant moi, elle est là en ce moment-même, elle sera là après moi. Là encore, notre besoin de justice accapare notre façon de voir la vie. Dans notre imaginaire culturel occidental, nous avons assimilé la naissance humaine — la naissance de l'espèce comme la naissance du nouveau-né — au droit sur la nature. Naître = droit de domination. Un nouveau bébé, une nouvelle technique, une nouvelle machine signifient de nouveaux droits de domination sur la nature. Je n'ai aucun doute que les jeunes générations, et je les y encouragent, prendront conscience de cette conception culturelle et s'en délesteront. Blessures et maladies nous rappellent que notre volonté, que nos désirs, sont peu de choses. Ils ne sont pas en accord avec une conception de la vie qui respecte la nature ; les jeunes générations remettront cela en place — ce qui rendra plus facile, plus évidente, l'identification de nouvelles modalités de la vie.

La vie se crée, la vie se détruit. Elle perdure grâce à cette dynamique interne. Elle pourrait ne plus perdurer si elle perdait la capacité de se créer elle-même. En ce qui nous concerne, aujourd'hui nous constatons à quel point les dictatures techniques, médicales, commerciales et sociales sont répandues et vigoureuses. La dictature chinoise par exemple, qui muselle l'expression, la liberté, la créativité, la réflexion, qui réduit les possibilités d'apprendre, de découvrir, est excessivement destructrice. Les démocraties occidentales lui emboîtent le pas — les nomenklatura chinoise et occidentales marchent main dans la main, partageant un même désir mégalomaniaque de jouissance sans entrave et de luxe infini. Elles ont pour objectif de déshumaniser au maximum la population mondiale, pour se réserver à elles seules les richesses de la Terre. Plus elles nous priveront de ce qui nous permet de vivre, plus elles estimeront, elles, vivre bien. Notre malheur, notre indigence, fera leur bonheur. Esclaves dans les champs avant-hier, esclaves dans les usines hier, esclaves de la télé aujourd'hui, esclaves numériques demain, contrôlés et mâtés par des robots et des ordinateurs à l'intelligence artificielle circulant via les réseaux 5G. Ce plan de domination, d'une idiotie et d'un égoisme énorme, bascule quasi-complètement du côté de la destruction de la vie — la nature et nous-mêmes les humains — et peut enclencher la fin de notre espèce. C'est un danger auquel les jeunes générations doivent être préparées : cela nous incombe à nous les quarante ans et plus. Elles ont toutes les raisons de ne pas accepter ce monde déshumanisés, de ne pas s'engager dans cette voie : car de nouvelles compréhensions de la vie les attendent, qui permettront de démarrer une nouvelle ère de l'exploration spatiale. Les dirigeants actuels des dictatures et les milliardaires de tous les pays, eux ne rêvent que de confisquer son futur à la majorité de la population. Obnubilés par le fric et le pouvoir, ils n'ont pas, ni hier ni aujourd'hui, conscience de la nature. Ce sont des ignorants qui ne méritent nullement de diriger la planète. Ils ne la connaissent pas, ils ne veulent pas la connaître. Ils délirent en croyant que la vie est une ressource dont il faut priver au maximum la population mondiale, et la nature, pour la concentrer en eux. Bref, ce sont des malades mentaux.

Alors courage. Sans tomber dans la niaiserie écologiste qui assimile la nature au paradis, sans tomber dans le refus de la technique, il faut s'opposer à ces voleurs de vie. La connaissance précède l'action. Il faut connaître la vie, il faut connaître la nature. On ne protège que ce qu'on aime.

Addendum novembre 2020

Ces jours-ci, les médias font courir des bruits inquiétants : que la vaccination contre le coronavirus sera obligatoire (ce que souhaitent entre autres le Républicain Gérard Larcher et l'écologiste Yannick Jadot). Vision d'horreur s'il en est, car cela impliquera de distinguer les vaccinés des non-vaccinés, cela impliquera d'interdire les uns et d'accepter les autres. En Nouvelle-Zélande il paraît que le gouvernement réfléchit à des camps pour entasser ceux qui refusent de se faire vacciner. Les non-vaccinés seront identifiés en tant que tel, avec l'équivalent d'une étoile jaune. Plus certainement on les obligera à rester chez eux. Oui, visions d'horreur que cela.

Mais je note, encore, que les films de science-fiction positive sont de plus en plus rares ces dernières années. La science-fiction négative domine, sous forme de scénarios invariants dans lesquels l'espèce humaine se voit privée de son humanité par certains individus qui s'estiment très supérieurs. À force de reproduire ce scénario négatif, dès aujourd'hui les gens s'habituent mentalement à l'avènement d'un tel futur morbide. Ce futur devient de plus en plus imaginable, palpable, concret. Avec des magnats d'entreprises technologiques qui deviennent aujourd'hui de plus en plus puissants, au point de peser sur les législations des pays. Les parcs à non-vaccinés existent quasiment déjà dans les films hollywoodiens de science-fiction. Par contre, le futur dessiné par les science-fictions positives glisse lentement hors de notre imaginaire. Voyez Star Trek de Gene Rodenberry, voyez les Robots de Isaac Asimov (son *Homme bicentenaire* par exemple) : ce sont des futurs dans lesquels l'humanité s'épanouit, se complexifie, s'élargit, s'élève, au lieu de se réduire, au de lieu de se perdre. Mais ce sont des futurs évanescents, flous, décousus, ce sont des petits bouts de futur. Les images de ces futurs ne sont pas nettes, au contraire de celles des futurs négatifs, qui sont déroulées avec moult détails.

Il faut alors comprendre ceci : Pour ce qui est du futur, les racines du mal sont connaissables, mais pas celles du bien. Oui, c'est un défi que l'univers nous a posé ! C'est notre condition humaine. Pour le présent, nous ne portons pas toute la responsabilité du mal, mais entièrement celle du bien, comme je l'ai expliqué. Au contraire pour le futur, nous portons l'entière responsabilité du mal mais pas entièrement celle du bien.

Un philosophe a écrit : « je préfère les vérités qui inquiètent aux illusions qui rassurent ». Il visait là les bonimenteurs, les politiciens démagogues et ceux qui ne veulent pas voir les problèmes du quotidien. Bien souvent, en effet, la vie présente n'est pas rose et on se réfugie facilement dans des illusions, entre autres dans des illusions de futur radieux promises par un écrivain, une religion, un parti politique, un magnat d'entreprise multinationale high-tech. Aujourd'hui, notre situation n'est pas celle-là : nous sommes coincés entre un présent qui est désagréable et un futur qui se présente désagréable. Un futur qui ressemble trop à celui des films de science-fiction négative. Nous sommes coincés entre une vérité qui inquiète et une illusion qui inquiète aussi. Nous cherchons en vain à agripper les images d'un futur heureux. Ce futur heureux, les grands médias, les grand journaux et hebdomadaires, les grands journaux télévisés et radiophoniques n'en annoncent aucun prémisse. Au contraire ils ne relaient que des pistes technologiques qui mènent droit à la perte de notre humanité – dans un premier à la perte de nos libertés dans l'espace publique (ce qui est déjà en grande partie le cas) puis dans l'espace privé.

La seconde lettre que j'ai envoyée au Président, entre autres écrits, prépare pourtant un futur heureux. Si nous faisons les efforts adéquats en terme d'alimentation et d'environnement, nous aurons droit à ce beau futur. Mais l'actuel gouvernement, ainsi que ceux de la majorité des pays, refuse de motiver les citoyens en ce sens. Notre futur nous est refusé ; c'est la vie qui détruit la vie.

NOUVELLES

LE SALON DU MAL-ÊTRE

Novembre 2019

« Chers auditeurs de Trans Inter, bonjour ! Je suis Henri Brémol, votre journaliste de l'émission *Vu par dedans*. Cette semaine, je vous invite à me suivre dans les allées du salon du mal-être. C'est un évènement annuel, qui se tient en ce moment même et jusqu'à la fin du week-end dans la salle polyvalente d'un très charmant tout petit village, le village de Mont-de-Bayé sur Santo, en Normandie.

Ah, oui, chers auditeurs ce n'était pas prévu mais on démarre l'émission avec un convoi de tracteurs qui passe devant la salle polyvalente. C'est gênant pour le bruit, chers auditeurs toutes mes excuses. Ah ! Et ça ne sent pas bon du tout non plus. Mais tout de suite, chers auditeurs, entrons dans la salle. Madeleine Basf vient nous accueillir. Bonjour Madeleine.

– Bonjour, et bienvenu au salon du mal-être.

– C'est un peu dommage quand même, tous ces tracteurs…

– Et bien non, pas du tout, c'est le salon qui commence ici même.

– Ah ça fait partie de …

– Oui oui, vous savez, la campagne aujourd'hui c'est un espace très triste et très pollué. Beaucoup de citadins quittent la ville pour s'installer à la campagne. Ils espèrent pouvoir ouvrir les fenêtres de la longère qu'ils auront rénovée avec amour, le matin, pour contempler la nature et les champs. Mais quand ils prennent une bouffée de pesticides dès qu'ils ouvrent les fenêtres, quand ils respirent tout l'hiver durant l'odeur du lisier qui est épandu très concentré dans les champs, ils déchantent vite, sans mauvais jeu de mot. Et en mars, ce sont des milliers de tonnes de fumier frais que nos braves paysans déversent en tas énormes dans les champs. Ça sent, pour sur, mais il faut ça pour fertiliser les champs.

– Ah oui ? Toutes ces odeurs oui, c'est pas rigolo ça, pas folichon.

– Tout à fait Henri. Au salon du mal-être, nous ne pouvions pas faire l'impasse sur ce mal-être généralisé des habitants de la campagne. Ah, voici madame Henriette. Elle habitait au Mans, au centre ville, et elle est venue s'installer à Mont-de-Bayé sur Santo il y a tout juste dix ans.

– Bonjour madame Henriette. Un petit mot sur le mal-être, ici à la campagne ? Vous êtes au micro de Trans Inter.

– Ah volontiers, merci jeune homme. Oui, alors, c'est vrai, je ne me sens pas bien ici. Les balais des convois de tracteurs font vibrer ma petite maison. C'est dur à supporter, surtout quand on sait que ça ne s'arrêtera jamais. Et ma maison est au bord de la route, là-bas, vous voyez.

– Ah oui, c'est très près de la route, il n'y a pas de trottoir. Mais malgré tout, vous restez vivre ici. Il doit bien y avoir un point positif ?

– Ça oui, les vibrations font que mes cachets se dissolvent plus rapidement dans l'eau. J'en ai beaucoup des cachets, et je les emmène toujours avec moi, vous voulez les voir ?

– Ah, merci madame Henriette, mais les auditeurs attendent que je rentre maintenant dans la belle salle où se tient le salon. Merci madame, bonne journée. Voici donc le hall d'entrée, très décoré vaec beaucoup de fleurs. On se sent presque trop bien ici, qu'en pensez-vous Madeleine ?

– Voilà, ici c'est le hall. Alors toutes ces fleurs et ces plantes que vous voyez ont été cultivées en Inde ou en Chine. On les a faites venir par avion, c'est très cher et très polluant. On a mis ici les photos des producteurs, on les voit en train de travailler dans les champs.

– Ah oui, ça ils travaillent. Ils sont tous penchés, ça doit faire très mal au dos.

– Ils travaillent douze heures par jour. Ils prennent tout de même une demi-heure pour manger le midi, et ils prennent un jour de repos par mois.

– Et ils ont l'air bien petits. Ils ne sont pas grands, les gens là-bas.

– Ce sont des enfants.

– Ah ? Je comprends mieux.

– Oui, regardez cette photo. C'est Binianvakutu, il a 8 ans, c'est le meilleur employé du mois. Son T-Shirt de travail lui a été offer par son employeur.

– Il est si plié en deux, même quand il se tient debout, c'est fou. On dirait qu'il est né comme ça. Et on voit à sa musculature, à sa corpulence, chers auditeurs, qu'il ne chôme pas en effet. Et ses mains ?

– Elles sont bleues et blanches, avec des taches rouges, à cause des pesticides.

– Oui, à force de toucher les plantes pulvérisées…

— Non, ils sont si pauvres qu'ils épandent les pesticides à la main.

— Je me sens mal, déjà, Madeleine. Je crois que votre salon porte très bien son nom.

— Eh oui Henri, et ce n'est que le début. Regardez, nous avons installé deux dispositifs à l'attention des visiteurs. Là vous avez des mouchoirs gratuits et là des seaux à emporter lors de votre visite. Si vous avez envie de vomir, vous pouvez.

— Eh bien chers auditeurs, je vais essayer le seau. Beeeuuaaarh. Ah ! Ça va mieux.

— Vous comprenez ce qu'est le mal-être maintenant : c'est la confrontation de ce qui est beau, bien, vrai, juste avec tout ce qui est moche, laid, rétrograde, toxique. Plus précisément, le mal-être nait quand la beauté émerge justement de la merde, vous comprenez. Tel cet enfant, Binianvakutu, si innocent et déjà si amoindri par la vie.

— Très bien Madeleine, très bien. Et nul doute que vous aussi chers auditeurs, vous partagez mon mal-être. Alors Madeleine, si nous entrions maintenant dans la salle… Il y a beaucoup de visiteurs. Ils ne pleurent pas beaucoup, les seaux sont encore vides. Ah non, plus loin, à ce stand là on remplit les seaux très activement. Il y a toute une famille qui est violemment éprise de mal-être, chers auditeurs, allons voir ce stand qui leur retourne tant le cœur. Monsieur, bonjour, émission *Vu par dedans* de Trans Inter. Vous pouvez nous expliquer ce que vous exposez ici ?

— Je m'appelle Denis Pointu, et je représente l'entreprise Mac Tonald. Aujourd'hui je dévoile notre nouveau produit, des nuggets de petit poulet. Voici un nugget, goûtez monsieur, c'est très bon. Je vous mets de la sauce blanche ou de la sauce rouge avec ?

– Un peu des deux, c'est possible ?

– Tout est possible monsieur. Voilà.

– Ah oui, chers auditeurs, le nugget de petit poulet, c'est, comment dire, remarquable. C'est fin. Ça a un goût…

– De châtaigne.

– Vous m'ôtez le g.. Oh chers auditeurs je m'excuse, j'allais dire que vous m'ôtez le goût de la bouche. Oh oh oh ! Oui mes blagues mettent parfois mal à l'aise, qu'en dîtes-vous Madeleine.

– Ici au salon, c'est le moment idéal pour vous lâcher, Henri Brémol. Cette année au salon, la devise est « paix et liberté ».

– Pouvez-vous nous expliquer ?

– Il s'agit d'affirmer une volonté progressiste, presque politique, du droit au mal-être. Chacun a le droit d'éprouver le mal-être pour soi-même ainsi que d'en générer pour les autres. Fais à ton prochain ce que tu ne voudrais pas qu'on te fasse, comme le dit la maxime de notre mouvement hashtag pas beau, sur Twitter et Instagram.

– Eh oui chers auditeurs, c'est encore une fois la preuve qu'à la campagne les possibilités de vie sociale sur internet existent bel et bien. Éh ! Mais c'est le plus jeune enfant de la famille qui vient de remplir le seau, qui me déborde un peu sur les chaussures. Dis moi, mon petit, qu'est-ce qui t'émeut à ce point ?

– C'est les poulets monsieur. On les mange dans les nuggets monsieur.

– Donc sur le stand de Mac Tonald, un écran, et sur cet écran une vidéo qui montre le processus de fabrication des nuggets.

– Oui, notre chaîne leader mondial de la nutrition express a tout misé sur la transparence et l'honnêteté envers le client. Nous n'avons rien à cacher.

– Vous ne cachez rien sous le duvet pour ainsi dire. Alors chers auditeurs, écoutons Monsieur Denis nous décrire ce processus de fabrication.

– Les petits poulets sont mis à grandir dans un hangar. On en met pas plus de cent au mètre carré.

– Ah oui ! Mais ça ne revient pas trop cher pour l'éleveur ?

– Non regardez la suite. Tous les jours les poulets mangent le sol du hangar, qui est constitué de matière comestible. C'est très écologique. C'est un béton de farines animales et de copeaux de bois. On utilise des copeaux de mélaminé, qui donnent cette teinte rouge si recherchée par nos clients et emblème de notre entreprise. Ce sont en fait des copeaux des meubles Bikéa. Bikéa en produit beaucoup vous savez, avec sa nouvelle gamme de produits « Un mois un meuble ».

– Oui oui, c'est bien, c'est plébiscité, c'est écologique. Mais revenons à nos poulets. Je les vois qui grossissent bien. C'est une vidéo en accéléré ?

– Non non, le sol est tellement bon, les petits poulets le dévorent littéralement. Alors là, on a fait un montage quand même. Maintenant vous voyez les petits poulets biens dodus, bien ronds, ils roulent sur le sol les pattes en l'air, c'est très rigolo ils essayent de voler avec leurs pattes alors qu'ils devraient le faire avec leurs ailes. Donc, ils ont 5 ##dshdf+# !! ils vont partir au conditionnement.

– Pardon Denis, je ne vous ai pas compris, ils ont cinq mois c'est bien ça ?

– Non cinq jours Henri.

– C'est tout ?

– Oui regardez, ils ont englouti tout le sol. L'éleveur branche un énorme aspirateur maintenant, regardez ça roule dans tous les sens, c'est aspiré, hop !

– En effet, il ne reste plus rien au sol. Même pas un petit caca de poulet. Le hangar est vide.

– Oui ces petits poulets ne font pas caca, ce n'est pas la peine, pour cinq jours. Et voilà la machine à conditionner le nugget. Regardez, voilà petit poulet qui entre, et la machine fait son travail, et voila petit nugget qui sort.

– Oh c'est… oh je me sens mal, chers auditeurs. Pourtant ces nuggets, ils sont pas mauvais du tout. Oui, on peut dire qu'ils sont bons. Et bien, merci à l'entreprise Mac Tonald pour sa transparence. Poursuivons chers auditeurs. Madeleine, je vois là-bas plein de gens qui bougent. Permettez, je pleure un coup. Ah, que c'est triste, que c'est… Attention !

– Chers auditeurs, Madeleine et moi venons de nous écarter brutalement sur le bord de l'allée pour laisser passer les forces de l'ordre. Madeleine vous savez ce qui se passe ?

– J'en ai bien peur cher Henri, venez, oui, voyez. C'est cet homme, là-bas.

– Celui avec le costume trois pièces. Les policiers lui mettent les menottes aux poignets, chers auditeurs. Et ça se passe ici en direct à Mont-de-Bayé sur Santo. Une courte pause publicitaire et nous revenons en direct au salon du mal-être. »

Publicité.

« – Nous revoici chers auditeurs de Trans Inter. Madeleine, l'organisatrice du salon, va nous expliquer ce qui s'est passé à l'instant.

– Alors, nous venons d'assister à l'arrestation d'un pervers.

– Ah bon ? Pourtant…

– Ça fait maintenant la cinquième année que nous organisons ce salon et nous avons appris à les reconnaître : ils n'ont aucun mouchoir mouillé de larmes dans les mains et leur seau à vomi est totalement vide.

– C'est pas vrai ?

– Si. En fait toutes ces occasions de se sentir mal, que nous réunissons ici comme vous pouvez le voir, engendrent chez ce genre de personne l'effet inverse : ils se sentent bien.

– Et il y a des profils type ? On sait qui sont ces gens ?

– Ce sont souvent des directeurs d'entreprises cotées en bourse et beaucoup d'élus, évidemment. Mais l'homme qu'on a porté hors d'ici à l'instant était un médecin, selon toute vraisemblance.

– Ah le pauvre homme ! Il se sentait bien dans toute cette exposition de mal-être, entouré de pleurs et de seaux à vomi. Chers auditeurs de Trans Inter, vous avez là encore une preuve que notre société ne sait pas inclure tous ses enfants. Ceux qui jouissent du malheur des autres sont des exclus, oui j'ose le dire. Ils méritent mieux que de repartir les menottes au poing, n'est-ce pas Madeleine ?

– En effet. L'an prochain, nous inviterons tous les gens qui ont tendance à sourire un peu, au lieu de se sentir mal, à venir sur un nouveau stand, un stand tenu par l'Église Catholique.

– Oui Madeleine, l'Église Catholique a toujours été pionnière dans le soin aux pauvres hères, je l'admets volontiers même si je suis un défenseur convaincu et affiché de la laïcité.

– L'Église met sur le marché un nouveau concept, qui fait déjà fureur, le concept des passions tristes.

– Oh oui, nous en avons entendu parler par ailleurs. Ça a fait polémique quand on a appris que c'est Michel Onfray qui en serait le parrain officiel. Oh oui, le monde bouge chers auditeurs, le monde bouge ! Et nous aussi, nous bougeons dans les allées du salon du mal-être. Nous voici arrivés sous un grand chapiteau. Au centre, au sol, il y a des chaînes Madeleine. Pouvez-vous nous dire à quoi elles vont servir ?

– C'est donc ici un stand dédié à l'agoraphobie.

– La peur de la foule. Quand il y a tellement de monde autour de vous que vous n'arrivez plus à respirer, que vous avez des vertiges, des sueurs froides.

– C'est cela Henri. Donc le public va se réunir tout autour. Regardez, les gens arrivent, la séance va commencer. Alors au centre, le gagnant du tirage au sort arrive.

– Un tirage au sort ? Oui, une tombola. Toutes les heures ici au salon il y a quelque chose à gagner. Ce monsieur a donc gagné un quart d'heure de pur mal-être.

– Eh bien je suis impatient de voir ça. Donc on attache monsieur au chaînes, qui sont solidement ancrées au sol je vous le rappelle chers auditeurs. Voilà. La foule est disposée en rond tout autour, à quelques mètres de distance de lui. Ca y est c'est parti. Madeleine ?

– Oui regardez. Qui va oser en premier ? Ah c'est un enfant. Ce sont souvent les enfants, si honnêtes, si innocents. C'est un petit garçon, qui vient lui faire un bisou. Il retourne dans la foule. Là, une dame sort, elle vient cracher sur l'homme. Une autre, ça va aller vite maintenant, lui arrache sa chemise. Ah un homme maintenant, il lui jette un papier à la face. Avec une caméra on pourrait peut-être voir ce qui est écrit... oui... on me dit que c'est le programme électoral du parti de gauche. Gros malaise, vous le sentez Henri ? Il y a un grand silence dans le public.

– Oui, c'est phénoménal. Une petit fille maintenant. Elle fouille dans une poche du pantalon de l'homme, qui est toujours enchaîné je vous rappelle. Elle en extrait un papier, qu'elle commence à lire à voix haute. Des objets ?Mais oui c'est la liste de vœux de cet homme au père Noël. Un smartphone, une voiture diesel BMW, un radiateur électrique, des volets roulants automatiques... un voyage en Thaïlande pour 500 euros, des actions de Total et de Apple... Madeleine, chers auditeurs, je crois que cet homme se sent très mal à l'aise et, oui vous le reconnaissez vous aussi, c'est David Chaupin, le leader du parti écologiste ! Quelle surprise ! Ah c'est un grand moment de mal-être que nous vivons ici chers auditeurs. Et maintenant la foule se rapproche de lui, l'enserre. Puis elle reprend sa place sur les bords du chapiteau. Puis à nouveau elle va vers lui, elle l'enserre. Il ne peut pas partir. Oui il se sent mal, ça se voit. Il pleurniche, il est humilié. Et ensuite Madeleine ?

– Et bien c'est terminé. Regardez, on le détache. Et... il se relève ! C'est un homme politique, et un bon ! Ce terrible moment de mal-être n'a eu aucun effet sur lui. Il se tient droit et fier, il ne tremble plus, il a le visage serein. Pourtant on l'a pris la main dans le sac.

– Il ne sourit pas un peu, là, quand même ?

– Non, les élus du parti écologiste sont différents des autres, comme chacun sait.

– Euh... alors chers auditeurs la visite s'arrête là, même s'il y a encore plein de stands étonnants à découvrir. Madeleine, je vous laisse le mot de la fin.

– Au salon le mal-être s'expose en large et en travers, en grand surtout, pour en profiter pleinement. Mais sachez que chez vous, vous pouvez aussi recréer d'authentiques instants de mal-être. Et sans vous ruiner. Vous pouvez cacher une culotte de petite fille dans la poche des vestes de vos invités, quand vous les pendez dans la garde-robe. Vous pouvez offrir un plat de nuggets de petit poulet, réchauffés au micro-onde pour recevoir vos amis écologistes. Ou vous pouvez demander à votre ami pourquoi il a acheté une grosse voiture qui pollue. Ou pourquoi il dit que le bio c'est bien alors qu'il s'empiffre de plats congelés industriels.

– Merci Madeleine pour tous ces petits conseils avisés. Chers auditeurs à la semaine prochaine. Nous serons en direct d'un autre salon, le salon des fabricants d'outils et d'instruments de toilettage pour chien. Je vous souhaite une bonne soirée sur Trans Inter. C'était Henri Brémol en direct de Mont-de-Bayé sur Santo. À vous les studios.

PS. Au moment de relire ces lignes en mars 2020, sur la route les tracteurs de fumier font convoi. Ce sont des centaines de bennes de fumier qui sont amenées dans les champs environnants. La puanteur vient s'ajouter à celle de la décharge de l'agglomération de Saint-lô située à un kilomètre de là. En hiver, la puanteur est celle du lisier, liquide, qui est épandu sur les prairies. Elle est aussi celle de l'ensilage, qu'on donne à manger aux vaches. Des vaches toutes hors-sol, qui vivent toute l'année en étable. L'ensilage – du maïs fermenté, produit par milliers de tonnes – répand sa puanteur dans toute la campagne. Alors comment le fumier pourrait-il ne pas puer, si déjà la nourriture des bêtes pue ?

En ce mois de mars, après l'olfaction c'est la vision qui est heurtée. Les champs jaunissent : avant de labourer on les « traite » au glyphosate. Le pesticide fait mourir (jaunir) toutes les mauvaises herbes. Les fossés sont heurtants à la fois pour l'odorat et la vue. Près des fermes ils sont remplis d'eau noire et puante, qui dégouline depuis les tas de fumier, sinon les tas de foin sur lesquels les animaux s'entassent, pour ne pas s'enfoncer dans les sols meubles gorgés d'eau. L'oeil se blesse aussi à la vue des haies disparues. Vu de la route, on trouve que le bocage normand existe toujours. Il suffit d'emprunter les petits chemins et les chemins agricoles pour constater que les champs sont devenus gigantesques. Bref, quand l'agriculture devient industrielle et hors-sol, elle n'est que puanteur, que pollution visuelle, que tristesse, qu'indigence. La joie de vivre quitte ces lieux. Comment peut-on détruire à ce point notre environnement alors que, bien géré, chaque mètre carré de campagne donne des fruits dont nous pouvons profiter ? Même les fossés peuvent être valorisés[13]. S'il est une culture qui nous avons réussie au plus haut point, c'est bien la culture du mal-être.

---

13 Cf. *Les cinq pratiques de l'agroécologie.*

LE VENDEUR D'UTÉRUS ARTIFICIELS

Décembre 2019

Trop de liberté forge les chaînes de la fatalité

Une nouvelle de science-fiction socialement incorrecte : Michel, quarante-trois ans, profession vendeur d'utérus artificiels en 2180.

Une société qui s'autorise tout, où le risible devient le sérieux, l'accessoire devient l'essentiel, où le plus petit désir devient un droit universel, où toutes les frontières concrètes et abstraites sont effacées : voilà ce que je vais vous faire découvrir ici. Une société où l'être humain croit s'épanouir parce qu'il s'autorise tout, alors qu'en réalité sa liberté technique l'entraîne dans une spirale infernale de régression morale et intellectuelle. Au pays de la technique reine, les idiots sont rois.

1

« – Ma chérie ? Ma chérie, dis-moi où j'ai mis les tubes de transfert !

– Ne sont-ils pas dans le carton jaune ?

– Ah oui, c'est Noisette qui les avait rangés là, j'avais oublié.

– Ne l'appelle plus comme ça, mamour. Elle est trop grande pour ce sobriquet. Surtout devant les clients.

Sophie, 45 ans, femme de Michel, 43 ans et mère de Wika alias Noisette, entra dans ce qui servait de remise pour la petite entreprise de son mari. Elle jette un œil sur le sol et sur les étagères.

– Dis donc, est-ce que le ménage se fait tout seul ici ? Hm ?

– Hmmm… oui, quand on a le temps de programmer le robot pour le faire.

– C'est le cadeau de ma mère, je te rappelle. Un Frotte-et-fait-briller modèle 2099. C'est un modèle de collection. Elle nous l'a offert pour Noël dernier et …

– Pas le temps !

– Ah la la ! Tu as son code d'activation ? Je vais le faire. Ça ne prend pas plus de trois minutes. Je croyais que tu l'utilisais déjà.

Sophie pris une clé optronique d'activation et la rapprocha de son poignet.

– Ordinateur central, active le robot de nettoyage, code d'activation Béta Soixante-Quinze, code personnel Alpha Dix. Et à l'attention de son mari : tu vois, c'est même plutôt trois secondes que ça prend ! Et il est autonome. Tu as juste besoin de le laisser faire. Il n'a pas de fil non plus, il se recharge via le réseau. Tu sais ?

– Oui oui je sais. Bon, j'ai ce qu'il faut, je suis prêt. Je crois que ce sera un très bon marché de Noël. J'ai tout : les tubes de transfert, les générateurs de matrice, les décodeurs-encodeurs génétiques, les solutions nutritives. Surtout.

– Pour les paiements ?

– Oh doux jésus, j'allais oublier le terminal bancaire ! Heureusement que tu es là.

– Comme d'habitude ! »

Le couple sortit de la remise. Le robot Frotte-et-fait-briller modèle 2099 s'activa automatiquement. Ses huits mains et ses six pieds étaient de véritables outils de chirurgien, qui ne laissaient aucune chance à la plus petite particule de poussière. Bien sûr, il était équipé d'un désincrusteur sonique pour venir à bout des taches les plus rebelles ainsi que, sommet de l'art, un régénérateur d'air. La prochaine fois que Michel mettrait les pieds dans la remise, le sol serait impeccable, les étagères seraient brillantes de propreté, et l'atmosphère serait celle des meilleurs forêts d'Europe.

2

« – Joyeux Noël ! Soyez les bienvenus au marché de Carentan. Pour ces fêtes de fin d'année 2180, chers badauds, chers promeneurs, chers acheteurs, vous allez pouvoir comme à Paris savourer la joie du commerce à gravité multiple. Circulez dans les allées comme bon vous semble : au sol, au plafond, sur les murs ! Nos allées sont maintenant toutes en trois dimensions. Les commerçants sont au plus proche de vous, à côté sur la gauche ou sur la droite, comme cela se faisait il y a cent ans encore, et maintenant, en-dessous de vous et au-dessus de vous ! Profitez de la gravité multiple pour vous déplacer dans les directions de votre choix, pour vous rendre dans l'étal du commerçant de votre choix, pour faire les achats de votre choix. Pas de souci : chaque commerçant dispose de son propre centre de gravité, vous pourrez vous laisser renseigner et dépenser sans compter en toute sécurité. Chers tous, au nom du maire de Carentan je vous souhaite un joyeux Noël ! »

– « Pour cette année, il a fait court le placier. C'est bien. Hein, tu te rappelles de l'an dernier, Michel ? C'était trop long. Ça avait même fait peur à certains clients. C'est pour ça qu'on avait moins bien vendu que d'habitude, je te dis.

Michel leva la tête en direction de Eugy, son voisin de marché. Eugy vendait des chaussures multi-G et il avait la langue bien pendue. Heureusement, le centre de gravité de son étal évitait que les postillons de Eugy ne lui tombe sur la tête, car Eugy avait le stand directement au-dessus du sien. Michel, lui, avait préféré un stand dans le plan inférieur. Il avait le sol derrière le dos, et les badauds marchaient au-dessus de lui dans l'allée, mais bon, ainsi il souffrait moins du vent qu'aux autres places. Certes, il était un peu dans l'obscurité, moins éclairé, mais avec ses produits, Michel savait que ses futurs clients étaient prêts à faire l'effort de regarder vers le bas pour le trouver. Car Michel était connu : c'était le seul vendeur d'utérus artificiels certifés AB dans tout le département. Et il avait toujours en stock les tous derniers modèles.

Neuf heures trente. Les premiers clients n'allaient pas tarder à arriver. Contrairement à l'opinion établie, les clients de Michel étaient à peu près toujours les mêmes. Il avait sa clientèle. Il ne faisait aucune publicité, ni sur Globalink, ni dans la réalité. Le simple bouche-à-oreille fonctionnait à merveille. Mais comment pouvait-on faire de ce genre de commerce un commerce rentable ? lui avait-on demandé. Une personne achète un voire au maximum deux utérus artificiels durant tout le temps que dure sa vie. Ça fait peu d'actes de vente. C'est une erreur de croire cela, avait expliqué Michel. D'une part, les utérus artificiels existent aussi en modèles pour animaux de compagnie : chiens, chats, chevaux, ânes. Il y avait aussi les modèles « pro » pour les éleveurs. Des utérus artificiels pour bovins, pour caprins, pour lamas, pour émeux, pour éléphants même. Cela représentait un bon quart des ventes de Michel. Michel vendait aussi des œufs artificiels, pour toutes les espèces ne disposant pas de placenta. Mais ça avait moins la cote depuis deux ans. Michel n'en vendait presque plus. Il faut dire que les problèmes de pullulations engendrés par les œufs artificiels de mouches avaient laissé de désgréables souvenirs à la population de l'Ouest de la France… Aujourd'hui, Michel vendait surtout des utérus artificiels philosophiques. Ces utérus…

Et Michel se plongea dans ses souvenirs. Il aimait se remémorer comment il avait développé sa stratégie de vente et les profits qu'il avait ainsi engrangés. C'était seulement dix ans plus tôt. Mais une cliente se présenta et le sortit de ses rêveries d'auto-félicitation. Il lui sourit et lui adressa la traditionnelle formule de salution.

– « Que le temps vous porte et que l'espace vous sourit, madame. Que puis-je faire pour vous ?

– Monsieur Michel, c'est bien ça ? Je viens de la part de Jacqueline Lévavassère. Elle m'a dit le plus grand bien de votre modèle UA-iChild05-AB.

– Le 05 ? Un très bon choix, en effet. Robuste, ergonomique, son entretien est simplifié au maximum. Cependant, il existe différents modèles d'utérus. Est-ce pour un projet de descendance ou pour un projet philosophique ? Pour chacun de ces projets, différents modèles ont été conçus, vous savez.

– Oh ? Je pensais à un modèle universel, vous voyez ? Passe-partout. D'où mon dévolu que j'ai jeté sur le 05.

– Je comprends. Je vous propose que nous revoyons ensemble les caractéristiques du modèle, voulez-vous ? Asseyez-vous je vous en prie, je vais démarrer la présentation.

– Je suis toute émue !

– C'est la première fois que vous…

– Oui. J'aurais pu en acquérir un il y a déjà plusieurs années mais, comment dire, j'étais dubitative. C'est Jacqueline, la meilleure amie de ma tante qui m'a convaincu. Mieux vaut tard que jamais.

– Allons, il n'y a pas d'âge pour acquérir un utérus artificiel.

Michel vit sa cliente fixer le sol en-dessous d'eux, le regard vide et un peu triste. Une appréhension ? Une peur ? Un non-dit en tout cas, taraudait sa future cliente. Michel décida de discuter un peu avant de démarrer la présentation. Pour ce genre de situation, il avait un discours désormais bien rodé.

– Ne soyez pas craintive, madame. Ce que vous éprouvez est tout à fait normal. Le formidable développement technique de ces dernières années nous met tous devant des choix à faire. D'un côté, le passé, la tradition, de l'autre côté la liberté totale. La technique reine. Faut-il utiliser les nouvelles techniques en continuant à se conformer aux traditions qui nous viennent du fond des âges ou faut-il faire tout ce que la technique permet ? D'un côté… Mais sa future cliente n'était pas si perdue qu'il avait cru. En fait elle releva la tête rapidement et lui dit avec conviction :

– D'un côté la tradition que l'on perpétue, en laissant aux seules femmes entre 20 et 40 ans la tâche de générer un enfant, d'un autre côté la modernité qui permet aux personnes de tous âges et de tous sexes de générer un enfant. La biodiversité étant une loi générale de la vie, chacun est libre de faire comme il le souhaite. Et toc !

– Les préconisations de notre gouvernement, en effet, dit Michel avec un grand sourire.

– Elles sont sages, ces préconisations. Pourtant j'ai un doute. Je trouve … déconcertantes ces petites filles de huit ans, qui sur Globalink se vantent de posséder un utérus artificiel et d'être en mesure de s'en occuper pleinement et avec succès. Elles clament qu'elles font elles-mêmes des enfants et…

– Ne croyez pas tout ce qu'on voit sur Globalink. Certes elles peuvent s'occuper d'un utérus artificiel, mais après la délivrance de l'utérus, l'enfant est remis à un robot nourrice. Elles ne s'en occupent plus du tout.

– Vous pensez ?

– J'en suis certain. Elles font juste leurs petites intéressantes. Leurs petites princesses. Ah la jeunesse d'aujourd'hui… À l'autre opposé, vous avez donc certainement vu ces vieux messieurs de 125 ans qui prennent un utérus artificiel. Eux aussi font les intéressants en clamant que même la mort ne les empêchera pas de gérer jusqu'à terme le développement intra-utérin de leur fœtus.

– Oui, j'ai vu ces vidéos. Quand ils sentent leur mort venir, ils se plongent dans un caisson de bioréduction, qu'ils programment pour que leur propre matière soit réduite, transformée et infusée dans l'utérus…

– … pour soi-disant renaître en tant qu'enfant. N'importe quoi !

– Mais ils meurent vraiment dans le caisson, et la matière de leur corps est vraiment transmise dans l'utérus, donc l'enfant est effectivement constitué de leur matière, donc l'enfant qui viendra au monde sera eux.

– Je n'y crois pas une seule seconde. Avez-vous déjà vu un de ces enfants ? Ils sont tout à fait différents de leur parent. Même si l'enfant est génétiquement programmé pour être quasiment leur clone, il est un individu unique.

– Mais c'est beau tout de même, ce geste de transfert de matière, vous ne trouvez pas ? Vous mourez et votre corps est réduit en matière qui sert à former un nouveau corps.

Michel fronça les sourcils et croisa les bras. Sa cliente l'interrogea.

– Vous ne trouvez pas cela beau ?

– Je crois surtout que je dois vous poser une question, madame.

– Mon âge ? J'ai 70 ans.

– Votre âge est tout à fait indiqué pour avoir un utérus artificiel. Vous êtes pile entre 8 ans et 125 ans.

– Mon sexe ? Est-ce parce que je suis une femme que…

– Non, non, je ne me permettrais pas de réduire votre choix de modèle parce que vous êtes de tel ou tel sexe. Faire croître un enfant est un droit universel, donc sans distinction de sexe et de genre bien entendu.

– Ah je me disais bien. On m'a dit beaucoup de bien de vous. J'ai uno amio qui est hermaphrodite, et ulo était très content de vos conseils et de vos produits.

– Merci madame. Oui, je suis très ouvert d'esprit ; le gouvernement n'en attend pas moins des vendeurs comme moi. Mais la question qui m'est venue à l'esprit, en vous écoutant, est tout autre. Est-ce bien un projet de descendance qu'il vous faut ?

Sa cliente fut ébahie.

– Vous pensez que…

– Que peut-être l'esthétique et la philosophie de l'utérus vous sont plus importantes que sa fonction propre, oui.

– Mais un enfant, c'est très beau aussi. Surtout quand l'utérus le délivre, j'ai vu des vidéos sur Globalink, c'est très beau. Très émouvant. L'acte de délivrance est si fluide, si doux.

– Comme je dis, vous avez la vision d'une analyste et d'une esthète. D'une poète, d'une artiste. Et quand vous serez devenue la propriétaire d'un beau petit enfant, vous pourrez programmer un robot nourrice pour qu'il l'éduque convenablement. Il y tout un tas de réglages possibles pour ces robots : vitesse d'enseigne-ment, types de morale, règles d'hygiène de vie, discipline…

– Oh ces horribles petits robots. Ils sont si rébarbatifs, tout le temps à donner des conseils. 'Fais ci, fais ça. Assieds-toi là, ne touche pas à ça.'

– Oui, l'éducation est tout de rigueur et de discipline. Je suis certain que ces aspects-là ne vous intéressent pas trop. Juste un peu, comme tout le monde, mais pas trop.

La cliente lui adressa une mine boudeuse, mais accompagnée d'yeux souriants à la Brigitte Bardot.

– Flûte, vous avez raison.

Il lui rendit son sourire.

– C'est aussi mon métier que de connaître l'âme humaine. Je veux que mes produits satisfassent pleinement les attentes de mes clients. Un utérus artificiel est un produit de haute technolo-gie, destiné à prendre une place importante dans la vie des gens. Faire le choix du bon utérus, c'est faire le choix d'une bonne vie. Une vie qui vous convienne. Qui vous rend heureuse.

– Vous en faites un peu trop, dites donc. C'est vrai qu'un utérus coûte une centaine de i-francs, mais c'est un produit commun maintenant.

La cliente avait l'âme d'une poète et aussi la rationalité d'une acheteuse près de ses sous, apparemment. Voilà qui était un peu dommage : Michel adorait démarrer un marché par une superbe vente, à une ou un client qui ne compte pas ses i-francs. Mais tout n'était pas perdu. Michel avait quand même bien avancé sa stratégie de vente, en orientant sa cliente vers les modèles philo-sophiques. Il accepta donc avec humilité cette dernière remarque de sa cliente, qui rabaissait la valeur de ses produits, et enchaîna avec une mine nostalgique, les yeux levés.

– Si vous saviez ! J'ai vécu la fin des premières ventes des modèles i-UA. Ils coûtaient une petite fortune, mais ils se vendaient comme des petits pains. Je me rappelle d'un client qui arborait fièrement son utérus implanté sur le haut du crâne. Il est revenu me voir le jour juste avant la délivrance. L'utérus était devenu plus gros que sa tête, mais il n'avait pas décidé de le faire déplacer pour autant. Il s'était fait équiper d'un exosquelette de cou. Il était un véritable « fan » de ce modèle.

– Eh bien, il avait les moyens !

– À cette époque, avoir ou ne pas avoir un utérus artificiel était ce qui distinguait les « in » des « has been ». Comme par le passé, quand avoir un téléphone intelligent ou une 'tablette' faisait de vous quelqu'un de remarquable, qu'on voulait absolument côtoyer et imiter. Michel, dont l'œil de vendeur était aiguisé, remarqua que la cliente commencer à s'agiter sur son siège. C'était le bon moment.

– Mais après le passé, place à l'avenir, votre avenir. Et je vois dans cet avenir un utérus philosophique.

– Vous me le confirmez ?

– J'en suis convaincu ! L'esthétisme est une nécessité chez vous. Un projet philosophique vous permettra de vivre un nombre illimité de fois la beauté et la volupté de la croissance intra-utérine, ainsi que de l'acte de délivrance.

La cliente lui fit un grande sourire – à cet instant elle était vraiment devenue sa cliente. Michel enchaîna.

– Les différentes conclusions possibles de la croissance combleront toutes les curiosités et envies que vous pourrez avoir. Alors, on démarre la présentation d'un projet philosophique et des différents modèles ? Prête ?

– Allez-y !

Et Michel alluma une ampoule d'obscurité. Son stand se retrouva plongé dans le noir. Il alluma ensuite l'holoprojecteur. La présentation démarra. Bien sûr, quelques passants dans l'allée s'arrêtèrent pour regarder, mais cela ne le gênait pas. Ça participait de sa bonne renommée.

3

Une douce voix de femme remplit le stand, tandis qu'apparaissait en son centre, en trois dimensions et à taille réelle, un utérus artificiel. « Mesdames, messieurs, messames et personnes de tous genres et de tous âges, soyez les bienvenus. Je vais vous présenter nos utérus artificiels i-Ut, entièrement fabriqués en France et, pour certains modèles, avec des matières premières entièrement biologiques garanties sans substances synthétiques dangereuses pour la vie. Tout d'abord, un petit rappel concernant vos désirs d'enfant. Êtes-vous un parent dans l'âme ? Rêvez-vous de voir se former et naître sous vos yeux un petit être adorable, qui sera le réceptacle de tout votre amour et votre joie de vivre ? Alors le projet i-Child vous conviendra tout à fait. En partenariat avec l'entreprise renommée EV – Un Enfant pour la Vie –, nos utérus artificiels de la gamme i-Child vous procureront un enfant exactement comme vous le désirez. Les utérus i-Child sont conçus pour être installés dans la chaleur de votre foyer, dans votre chambre ou de préférence dans votre salon, pour pouvoir apprécier pleinement tous les stades de développement du fœtus. Équipés d'une vitre autonettoyante, vous pourrez voir tous les détails de sa formation. L'alimentation de l'utérus se fait au choix, selon le mode que vous activez. En mode auto, l'utérus absorbe de façon régulée et constante les éléments de la solution nutritive. En mode semi-automatique, vous aurez le plaisir d'injecter vous-mêmes dans l'utérus les solutions nutritives de votre choix, au moment où vous le désirez. Attention : n'oubliez pas d'acheter les tubes de transfert, disponible dans le rayon accessoires. En mode manuel, pour ceux qui désirent une maîtrise tout à fait personnalisée, vous injectez une solution que vous élaborez vous-mêmes. Débutant ou passionné de longue date, nous vous offrons une brochure technique qui vous aidera à réaliser les meilleures solutions nutritives, pour obtenir les plus beaux fœtus. Évidemment, nos modèles sont tous équipés d'un régulateur de vitesse de croissance, pour une délivrance dont vous pourrez choisir la date et l'heure. En option est disponible la fonction « freeze ». Avec cette fonction, vous pouvez mettre en pause votre projet i-Child jusqu'à trois fois, pour le continuer et l'amener à terme dans les conditions que vous désirez. Oh mais où avais-je la tête ? J'allais oublier de vous parler des modèles portables ! Regardez : plus petits et plus légers, leur forme est adaptable à l'anatomie de votre corps pour que vous puissiez l'implanter où vous voulez. Pour finir notre présentation des utérus i-Child, écoutons les commentaires plus que positifs de Marie.

Le visage d'une femme souriante et épanouie se matérialisa.

« J'avais douze ans lorsque j'ai eu pour la première fois mon désir de maternité. J'ai acheté un i-Child 02 parce sa forme et sa couleur allaient très bien avec la décoration de ma chambre. Matin et soir, je regardais à travers la vitre le petit fœtus grossir. Comme je l'aimais beaucoup, j'ai utilisé des solutions nutritives enrichies à la fraise. À quatorze ans, j'ai activé la pause de génération, la fonction 'freeze' parce que je voulais obtenir de bonnes notes à l'école et démarrer une carrière d'administratrice financière en entreprise plurinationale. J'ai alors simplement rangé l'utérus dans mon armoire. À 43 ans, mon désir de maternité s'est manifesté à nouveau avec passion. Ma carrière professionnelle s'étant réalisée comme je le souhaitais, j'ai donc installé mon i-Child 02 dans ma nouvelle maison. Que j'ai vécu de beaux moments en le regardant matin et soir, comme lorsque j'avais douze ans ! Pour apprécier au mieux ce processus de création de vie, j'ai reglé la vitesse de croissance au minimum. Mais après une année, j'ai eu envie de partir vivre à l'étranger, de faire des voyages, des sports extrêmes. Mon i-Child a donc retrouvé sa place dans mon armoire, en mode freeze, bien à l'abri du temps. Car le temps a passé, et à 78 ans je suis revenue ici, à Carentan, et cette fois, j'ai laissé mon projet i-Child aller à terme. Que la délivrance fut un joyeux moment ! Entourée de mes amis, nous avons assisté à la fin du processus de génération et à la délivrance. Voir l'utérus s'ouvrir, après toutes ces années, et livrer un beau bébé tout rose et qui sent si bon, c'était simplement merveilleux ! Et le résultat, le voici. John, vient devant l'holo-caméra dire bonjour. John a maintenant six mois, il parle, il fait des mathématiques, il mesure un mètre soixante-quinze et je viens de l'inscrire à l'école de compétition hippique, pour qu'il fasse du sport le week-end. Bref, je suis très heureuse d'avoir acheté l'utérus artificiel i-Child 02, et d'avoir conçu l'enfant à croissance rapide avec les adorables conseillers génétiques de la société EV – un Enfant pour la Vie. Merci i-Child. »

Michel mit la présentation en pause et demanda à sa cliente :

– « Cela vous a-t-il conforté dans votre choix de projet philosophique ?

– Oui, maintenant je n'ai plus aucun doute. C'est l'esthétique, pour ne pas dire la symbolique de l'utérus, qui me passionne, bien plus que l'enfant en tant que tel. Mais…

– Non non, ne vous retenez pas. Il n'y a aucune honte à dire ce que vous allez dire. Vous avez parfaitement le droit de vivre une grossesse artificielle sans devoir supporter les obligations, même minimales, de l'éducation d'un enfant. C'est votre droit, c'est un droit fondamental inscrit dans notre bonne constitution de 2080. Le droit à la grossesse n'oblige ni à la délivrance ni à l'éduca-

tion. Et comme vous allez le voir dans la suite de la présentation, la joie de la délivrance n'implique pas non plus de délivrer
un enfant. Prête pour la présentation de notre gamme philosophique ?

La cliente avait les yeux qui pétillaient.

– Allez-y ! Je veux tout savoir. »

Et Michel continua la présentation.

4

La douce voix féminine remplit à nouveau le stand plongé
dans l'obscurité, et les modèles d'utérus Philo-Mater apparurent.

« Nos modèles d'utérus Philo-Mater sont conçus pour les personnes de tous genres et de tous âges que l'esthétique et la passion du sublime motivent avant tout. Ces modèles répondront à
toutes les exigences de votre projet de grossesse philosophique.
Plus compact que les i-Child, ils se positionnent dans n'importe
quelle pièce de votre maison et surtout, ils sont aisément trans-
portables. Dotés de poignées et d'anses, vous pouvez les emme-
ner avec vous où que vous le souhaitiez. Envie d'aller se promener au bord du lac ? Aucun problème, notre modèle Outdoor-
Uty se porte comme un sac à dos. Donnez à votre utérus toute la
lumière du soleil ! Envie de randonner en montagne ? Le
modèle Xtrem-Uty est renforcé en alliages d'alumium et de
trontium pour encaisser tous les chocs imaginables. D'ailleurs,
imaginez que vous venez de terminer l'ascension du Mont-Blanc
et que vous avez envie de faire la délivrance au sommet de cette
majestueuse montagne, au moment où le soleil se lève. C'est
possible ! La gamme Philo-Mater est entièrement autonome et
automatique : nul besoin de vous occuper de votre utérus. Il est
prérempli de solution nutritive. Vous avez simplement à choisir

votre vitesse de croissance, votre date de délivrance, et apprécier de regarder à travers la vitre le fœtus se développer, quand vous le voulez, où vous voulez. À vous toutes les émotions et toutes les inspirations esthétiques et philosophiques de la grossesse ! Comme la constitution l'autorise, la vie du fœtus se déroule entièrement dans l'utérus et la délivrance est à la fois le point culminant et la terminaison du fœtus. C'est la fin de la vie, qui donne à la vie toute sa valeur, comme vous le savez certainement ! En partenariat avec EV – un Enfant pour la Vie – nos fœtus ont une durée de vie qui n'excède pas le temps de la grossesse, faisant ainsi de la maternité une phase inoubliable de votre vie. »

La présentation était terminée. Michel ramena la lumière dans son stand.

– « Alors, convaincue ?

– Oui, c'est un modèle Philo-Mater qu'il me faut. Vivre une maternité sans devoir éduquer un enfant par la suite est ce qui me convient. Cependant, j'ai l'impression que la présentation n'est pas complète.

– En effet, j'ai gardé le meilleur pour la fin. Je tiens à vous présenter moi-même un modèle qui vous ira à merveille.

– Qui est ?

– L'utérus artificiel Philomater-in Me, en français « en moi ». Les progrès techniques ont été si fulgurants ces dernières années que nous proposons maintenant un utérus artificiel incorporable.

– C'est-à-dire que vous pouvez me l'installer… dans mon corps ? Comme pour un vrai projet de grossesse ?

– Oui !

– Oh dis donc, c'est super rétro-moderne. La grande classe !

– C'est une merveille de vie artificielle. Il fait seulement 500 grammes. Je peux vous l'installer au niveau du ventre, du dos, du cou, sur le sommet de la tête bien sûr, ou encore sur les avant-bras.

– Mais rassurez-moi, il ne grossit pas durant la grossesse ?

– Non, il demeure identique en poids et en taille.

– Que c'est émouvant. Je suis convaincue. Combien coûte le modèle à implanter sur le bras ?

– 110 i-francs, implantation comprise.

– Vous … pourriez me l'installer tout de suite ? J'ai rendez-vous avec une amie chez le coiffeur à 10h30, et je veux l'épater.

– Bien sûr, la procédure est rapide et indolore. Et le modèle extra-plat est celui que je vends le plus. Très pratique pour passer sous les vêtements en hiver.

– Sans supplément de prix ?

– Pour 20 i-francs de plus.

– Hmmm… allons-y. Mais, et en bio, vous avez aussi ce modèle en bio ?

– Oui, je l'ai en stock. La solution nutritive est 100 % bio, et le fœtus arrivé à terme pourra être recyclé en composteur, tout simplement.

– Et la vie redonnera la vie, compléta-t-elle en souriant.

– Vous avez tout compris, dit Michel en souriant lui aussi. »

5

Treize heures. Le marché se terminait. Les déballeurs installés en hauteur partaient en premier, puis ceux installés en horizontal et enfin ceux, tels Michel, installé en sub-allée. La femme de Michel vint le retrouver à ce moment-là.

– « Alors mon amour, les ventes ont été bonnes ?

– Comme d'habitude : bonnes. Mon discours est bien rodé maintenant, et les utérus bio font un carton.

– Pas de cliente de huit ans aujourd'hui ?

– Par le grand architecte de l'univers, non, heureusement ! Mais…

– Oui ?

– Oh tu vas encore me prendre pour un fêlé.

– Raconte ! dit-elle en lui enfonçant gentiment son poing dans les côtes.

– Eh bien, il y avait ce chat. Vers onze heures. Il est venu vers moi avec un regard… intelligent. Je suis presque certain qu'il voulait lui aussi un utérus artificiel.

– Oh la la, cette vieille histoire du chat intelligent comme un humain, donc qui aurait les mêmes droits que les humains. Tu écoutes trop France Inter, je te l'ai déjà dit. Cette radio gouvernementale te monte à la tête.

– Ils disent que l'économie se porterait mieux si nous accordions enfin de vrais droits aux animaux. Surtout depuis la révolution génétique. Les scientifiques affirment qu'ils sont aussi intelligents que nous. Et le pape aussi.

– Le pape ?

– Oui ! Il affirme que les chats, ou tous les autres animaux, sont des enfants de Dieu tout comme les humains. Donc qu'ils méritent les mêmes droits.

– Hm hm. Mais ce chat, c'était une chatte au moins ?

– Euh, je ne lui ai pas demandé.

– Si c'est bon pour l'économie, après tout, pourquoi pas ?

– Tu es train de changer d'avis sur ce sujet ? Ça mérite un petit restaurant ce soir.

– Oui, je dois évoluer sur ce point. Mais si la prochaine fois qu'un chat te laisse comprendre qu'il veut un utérus artificiel, d'une part tu dois t'assurer qu'il en a les moyens. D'autre part, il faut que ce soit une chatte. C'est dans l'ordre naturel des choses que les femelles acquièrent des utérus, n'est-ce pas ?

– Oh, oui. Je suppose. Mais on n'est pas à ça près, répondit Michel en haussant lentement les épaules. Au fait, Noisette est là ?

– Oui, au départ elle voulait rester à la maison, mais j'ai réussi à la convaincre. Et ne l'appelle plus comme ça.

– Elle est dans la voiture ?

– Non ! Regarde, je l'ai amenée dans mon sac à main.

– Alors ma fifille, ça va ? lui demanda Michel. Bien chassé cette nuit ? En tout cas tu as un beau poil aujourd'hui. Et tu as bien obéi à maman ce matin, c'est très bien. Ce soir, nous irons au restaurant, tu sais « la clé des panses ». On te commandera ces brochettes de croquettes que tu aimes tant.

– Waf waf !

– Ah ma chérie, je suis si content que tu aies pu vivre une maternité canine, dit-il à sa femme. Ce n'est pas donné à tout le monde.

– Il faut être la femme d'un vendeur d'utérus artificiel pour pouvoir se le permettre, compléta-t-elle avec un sourire de malice. Notre fille issue d'un i-UT 04 a de belles dents et un très beau poil, en effet. Bon, je dois te quitter, je file chez le dentiste. Cette semaine je vais essayer une double dentition en platine.

– C'est inclus dans ton abonnement de sécurité sociale ?

– Oui mon cœur ! Toutes les semaines, de nouvelles dents. Gratuites. Implatation par laser et biofusion.

– On n'arrête pas le progrès !

– Tu imagines nos ancêtres ? Oh pourquoi je pense à ça maintenant ? Les pauvres, ils ne pouvaient pas renouveler leur corps.
Ils étaient si … primitifs.

– Allons chérie, il y a cent ans, nos ancêtres menaient une vie
simple, c'est tout.

– Ils procréaient via des rapports corporels, dit-elle en baissant
la voix. Dégoûtant. Nos utérus d'aujourd'hui sont bien plus
propres. Pas de maladie, pas de risque de problème chromoso-
mique. Plus de tare génétique. Et une grossesse optimale et si
joyeuse ! Les pauvres. Aujourd'hui nos corps sont parfaits ; eux
devaient être si indigents, si miséreux. Tu imagines ? Ils étaient
à peine mieux que des singes. Quoi que, les singes aujourd'hui
pilotent les aérobus, ce qui est plutôt futé de leur part. Et nous,
nous sommes devenus si intelligents. Nous avons tant de puissance technique. Nous pouvons tout faire.

Michel prit gentiment sa femme par le bras, et referma son sac à
main où leur enfant venait tout juste de s'endormir. Allons, je
sais que tu as fait une thèse en philosophie, mais un marché
n'est pas un endroit adéquat pour philosopher. Allez, file chez
ton dentiste, moi je retourne à la maison. J'attends la livraison
des tout nouveaux i-UT 7. Ils sont multispécifiques et omnisexes
bien sûr. J'ai un bon pressentiment quant à leur vente.

– Super ! Alors, à plus tard mon amour. Mais s'il te plaît ne les
range pas dans le salon. Mets-les directement dans la remise.

– J'y penserai. Bye bye ! »

Et ainsi se termina la journée de travail de Michel, 43 ans, vendeur d'utérus artificiels en 2180.

FIN

AU-DELÀ DE L'ART

Mars 2020

« *Juger un livre, un tableau, une sculpture, un film non sur sa beauté, sa force d'expression, mais sur sa moralité ou sa préten-due immoralité est déjà une spectaculaire connerie* »

**Gabriel Matzneff, écrivain reconnu et jugé pédophile,
a écrit des œuvres explicitement pédophiles**

« *La littérature se place au-dessus de tout jugement moral* »

Vanessa Springora, victime à treize ans de Gabriel Matzneff

« Absent mais présent. Invisible mais visible. Inagissant mais agissant. Insoupçonné mais évident. Voilà, mesdames et messieurs les membres du jury, cher public, les mots opposés qui j'aime utiliser pour décrire mon simple travail compliqué. »

Les applaudissements remplirent le hall, le public se leva, l'ovation était manifeste. Lui, Harry, avait enfin réussi. Sa carrière d'artiste était désormais reconnue, son parcours, ses œuvres, ses succès comme ses échecs. Ses croûtes, ses rebus, ses merdes, ses saloperies, ses sculptures détruites à coups de masse, bref aujourd'hui tout ce qu'il avait créé et n'avait pas trouvé grâce à ses yeux et à son âme avait une renommée mondiale. Tout ce qu'il avait jamais créé était désirable. Oui, aujourd'hui, on le désirait tout entier. Enfin.

Il alla serrer des mains, il alla sacrifier au rituel du selfy, il écouta avec bienveillance les propos de l'adjoint au maire préposé à la culture, il fit la bise à une concurrente, il but cinq verres de champagne, mangea six ou sept petits fours au thon et au persil, et rentra chez lui sans parler à quiconque. Car maintenant qu'il était connu et reconnu, il devait préparer la suite.

Comme il l'avait expliqué devant l'audience tout ouïe, son « art » consistait à faire des « œuvres d'art » qui effleuraient seulement la conscience. Il avait durant vingt ans exposé ses sculptures et ses peintures dans d'innombrables galeries, des prestigieuses comme des mal-famées, en ville et parfois même à la campagne. Dans des bourgades où une association pour l'art local invitait des artistes afin de faire payer cinq euros chaque visiteur pour renflouer sa caisse. À chaque fois, il avait suivi la même procédure : inscription de ses œuvres sur le registre de l'exposition, photographie par lui-même de ses œuvres, avec et en présence de public et questionnement du directeur de galerie, deux jours après la fin de l'exposition, pour savoir si le public se souvenait ou non de ses œuvres. Il avait soigneusement mis par écrit et conservé toutes les réponses, pour prouver.

En effet, il était parvenu à prouver que son art en était un, parce que original, parce que jamais pensé et jamais réalisé auparavant. Il avait pu prouver que jamais ses œuvres, pourtant vues, exposées, n'avaient laissé que la plus infime trace dans la conscience des gens. Ses œuvres avaient été vues, considérées, mais il n'en restait dans l'esprit des gens qu'un souvenir très vague, diffus. « Comme si quelque chose avait frôlé mon être, sans que je puisse m'en souvenir, sans que je puisse même approximativement le décrire » avaient à plusieurs reprises répondu les directeurs des galeries d'art. Les œuvres de Harry n'étaient pas belles, évidemment, pas plus que laides : dans un cas comme dans l'autre elles auraient marqué précisément et durablement les esprits. On aurait pu dire d'elles : « je me souviens de telle forme, de telle couleur, de telle tonalité, de telle dynamique... ». Ses œuvres n'étaient pas non plus mauvaises, comme le sont la majorité des créations de tous ces artistes innombrables de pacotille. Qui se croient être des artistes. Leurs œuvres ne génèrent que de l'indifférence chez ceux qui les considèrent. L'indifférence laisse une trace, un souvenir, une marque d'ennui, de pesanteur, de couleur grise dans l'âme. Un petit goût de vomi, parfois, à la limite de la conscience. L'indifférence appelle à elle, lentement mais sûrement, les souvenirs désagréables. Non et non : les œuvres d'Harry étaient d'indescriptibles présences fugaces. On ne pouvait se les remémorer, donc on ne pouvait les ... juger. Eh oui, il y était parvenu : ses œuvres étaient au-delà de tout jugement moral ! La raison voudrait qu'il n'y ait que la science, ses méthodes et ses résultats qui soient au-delà de tout jugement moral. La science est par définition objective ; c'est l'objectivité matérialisée. Elle n'est ni bien ni mal, elle est un savoir ou une technique, le plan moral se situe dans la personne qui va utiliser ce savoir ou cette technique.

Ce soir, c'était l'art de l'effleurement que le monde reconnaissait et applaudissait : c'était son art, sa création, une branche entière et nouvelle d'expression artistique. Certains critiques avaient dit que son art relevait du primitif, du premier, de la conscience la plus subtile, la plus petite ; faire de l'art à ce niveau était une pure merveille. De l'art minima, bref du « minim-Art » comme l'avait résumé un critique particulièrement lucide et excité, de son état chroniqueur sur France Info. Lui, Harry, venait d'incurver à lui tout seul l'Histoire de l'Art avec un grand H.

Enfin, bon, stop, assez d'auto-félicitations. Ses pas l'avaient enfin mené à la porte de son appartement. Il introduisit la clé dans la serrure, il la tourna, il appuya sur la clenche de la porte, il entra. Il balança ses godasses dans un coin, sa veste dans un autre coin et se laissa choir sur son vieux fauteuil favori en cuir râpé. Il se laissa choir comme un étron après un repas trop riche en saumon d'élevage norvégien. Car si dans sa vie publique Harry était un doux comme un agneaux affable et avenant, tout miel, tout sourire, tout sagesse, en lui-même il se comportait comme un bûcheron noir. Comme un cynique pur. Il vénérait son dédain de l'humanité, il se croyait assez puissant pour, quand le destin le lui réclamait, trancher une des têtes de l'hydre hideuse de la masse gluante, malodorante et criarde des humains qui habitaient les villes les plus renommées. Il aimait, seul dans son appartement, jouer avec cette image que les villes sont telles des fosses à lisier vivant ; le lisier humain chantant et dansant et rigolant sans fin dans ces trous nauséabonds. Et lui donnait des coups de hache là-dedans, coupant, mais coupant quoi ? Un peu de tout. Un coup faisait remonter les curieux à la surface. Ensuite il suffisait de frapper à nouveau … Mais avachi dans son fauteuil, ce soir-là Harry ne se laissa pas partir dans ses délires psychiques quasi-quotidiens. Il devait se trouver une nouvelle mission – il devait plus exactement se remettre à l'écoute de son destin. Après avoir été célébré comme le roi du « minim-art », qu'est-ce que le destin attendait de lui ?

Harry s'extirpa du fauteuil mou et fila à la cuisine se remplir un verre de bière, pour l'aider à faire passer le goût du mauvais champagne – plus la galerie d'art était exclusive et de grande réputation, plus l'évènement à célébrer allait faire de buzz dans les médias, des gros titres dans la presse, plus le champagne était de mauvaise qualité. Mais tout le monde s'en enchantait, curieusement. Et Harry souriait, par convenance, aux potiches et aux journalistes qui s'émerveillaient du liquide piquant et bulleux. Preuve que c'est réunie, soudée, solidaire, festive, que l'humanité était la plus à même de se nourrir de merde et donc de saper son propre futur. Faire comme tout le monde : c'était le meilleur moyen de faire accepter le pire. Ah, cynique comme il l'était, Harry pensait parfois qu'il aurait fait un bon politicien.

Bière dans la main, il retourna s'enfoncer dans le cuir élimé. Son destin flottait dans l'air, le moment se rapprochait de le saisir. Les idées étaient là, suspendues dans la pièce comme la fumée bleue d'un cigare. Oui, il lui fallait continuer dans ce chemin artistique au-delà de tout jugement moral, cela il le ressentait clairement. C'était un bon chemin. Monter ... comme la fumée qui monte dans l'air. Élever ... Et s'il élevait au-delà de la morale elle-même ? Si de ces choses qu'on juge morales ou immorales, il les faisait monter jusqu'au niveau au-delà de tout jugement moral ? Hm... Toutes ses précédentes œuvres étaient vides de contenu réel ou imaginaire. Il s'était concentré sur les formes, les structures, les couleurs, de façon à créer les plus petits effleurements possibles de la conscience. Donc il n'avait jamais donné de contenu significatif à ses œuvres. Cela aurait desservi son objectif. Monter, aller une étape plus loin ... Harry laissait son intuition se diluer et s'étendre en lui comme le lait qu'on verse dans un potage. Même sans remuer ça se mélange, lui avait un jour expliqué son vieux papé. Les idées c'est pareil, avait rajouté le vieux. Pas le peine de faire tout un barouf, tout un tintouin, du boucan, passer à la téloche, tout ça. Même écrire un bouquin, que ça servait à rien, disait-il. Les idées neuves se mélangeaient toutes seules, juste par le fait qu'elles étaient neuves et les autres, vieilles. Et ça se mélangeait comme il faut, ni trop vite ni trop lentement, et là où il faut et comme il faut. Les crieurs des radios de la capitale ne faisaient que pisser dans des violons, avec toutes leurs émission machin-à la con avec les mêmes tartanpions qui passaient d'une station à l'autre ! La philosophie de la soupe au papé ! Il était pas si con que ça le vieux.

D'ailleurs, nul doute que lui Harry avait hérité de ses gènes dominants. Le papé, le vieux … Oui ! Le contenu ! Bon diou, il fallait commencer par lever au-dessus de la morale des vieux trucs. Des vieilles valeurs. « Le passé est au-delà de tout jugement moral » : oui, une grosse connerie comme ça, bien grosse, tout le monde voudra en avaler. Si je la fais passer pour de l'art !

Cependant, ça n'allait pas. Il manquait quelque chose. Encore une étincelle : le mythe. Voilà, Harry devait créer un mythe. Dans le passé, disons fin 19e, un certain groupe d'artistes avait créé des œuvres magnifiques. Mais l'Église les avait faites interdire, puis carrément détruire. Car ces œuvres étaient des œuvres initiatiques, menant au cœur de l'Homme. Et en ce cœur était révélé un joyau au-delà de toute notion de bien et de mal. La vraie nature de l'Homme enfin atteinte, ses vrais pouvoirs allaient également se révéler. Les artistes en avaient goûté les premiers fruits. C'en était trop pour l'Église, qui base son pouvoir séculaire sur la peur du mal et la quête du bien. Les œuvres furent donc traquées, détruites, les noms des artistes furent effacés. Leur message oublié. Mais cent-trente ans plus tard, Harry, grâce à son papé, avait mis la main sur quelques notes manuscrites, quelques photos, des fragments d'œuvre d'art des artistes, qui laissaient entrevoir ce fabuleux message : que le véritable pouvoir se situe au-delà de la morale.

Doucement, Harry, ne cours pas faire les gros titres avec ces révélations ! Fais germer le mythe, doucement, sans qu'on s'en rende compte. Créé de nouvelles œuvres d'art, toujours du minim-art, qui effleure les consciences, mais à partir de maintenant qui laisse dans ces consciences l'idée qu'un pouvoir mystérieux et inconnu existe quelque part, et que tes œuvres sont les clés et les portes qui y mènent. Suscite un doux désir. Les humains sont de tels moutons qu'il suffit de leur laisse croire que quelque chose est très désirable, pour qu'ils se ruent en masse à sa recherche. Nul besoin que ce quelque chose existe : croire qu'il existe suffit.

Ouais, finalement, Harry aurait dû faire de la politique.

LE SABLE

Avril 2020

« – Tu as vu ? Il monte vraiment haut !

– Fais gaffe de pas tomber, quand même. T'es au bord.

– Oui oui. »

Le jeune homme fit un pas de trop, il perdit l'équilibre. Un paquet de sable se détacha du sommet de la dune et dévala la pente raide, suivi de près par le jeune homme.

« – Et merde ! Maintenant il s'est barré. Game over. »

Le jeune homme continuait de glisser dans la pente. Il tenta de se relever mais culbuta d'un coup cul par-dessus tête. Enfin, il arriva en roulant au pied de la dune. Son vieux pote, la quarantaine, l'observait d'en haut. Il lui lança ces mots acerbes :

« – Le cerf-volant s'est envolé dans le ciel, et toi tu t'es enfoncé dans le sable. Lui il est monté, toi tu es descendu. Lui il est léger, toi tu es lourd. Méga lourd.

– Oh ! J'ai du sable partout.

– Remonte vite, s'il y avait une patrouille. Les bleus sont sans honneur, depuis qu'ils ont tabassé les infirmières il y a deux ans.

– N'importe quoi ! »

– Remonte j'te dis. Les bleus réfléchissent pas. Ils cognent, ils filent des prunes. Triste. Plus d'honneur.

Le jeune homme grimpa avec peine la pente sableuse. Il essayait d'onduler comme un lézard, pour avoir le maximum d'adhérence. Parvenu au sommet, son compagnon lui donna la main et le hissa sans ménagement.

– Tu vois, il est là-bas.

– Il est monté vraiment haut. Mais pas assez.

– Le vent vient de la terre aujourd'hui. Tu peux quand même lui dire adieu à ton cerf-volant.

Les deux hommes regardèrent le cerf-volant et, plus bas, comme un disque au ras de l'horizon, la petite île.

– Elle n'aura jamais mon cadeau, soupira l'adolescent.

– Envoyer une petite culotte à sa copine, qui vit sur l'île, par moyen de cerf-volant : où que t'es allé imaginer ça ?

– Je sais pas. C'était une idée, c'est tout. J'avais calculé la voilure du cerf-volant en fonction du poids du paquet contenant la culotte. En théorie, si j'avais lâché le cerf-volant à la bonne hauteur, il aurait dû atterrir sur l'île. Maintenant, tu vois, il descend. C'est trop tôt, il va tomber dans la mer.

– Ouais, dit l'autre. L'île est toujours interdite d'accès ?

– Jusqu'au 1er juin. Elle me manque fort.

– Viens, il est 19 heures. Il faut rentrer.

Les deux hommes marchèrent sur le petit chemin du littoral pour rejoindre le village. Là, une patrouille de police les arrêta. « Monsieur, vous avez du sable dans vos vêtements. L'accès à la plage est interdit. Qu'y faisiez-vous ? »

LA NOUVELLE TERRE

Février 2020

À Coline Serreau
À Pierre Teilhard de Chardin

« Tu te rappelles de ce moment-là ? » L'enfant regarda son père avec un peu de crainte dans les yeux. Il avait atteint et même dépassé, depuis huit lunes, l'âge du deuxième rite. Il aurait pu lui poser la question plus tôt, sans même attendre que la cérémonie du rite soit terminée. Il en avait désormais le droit. Le jeune Jonas était sensible et perspicace. Aussi loin que sa mémoire remontait, c'est-à-dire au jour du premier rite il y a huit cycles, il avait ressenti cette espèce de … de brouillard des consciences. Il voyait les adultes aller et venir à leurs occupations d'adultes, il voyait les champs, les forêts, les villes et les villages. Il voyait, parfois, rarement, une sphère brillante qui montait ou qui descendait du ciel. C'était son monde, mais ce monde semblait ne pas avoir de racines. De passé. Jonas avait beau regarder, scruter, écouter, lorgner, il ne trouvait pas l'explication ultime à tous les actes de la vie quotidienne de ses aînés. Et de ses camarades du même âge. Lui, Jonas, voulait connaître le point de départ, l'origine, la source de tout ! Alors il avait enfin décidé de poser la question à son père. C'était le bon moment ; la pause du midi dans une journée de chasse. Son père était particulièrement fier de ses prises, trois beaux lièvres. Il était plus que fier, il était heureux. Et sa question n'allait pas réjouir son père, Jonas le savait. Il le supposait du moins. Il espérait que la bonne humeur de son père serait plus forte que la colère qu'engendrerait la question. Il lui semblait que les adultes voulaient toujours éviter de parler de ça avec lui. Jonas lui reposa la question. « Tu te rappelles de ce moment-là ? ».

Fitzgerald , son père, but une gorgée d'eau à sa gourde, qu'il referma lentement et rangea avec soin dans son sac. Assis par terre en tailleurs, il déplia ses longues jambes et reposa son doc contre le tronc de l'arbre. « Ce moment-là… ». Il inspira profondément.

— « Oui, je m'en rappelle. Et tu crois que ce moment est important ? Tu crois que tu te sentiras mieux si je te le raconte ?

— Oh oui pap' ! Personne n'en parle. Tout le monde ne parle que du soleil et des étoiles. Des sphères et des super-sphères. Bien sûr, tout le monde parle aussi des plantes et du commerce et du prochain tournoi mondial de surf. Mais …

— Mais il manque quelque chose, c'est ça ? Il manque une explication à tout ça. Il manque une explication à notre vie, en fin de compte. Une origine.

— Oui. Et oui je sais que toi et mam' vous savez que c'est important pour moi de savoir d'où tout vient. J'ai toujours eu le sentiment qu'il y avait quelque chose avant. Dans le passé, je crois qu'on ne vivait pas comme on vit maintenant.

Fitzgerald hocha la tête lentement. Une feuille se décrocha de la canopée et vint atterrir entre lui et Jonas.

— Et tu penses, lui demanda-t-il, que moi je peux répondre à cette question ? Que je peux en parler ? Jonas, si on ne parle pas du passé, du temps d'avant, as-tu envisagé que c'est parce qu'on ne peut pas en parler, tout simplement ?

— Pap', oui. Mais non. Ce n'est pas possible. Pas pour toi. Tu es un gardien, tu dois savoir !

— Et si je réponds à ta question, cela pourrait faire de toi un gardien. Être gardien a un prix. Quand on est un gardien, on ne vit pas totalement dans le présent. On ne peut pas partir explorer le système solaire ou mener une vie de grande harmonie avec la forêt ou avec la mer. On est retenu par le passé.

— Si tu me racontes le passé, le moment où on a commencé à vivre comme on vit maintenant, alors je pourrais choisir une voie entre le ciel et la mer. Je dois savoir, je sais que c'est important pour moi de savoir ce qui s'est passé. J'ai passé le deuxième rituel, il faut que je commence à réfléchir à ma voie.

— Alors soit. Je vais te raconter le renouveau. »

Δ

— « Le renouveau eut lieu en l'an 2060. Il y a donc vingt ans de cela.

— Vingt ans ? Les ans … ?

— C'est ainsi qu'on nommait les cycles auparavant.

— Vingt cycles, c'est tout ? Juste vingt cycles ? Mais ce n'est pas possible ! Tu veux dire que je fais partie de la deuxième génération née après ce 'renouveau' ?

— Eh oui, félicitation monsieur Jonas, dit Fitzgerald en lui souriant.

— Je croyais que c'était bien plus ancien. Bien plus vieux. Tout le savoir qu'on utilise aujourd'hui, si raffiné, si précis et en même temps si vaste et si puissant. Tout ça n'a que vingt cycles ?

— C'est la stricte vérité. Je peux commencer à raconter, maintenant ?

— Pardon, pap'. Vas-y.

— En 2060 donc, j'avais vingt ans. Mon père en avait quatre-vingt-un. Il était vieux, physiquement, mais dans sa tête il demeurait jeune. Il était passionné comme un étudiant par les plantes, d'un côté, et par les sciences de la matière, d'un autre côté. Réunir l'une et l'autre dans un dépassement de la conscience, telle était sa devise. Et il a réussi.

— Tu veux dire que c'est … mon grand-pap' qui est responsable du renouveau ?

— Disons qu'il a participé au renouveau. Il a … mis en mouvement des évènements. Il les a fait basculer. Il a donné une impulsion. Tout était déjà là, il n'a rien créé, rien inventé. Il a réuni ce qui, aux yeux de tous, était épars, sans lien. Il a réuni tout cela et ça a donné … notre façon de vivre. Oui. Ça a donné … la nouvelle Terre. Une Terre vraiment nouvelle.

— Tu veux dire qu'on a … atterri ici il y a vingt cycles seulement ? Mais on vivait où avant ? Sur quelle planète ? Sur quelle …

— Du calme moussaillon. Ne t'excites pas tant. Nous vivons depuis toujours sur cette terre. Cette bonne vieille terre, avec ses forêts et ses océans ! Nous sommes nés ici, il y a trois millions d'années environ. Nous étions un petit bipède similaire à un singe. Un singe qui a évolué depuis et qui, il y a 60 000 ans, est devenu tel que nous sommes aujourd'hui. Non, nous ne venons pas d'une autre planète. Nous sommes des Terriens depuis toujours.

— Mais tu as dit 'la nouvelle Terre' !

Fitzgerald prit dans sa main la feuille tombée au sol. Il la fit pivoter de gauche à droite, puis la retourna, et puis il la fit remonter dans la canopée de l'arbre, doucement, par la force de sa pensée. Jonas était époustouflé. La feuille se ressouda à une petite branche et la sève irrigua de nouveau ses nervures.

— Tu arrives à faire ça toi aussi ? Je croyais que seul la mam' de Tobias et ... quelqu'un d'autre qui habite de l'autre côté de la rivière dont je ne sais plus le nom, en étaient capables. C'est cool !

— Aujourd'hui, c'est rare pour une feuille de retourner à la branche de laquelle elle est tombée. C'est rare mais pas impossible, tu es d'accord ?

— Oui, c'est rare mais c'est possible. C'est logique. C'est par la force de la noo... de la noosphère !

— C'est ce qu'on t'a appris en cours de physique de l'esprit. À ce propos, je suis content de tes notes, tu peux être fier tu as bien travaillé. Mais j'en reviens à notre petite feuille. Pour elle, la vie continue. Sa vie s'était arrêtée, mais elle a repris. Elle a retrouvé sa branche. C'est normal. Avant le renouveau, cela n'était pas normal.

— C'était impossible ?

— Même pas. C'était plus qu'impossible : on ne le pensait même pas. On ne l'imaginait même pas.

— La noosphère n'existait pas ?

Fitzgerald soupira.

— Pap' ?

Son père le regarda avec un fond de mélancolie.

— On ne le saura peut-être jamais. Tout ce qu'on sait aujourd'hui, est-ce que cela existait dans le passé ? Nous, en tant qu'espèce humaine qui est apparue sur Terre et qui avons toujours évolué dans elle et par elle, avons-nous vraiment inventé quoi que ce soit ? … Fitzgerald regarda la petite feuille réunie avec son arbre. Toujours est-il que ton grand-père avait une idée derrière la tête. Il croyait qu'une synthèse était possible. Il était un scientifique, à l'origine, mais il avait cette intuition que l'esprit et la matière n'étaient pas séparés. Il était un docte ignorant, il doutait de tout, il se posait des questions sur tout. Et il imaginait autant comme autant. Il se laissait porter par son intuition et il disait que l'univers était son guide, donc que son intuition était la volonté de l'univers. Et ce qu'il allait faire était la volonté de l'univers. La synthèse : la réunion de l'esprit et de la matière.

— Qu'a-t-il fait ?

— Pas si vite. Revenons à la feuille. Cette feuille fait partie de la Terre, et toi aussi. Entre la Terre et la feuille existe une relation, un Lien, qui est le même qu'entre toi et la Terre. Tu peux ressentir ce Lien ?

— Oui, oui on s'est bien entraîné à l'école. Maintenant on peut tous ressentir le Lien. C'est dur à décrire avec des mots, mais c'est comme un carré, un tube … carré bleu et transparent et lumineux, qui tourne lentement, qui part des poumons et qui se relie à tout. Aux plantes, aux arbres, à la terre, au ciel, aux autres personnes même.

— C'est assez évident, n'est-ce pas ? Tu peux le ressentir quand tu le veux ?

— Oui, confirma Jonas.

Fitzgerald réfléchit.

— Avant le renouveau, ce Lien n'était pas évident du tout. Les gens vivaient comme s'il n'existait pas. Les adultes ne parlent pas souvent du passé, Jonas, parce qu'ils ne s'en rappellent que des petites bribes. Même ceux qui ont connu l'avant. Parler du monde sans parler du Lien, c'est comme, pfff… je dirais que c'est comme parler de la physique des sphères volantes à un jeune chat. Il ne va pas pouvoir comprendre. Sa vie de jeune chat est si pleine d'autres préoccupations. La physique des sphères est un savoir qui n'existe pas dans sa vie. Mais ce serait plus simple, pour que tu comprennes, voilà : il faut que tu saches que le Lien n'a pas toujours eu cette forme carrée qu'on lui connaît tous. Le Lien …

— Mais qu'est-ce que grand-pap' a fait ?

— Oui, les faits. Les faits ! Ce qui a été fait. C'est peut-être ce qu'il y a de mieux pour que tu comprennes. Bon. Donc, en 2060, ton grand-pap' a allumé une bombe à fusion nucléaire. Et la nouvelle Terre est advenue.

— Une bombe nucléaire ? Une graine d'étoile, tu veux dire ? Comme les graines qui alimentent les sphères en énergie et la grille spatiale jusqu'à Saturne ?

— C'est le nom qu'on utilise aujourd'hui. Avant, avant, on n'avait pas de nom pour ça. Il existait des scientifiques qui faisaient des recherches sur la fusion nucléaire, c'est-à-dire les transformations chimiques des molécules dans le Soleil, comment des atomes peuvent s'unir, fusionner, pour ne former plus qu'un, tout en libérant une énergie phénoménale. Ils voulaient reproduire ces transformations ici sur Terre, afin de disposer d'une source quasi-inépuisable d'énergie. Comme le Soleil. Et ton grand-pap' avait cette intuition : que le Soleil qui brille au milieu de notre système galactique brille aussi dans notre poitrine. Dans notre…

— Plexus solaire !

— Oui. Et il avait raison. Le Soleil est en nous, aussi. Mais on ne le croyait pas. Il allait de ville en ville, faisant conférence sur conférence, pour expliquer que l'initiation d'une réaction de fusion nucléaire ici sur Terre devait se faire selon les règles de l'Art. Parce que cette réaction allait entraîner de grands, de profonds changements dans le cœur des hommes. Dans notre humanité. Oui, lui répondait-on : la fusion nucléaire allait créer du changement. Elle allait offrir rien de moins qu'une énergie illimitée à l'humanité, qui pourrait donc s'épanouir totalement. Et en arrêtant de polluer la terre.

— Polluer ? Qu'est-ce que ça veut dire ?

— Polluer, eh bien… aujourd'hui polluer ce serait de jeter une vieille sphère qui ne fonctionne plus au fond de l'océan.

— Et ?

— Et c'est tout. On jetterait juste la sphère dans l'océan.

— Mais pourquoi ?

— Parce qu'on ne voudrait pas l'entretenir et la réparer.

— Mais pourquoi ?

— Parce que… parce que … Avant existait une chose qu'on appelait l'argent. Chaque geste, chaque activité était mesurée par sa production d'argent. Certains gestes, tels que réparer et entretenir, généraient moins d'argent que de brûler du pétrole ou du charbon, donc au lieu de réparer, on jetait dans la Nature, tout simplement.

— C'est pas logique. Les gens d'avant étaient fous ?

— Non, ils étaient ignorants. Et ils aimaient leur ignorance : leur ignorance les empêchait de voir les conséquences néfastes de leurs actes. Enfin, bref, ton grand-pap' n'avait de cesse d'expliquer que la première réaction de fusion nucléaire devait s'accompagner d'une, comment disait-il exactement, d'une 'activation' des soleils intérieurs. Mais on lui rigolait à la figure.

— Pourtant c'est évident que notre esprit, la noosphère, la Terre et le soleil, tout est relié.

— Comme je te l'ai dit, rien n'était évident, auparavant. D'autant plus que mon pap' justifiait son intuition par l'alchimie. Il clamait que la première réaction de fusion nucléaire devait se produire lors du 'Grand Alignement', quand le cœur des hommes, les atomes qui allaient être mis en fusion, le réacteur nucléaire, le soleil, la lune et les planètes du système solaire s'alignaient.

— La Lune aussi ?

— Oui, oui, la Lune aussi. Mais je vais trop vite : c'est l'an prochain que tu apprendras le rôle de la Lune. Le Soleil donne la force, mais c'est la Lune qui dirige, disait le vieux Paul Bedel…

— Paul Bedel, c'est qui ? Quelqu'un d'avant ?

— Oui, il était paysan et il aimait la terre, les plantes, les animaux, la mer…

— Il vivait le Lien ?

— Je crois, oui. Il n'avait pas de mot exact pour le décrire, mais il ressentait quelque chose, je crois bien. Il avait beaucoup donné à réfléchir à grand-pap'. Grand-pap' donc, qui voulait convaincre tout le monde de faire une préparation du rituel alchimique à l'échelle de toute la planète, dans tous les pays, pour la première fusion.

— Pays ?

— Les pays étaient des … , étaient des … , comme des villages, mais en plus grand. Un ensemble de villages qui vivaient exactement selon les mêmes règles.

— Et il y en avait beaucoup ? Que ce devait être ennuyeux de vivre tous exactement de la même façon.

— Justement, grand-pap' voyait que ses contemporains polluaient la planète sans se soucier des conséquences, et que tous se comportaient pareillement. Plus les nouvelles techniques étaient puissantes, plus ils polluaient. Il craignait donc qu'à moins d'un profond et irréversible changement dans le cœur des hommes, la technique de la fusion nucléaire ne conduise à une catastrophe totale.

— Mais il a été compris, quand même ?

— Non.

— Pas du tout ?

— Non.

— Alors il a fait quoi ?

— Jonas, tu dois savoir que … que je l'ai aidé. J'ai participé au grand changement, à la fin de l'ancien monde. Mais tu ne dois le dire à personne, d'accord ?

Jonas fut rempli d'un énorme sentiment de fierté ! Lui, il était le fils de son père et son grand-père qui avaient été les acteurs du renouveau ! Mais alors… cela signifiait aussi que lui Jonas devait se montrer digne d'eux ! À la fierté succéda le sérieux et la concentration. Jonas voulait désormais apprendre pour devenir responsable, comme son pap' et son grand-pap'. La voie qu'il allait choisir pour les prochaines années de sa vie devait refléter ce passé glorieux. Fitzgerald son père continua.

— Mon père décida de construire, chez nous, un mini-réacteur à fusion. Il travailla sans relâche. Il parvint à créer un plasma, puis un champ magnétique fermé pour contenir le plasma, puis une aiguille à induction pour injecter au cœur du plasma les atomes qui allaient devoir fusionner. Et il construisit aussi le réceptacle énergétique, qui emmagasine toute l'énergie produite par la fusion des atomes et la restitue sous forme d'électricité surpuissante. Tout cela, il l'a fait. Dans le plus grand secret, pensait-il. Mais il avait utilisé internet, et les autorités découvrirent, par recoupement, que quelqu'un rassemblait tous les matériaux nécessaires pour faire un réacteur à fusion.

— Internet ?

— Une sorte de noosphère entre machines, comme il en existe entre les sphères et les autres objets de frontière aujourd'hui.

— Ah... Et alors ?

— Et cela était strictement interdit par la loi. Seul le prototype officiel de réacteur à fusion était autorisé.

— Pourquoi ? Parce que c'était dangereux ?

— Oui, mais surtout parce que le projet officiel de réacteur à fusion était payé, – avec cet argent dont je t'ai parlé – par les plus gros pollueurs du temps d'alors. Ces pollueurs, ces firmes internationales comme on les appelait, voulaient détenir à eux seuls le pouvoir de la fusion nucléaire, pour continuer à polluer.

— Ils voulaient maltraiter les graines d'étoile ? Quels ... imbéciles !

— Oui, on peut dire ça. Si la majorité des gens étaient ignorants, eux étaient conscients des pollutions qu'ils engendraient. Et leur ... cœur, leur cœur, au renouveau, ne s'est pas complètement purifié. Ce cœur de méchanceté existe toujours, hélas.

— Ce sont les vestes grises ? Heureusement, ils ne sont vraiment pas nombreux, ils sont cantonnés et on peut les éduquer.

— Oui, aujourd'hui. Par le passé, ils avaient au contraire tout le pouvoir. Le pouvoir sur les simples gens, sur les représentants du peuple, sur la police, sur la justice. Sur tout. Ils envoyèrent donc la police interroger grand-pap'. L'étau de la justice se resserrait autour de lui : ils n'allaient pas tarder à trouver son réacteur. Et l'heure du grand alignement approchait.

— Le soleil, la Lune, les planètes, les étoiles, le réacteur, les intuitions de Grand-pap', tout était prêt ?

— Tout ? Hm, oui et non. Car personne ne croyait à ce grand alignement. Et grand-pap' décida que faute de croire, il allait devoir obliger les gens à constater. Il décida de les exposer, à l'heure exact du grand alignement, à l'énergie de la première fusion.

— Mais son réacteur ? Son réacteur n'allait-il pas justement absorber toute cette énergie ? La transformer en électricité ?

— Oui. Donc grand-pap' construisit à la hâte un second réacteur, de la taille d'un gros sac, sans réceptacle d'énergie. Avec grande difficulté, il parvint à le cacher près d'un émetteur satellite. Et il revint à la maison. J'étais avec lui quand les policiers forcèrent la porte et se ruèrent dans l'atelier où se trouvait le premier réacteur. Tandis que des policiers nous tenaient fermement plaqués au sol, les avocats – les défenseurs – des puissantes firmes internationales auscultèrent le réacteur sous toutes les coutures. En fin de compte, les policiers nous relevèrent, sans ménagement. Les avocats rirent au nez de grand-pap' et lui jetèrent ses feuilles de calcul au visage. 'Votre construction est un jouet, et vos conférences ridicules sur l'alchimie sont des croyances d'enfant. La société a besoin de gens sérieux, ce que vous n'êtes pas. Votre réacteur ne fonctionnera jamais'.

— Ils ont dit ça ? Quelle méchanceté.

— Le rôle des avocats était justement de blesser par la parole. Heureusement, ils n'existent plus. Sauf un ou deux, peut-être, chez les vestes grises.

— Mais le grand alignement ?

— Une fois les policiers et les avocats partis, le temps était compté. Grand-pap' me prit dans ses bras, il me fit ses adieux. Il m'ordonna de me rendre au bord de la rivière, là où aucun bâtiment ne puisse me tomber dessus. Puis il partit à grandes enjambées. Je le vis, de dos, devenir de plus en plus petit. Il se rendait au centre de la ville, au pied de l'émetteur satellite. Moi, tremblant, je me rendais au bord de la rivière.

— Tu croyais aussi à l'alchimie ? Tu ressentais le Lien ?

— Oui et non. Non. Tout était confus. Je sentais que l'heure du grand changement approchait. Je sentais que ce changement était inéluctable. Et j'avais peur, et j'étais infiniment triste. Car allais-je revoir un jour mon père ? J'avais peur que le prix à payer pour que le monde change soit … son sacrifice.

— C'est triste ! Mais vous ne pouviez pas faire autrement ? Vous auriez pu modifier la date de l'activation du réacteur à fusion officiel ?

— On passait pour des fous, pour des idiots … La police surveillait de très près ce réacteur, nous avions l'ordre ne pas en approcher.

— Et que s'est-il passé ? Grand-pap' a activé le second réacteur ?

— Oui.

— Tout a été détruit ? Tout a explosé ? La ville, les immeubles, tout le monde est mort dans l'explosion nucléaire ?

— Non. Non, ça, une telle destruction de masse ce serait produite si les fusions nucléaires avaient été rendues possibles en maints endroits de la planète. Si les fusions nucléaires étaient activées partout pour le bon plaisir des firmes multinationales. Par le passé, les siècles d'avant, cela c'était déjà produit. La destruction totale, quasi-totale de pays. Le réacteur de grand-pap' a, il a …, il y a bien eu une explosion mais pas une destruction. Une explosion sans destruction.

— Je ne comprends pas. L'explosion était trop petite ? L'énergie produite trop petite ?

— J'étais au bord de la rivière, à attendre que quelque chose se passe. J'ai entendu un bruit, grave, profond. Tout s'est mis à trembler légèrement, mais rapidement. Et d'un coup le ciel, l'air, s'est rempli d'ondes puissantes. D'énormes vibrations qui déchiraient l'air en tous sens, qui le cisaillaient de haut en bas, dans des couleurs improbables de bleu, de blanc, de rouge. La couleur de l'air changeait ! C'était d'une puissance ! Ça n'arrêtait pas, tout le ciel en était rempli. En même temps, rien n'était détruit, il n'y a avait pas vraiment de vent, c'était comme si ces vibrations de lumière traversaient tout. Partout les gens se sont mis à sortir des bâtiments, des maisons, des immeubles. Les routes se remplirent de monde. Le moindre chemin, même celui sur le bord de la rivière où je me trouvais, se remplissait de personnes apeurées, qui criaient et hurlaient, qui couraient en tous sens.

— Les vibrations colorées faisaient mal ?

— Non, pourtant. Mais elles … changeaient quelque chose en nous. Quelque chose ou bien rentrait en nous ou bien changeait en nous, au niveau du plexus solaire.

— L'énergie du soleil amenée sur Terre, dans le grand alignement, se répandait en vous ?

— Oui c'est ça ! C'était … bizarre. Déroutant, apeurant, effrayant. Horrible même, c'est certain, pour toutes les personnes qui auparavant n'avaient jamais cherché à connaître les liens qui existent entre elles et l'Univers. Moi j'avais peur, alors les autres, les citadins, les employés de bureaux qui ne vivaient que pour gagner de l'argent … Ils vivaient de terribles instants d'horreur émotionnelle.

— Les vibrations ont duré longtemps ?

— Oui. Enfin je crois. C'était aussi long que pour faire un bon gâteau au chocolat : c'est ce que j'ai pensé quand elles ont pris fin.

— Et c'était fini ? La Terre Nouvelle était créée ? Notre mode de vie aussi ?

— Non, ça ne faisait que commencer. Rapidement, on a tous pu voir que quelque chose changeait aussi en dehors de nous. On ne comprenait pas pourquoi, mais certains immeubles, ceux qui étaient hauts, se retrouvaient couchés. À l'horizontal sur le sol.

— Ils sont tombés, ils se sont écrasés par terre ? Ou juste couchés ?

— Oui, juste couchés. Doucement couchés, sans faire aucun dégât, sans se briser, sans se fissurer. Comme un vieillard qui se couche, pour son dernier sommeil. Comme grand-pap'. Fitzgerald soupira, ses yeux versèrent deux larmes. Il reprit son souffle. C'était déroutant : l'intérieur des immeubles étaient maintenant à l'horizontal, les murs étaient devenus des sols et des plafonds, les fenêtres des portes. Et cela s'est produit partout sur Terre. Les immeubles se levaient et se couchaient.

— Incroyable !

— Inimaginable, oui ! Les scientifiques essayèrent d'expliquer comment, la gravité, la chute freinée … La gravité changeait. Mais pas partout. Ils n'y parvinrent pas. En eux, en nous tous, quelque chose naissait, on le sentait tous.

— Le Lien ?

— Oui, mais comme je t'ai dit, le Lien n'a pas toujours eu la forme que tu lui connais. En fait, au départ, le Lien prenait toutes les formes : carré, cercle, triangle, spirale, losange, hélice, hélice simple, double, tripe, étoile à six, sept, douze, vingt-et-une branches, dodécaèdre … Chacun ressentait en lui cette boule d'énergie vibrante, de toute forme, de forme sans cesse changeante, qui voulait se relier à quelque chose. Spontanément, intuitivement, au plus pendant quelques jours, chacun essaya de ressentir au plus profond de soi-même, le plus honnêtement de soi-même, vers quoi leur nouvelle énergie interne voulait se connecter. Et l'évidence se fit, dans les esprits : vers la Terre. En juste quelques jours, tout le monde accepta et libéra son Lien avec la Terre. Quelle joie ! Partout, la joie succéda à la peur, au doute, à l'angoisse. Les liens se canalisèrent. Nous changeâmes.

— Tout le monde ?

— Non, en effet. Ta question est juste. Certaines personnes ne firent pas le Lien. Soit leur soleil intérieur était en perpétuel construction / destruction, soit ils n'en avaient pas.

— Ils furent les premières « vestes grises » ?

— Oui. Très tôt, ils formèrent des groupes, tous habillés de gris ou parfois de marron. Tous ils étaient violents, bagarreurs, voleurs, violeurs.

— Mais ils possédaient le réacteur à fusion officiel. Avec sa puissance, ils ne vous ont pas tué ? Ils auraient pu le faire exploser, réellement.

— Non, les vibrations colorées leur avaient ôté l'intellect, heureusement. Ils ne pouvaient plus concevoir de plans machiavéliques, malfaisants, comme par le passé.

Jonas regarda la feuille qui avait retrouvé sa branche et son beau vert de jeune feuille joyeuse et vivante.

— Et vous avez trouvé en même temps la noosphère et les forces de l'esprit ?

— Cela s'est fait progressivement. Et inévitablement.

— Comment ?

— Les premiers à constater qu'ils pouvaient influencer la matière par l'esprit, en canalisant leur force solaire intérieure, étaient en fait des fuyards. Ils fuyaient les vestes grises. En ces premiers temps du renouveau, les vestes grises formaient des groupes et pourchassaient sans relâche toutes les autres personnes. C'était des temps sombres pour nous tous. Nous étions si joyeux de reconnaître le Lien qui nous unissait à la Terre et à l'Univers. Ce Lien était devenu sensible, palpable, indubitablement réel. Mais en même temps nous étions terriblement tristes de constater que la violence humaine perdurait. Que des humains continuaient à massacrer d'autres humains. Nous nous refusions à utiliser des armes, des pistolets, des fusils, pour tuer les vestes grises.

— Non ?

— On aurait pu, car les vestes grises, elles, n'avaient plus l'intelligence suffisante pour utiliser des armes à projectiles. Elles tuaient avec des gourdins en bois ou en fer, avec des battes de baseball, avec des clubs de golf même ! Il existait plein de dépôt d'armes, on aurait pu simplement les prendre et achever les vestes grises. Mais aucune des personnes qui avait accepté son Lien avec la Terre et le Cosmos ne pouvait accepter de tuer un autre être humain.

— Même si ces humains vestes grises étaient ceux qui, avant, n'hésitaient pas à tuer, à polluer, à affamer ?

— Oui : avec le Lien, impossible de faire les mêmes actes barbares que ces humains avaient commis. Tout à fait, totalement, absolument, impossible.

— Mais comment avez-vous découvert les forces de l'esprit ?

— En fuyant, comme je te le disais. Je me le rappelle clairement : j'étais avec des amis, nous formions un petit groupe d'une dizaine de personnes, nous entraidant pour la nourriture et la défense face aux vestes grises. Un jour, face à une attaque des vestes grises, nous avons choisi de fuir. Nous devions enjamber d'innombrables murs. Certains murs étaient hauts de plusieurs mètres, parfois nous devions passer par-dessus des immeubles couchés. Les escalader. C'était difficile, lent, les vestes grises capturèrent la moitié d'entre nous. La fuite semblait sans fin, nous étions épuisés. Spontanément, de façon totalement imprévisible, quelqu'un de notre groupe s'est mis à penser que ce serait plus facile si, au lieu d'utiliser nos muscles pour grimper sur les murs et les immeubles couchés, on utilisait notre force de pensée. Si on imaginait qu'on 'volait' par-dessus les murs. Et c'est ce qui s'est produit ! Nous n'avions plus rien à perdre, alors on l'a pensé, et on a 'volé' par-dessus les murs et les immeubles ! C'était si incroyable ! Mais ça marchait. On l'a refait une deuxième fois, une troisième fois, pas de doute : on pouvait contrôler ce pouvoir. Je me souviens de mon ami Ben, qui imaginait faire une pirouette, sa tête juste plus haute que le mur et ses jambes décrivant un grand arc de cercle par-dessus le mur. Et il l'a fait, pour de vrai ! Et avec un immense sourire sur son visage !

— À force de fuir ainsi les vestes grises, vous avez pris conscience de la Noosphère ?

— Oui, c'était inévitable. Notre force intérieure, solaire, la force solaire de la Nature et de l'Univers, solaire, lunaire, et l'aiguillon de l'esprit, qui dirige, qui oriente, qui motive. Nous prenions conscience de tout, et tout se reliait, et nous nous reliions à tout. Ce furent des jours merveilleux, magiques. Partout sur Terre les humains se déplaçaient désormais par la force de la pensée. Plus de voitures, plus d'avions, plus de bateaux, plus de pollution. On 'voyait' maintenant toutes les relations écologiques qui existent dans la Nature, on 'voyait' la Terre telle que nous ne l'avions jamais vue auparavant. La Terre était notre nouvelle Terre ! Et notre Soleil lui aussi semblait nouveau. Vois aujourd'hui comme il est blanc. Avant, il était jaune, si je me souviens bien.

Jonas, enfin, était comblé. Il était rempli, il savait.

— Et les vestes grises ? Et les sphères ? Et la fusion nucléaire : on l'utilise toujours, pourtant.

— Les vestes grises, en utilisant et en combinant nos forces de pensées, nous les avons rassemblées sur une seule île. Petit à petit, leur nombre se réduisit. Elles s'entre-tuèrent. Certaines purent stabiliser leur Lien : nous les accueillîmes à bras ouverts. D'autres ne le purent pas, ou bien leur Lien demeura si faible qu'il créait en elles, en permanence, une grande peur. Face à une telle souffrance, nous allâmes les chercher et nous leur donnâmes la boisson du dernier sommeil. Pour qu'au moins elles partent dans la paix.

— C'est triste. C'est pour ça, et à cause du passé des vestes grises, que personne aujourd'hui n'en parle ouvertement ?

— Oui, et aussi parce que beaucoup de gens de mon âge ou plus âgés gardent en eux un peu de honte, la honte de ne pas avoir voulu prendre soin de la Terre. Il y avait certes les firmes internationales qui encourageaient à polluer et à détruire la Nature, mais tous, tous, nous avions une part de responsabilité ... Les adultes ne parlent pas volontiers de ce passé pour cette raison, et pour cette autre raison que notre passé lointain, en comparaison de tout ce que nous pouvons vivre grâce au Lien aujourd'hui, semble si petit. Si ... nombriliste. Nous connaissions si peu de la Vie. Quant à la fusion nucléaire, nous avons appris, grâce au Lien cosmique avec les planètes du système solaire, et avec le Soleil bien sûr, à la gérer, à la contrôler. Elle produit l'énergie pour nos sphères, sphères qui comme tu le sais nous servent à parcourir d'énormes distances dans le cosmos.

— Oui je le sais, je suis aussi très bon à l'école en physique du mouvement.

— Bon, on rentre à la maison ? Ta mère doit nous attendre. Je crois avoir entendu qu'elle a fait des cookies.

— Des cookies ? Super ! En vol !

Et Jonas, suivi de Fitzgerald, sacs sur le dos et gibier à la ceinture, traversèrent la canopée de l'arbre sous lequel ils étaient assis, pour rejoindre le svelte courant éolien des cent mètres et glisser en douceur jusqu'à leur domicile. Celui-ci était situé au bord d'une grande rivière qui s'écoulait doucement au Nord-Ouest de ce grand territoire qu'autrefois on appelait la France, et qui était maintenant une contrée de la Nouvelle Terre sous le Soleil blanc.

FIN